JN108004

増補改訂版

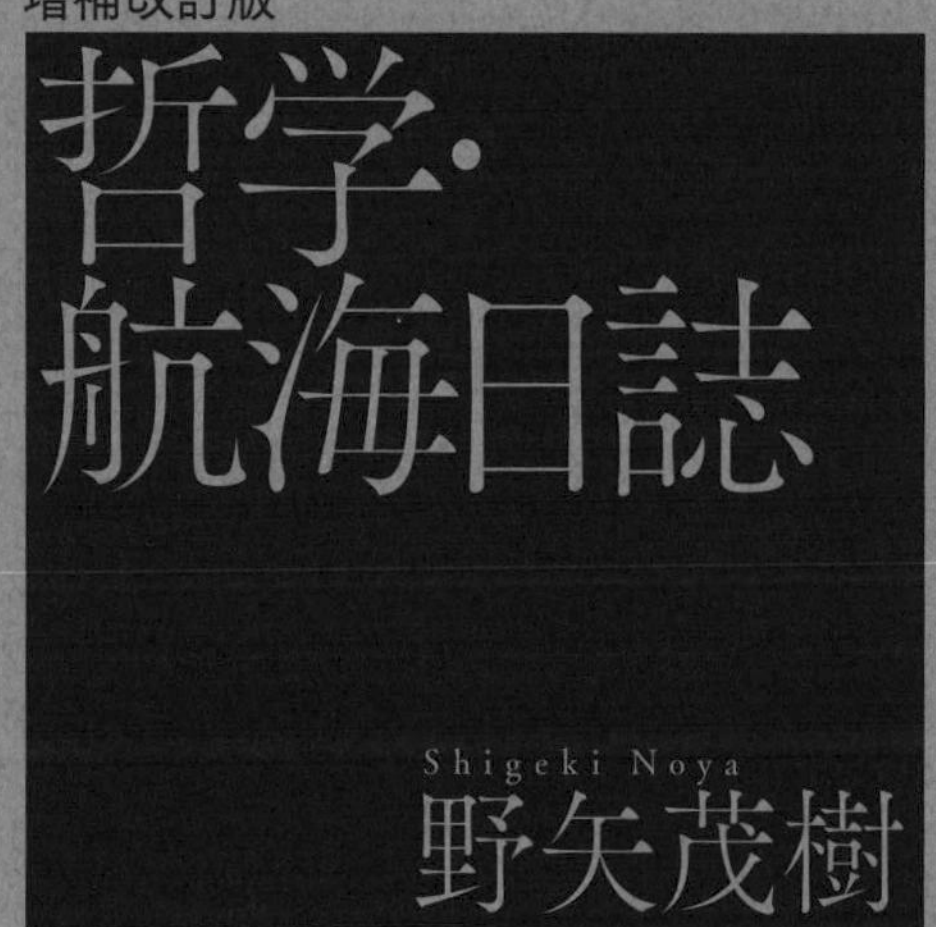

春秋社

増補改訂版のまえがき

本書は一九九九年に春秋社から出版された。その後二〇一〇年に二分冊の形で中公文庫として文庫化された。それが今回再び単行本として出していただける運びとなった。

いくつかの点で修正を施したが、修正は最小限にとどめた。その代わり、考えが変わった点については補注という形で現在の考えを記すことにした。

また、最後に第36章「その後の航海」を新たに書き下ろした。最初に本書を世に問うてから、遅々たる歩みではあったが、それでも私の哲学的考察は前進し、新たな展開を見せている。その大まかな航路を、部分的であり概略にすぎないが、なお進行中の航海の記録として示しておいた。

思わず漏らしたため息のように感慨を述べさせてもらうならば、いったん文庫になったものがもう一度単行本として出版されることは、しかもそれが私の哲学の歩みにおいて本当にだいじな著作であるからなおさら、この上なくうれしいことである。最初の単行本のときにも担当していただき、今回増補改訂版の出版を提案してくださった春秋社の小林公二さんに感謝したい。

二〇二三年夏　　野矢茂樹

文庫版のまえがき

哲学には縄張りがない。物理学であれば物理学なりの、政治学であれば政治学なりの持ち分というものが、ある程度は存在する。しかし「哲学」とは、特定の話題領域を表わす言葉ではない。むしろそれはある種のまなざし、ある種の思考の様態を表わす言葉であるだろう。

では、哲学的な見方、哲学的な考え方とは、どういうものなのか。実のところそれもまたひとことで言えるようなものではなく、さまざまであり、さまざまな哲学書を読んで感じてもらうしかない。私としては、本書がそのささやかな一つの実例になっていることを願うばかりである。

縄張りはないと書いたが、人によってもちろん好き嫌いや得手不得手はある。本書は、広大無辺の哲学という海の中で、私がなじんでいるあたりをあちこちうろついてみたものにすぎない。そこにあえて名前をつけるならば、「他者論」という形でくることもできるだろう。

個人的なことを言うならば、私はあまり他者が好きではないし得意でもない。ウィトゲンシュタインは不意打ちが嫌いだったというようなことを読んだ覚えがあるが、その点に関してぐらいは、私もウィトゲンシュタインに似ているかもしれない。私も不意打ちは嫌いというか苦手であり、他者はまさに私に不意打ちを食わせるのである。だが、だからといって他者を排除して独我論に立つ気にはならない。私にとっての他者は、確かに私の周りにごろごろいる。それは、なんだか分からないくせに圧倒的なリアリティで私の前に立つ。彼らは私と同じものを見ているのだろうが、まったく違うものを見ているとも言いたくなる。彼らは私と同じ世界に住んでいるのだろうが、まったく違う世界に住んでいるとも言いたくなる。なんなんだ、こいつは、と私は思う。これが、他者を巡る哲学的考察の、私の非哲学的な出発点である。

哲学的な出発点はというと、ウィトゲンシュタインの「規則のパラドクス」ということになるだろう。一九八一年、規則のパラドクスに関するクリプキの論文が公刊された。私は大学院生だった。クリプキのその議論は、ウィトゲンシュタイン研究はもちろん、ウィトゲンシュタイン研究を超えた（さらには狭い意味での哲学業界をも超えた）広がりをもつインパクトをわれわれに与えた。学生だった私にとっても、いや、学生だったからこそ、それは大きな興奮だった。ひとことで言えば、規則のパラドクスとは、「規則はその適用を定める力をもたない」という途方もない結論をもつように見える議論である。例えば「2を足せ」という簡単な規則を与える。だが、その規則をどのように適用すべきかはなおさまざまでありうる。だから、「2を足せ」という規則のもとにみんながてんでんばらばらなことを行ないうる、というのである。いったいこの挑戦にどう応えるべきか。ここからどのような教訓を引き出すべきなのか。私もまた、規則のパラドクスの問題と格闘した。

そして、そこから私はさらに二つの方向に展開していった。ひとつは「アスペクト論」であり、もうひとつは「根元的規約主義」である。

大学院生の頃、私はウィトゲンシュタインの『哲学探究』第Ⅱ部の読解を試みていた。一度、大森荘蔵先生が、それをゼミのテキストに使おうとして諦めたとわれわれの前で洩らされたことがある。「何を言いたいんですかね、あれは」と匙を投げたように言われていたのを覚えている。それを、読み解こうとしていた。そしてそこに、規則のパラドクスを巡るクリプキの台風が上陸した。見境のない年頃であるから、見境なく私の中でそれらが融合した。「提示された規則はなおさまざまな仕方で解釈されうる」という規則のパラドクスの議論が、私の中で反転図形と重なったのである。われわれが足し算（プラス）を見て取るところでとんでもない規則を読み取る可能性を例示するためにクリプキが考案した足し算もどき「クワス」を用いるならば、「プラス‐クワス」が反転図形の「あひる‐うさぎ」と重なったのである。そうして、「アスペクト論」ができあがった。

さらに、その後、論理はわれわれの言語規約に基づくとする規約主義の立場を、規則のパラドクスの方向でつきつめた結果として、私は「根元的規約主義」という立場を支持することになった。規則は、ふつうの規約主義がそう考えるように、「一度取り決められればそれで後の適用が一本道で定まるというようなものではなく、一回一回の適用ごとに取り決めが為される。根元的規約主義はそう主張する。かつてマイケル・ダメットがいささかあきれ顔でウィトゲンシュタインに帰し、コミュニケーションを破壊してしまう馬鹿げた主張として批判したこの立場を、ダメットの批判にもかかわらず、私は自分自身の立場として引き受けたのである。

詳細は本文を読んでいただきたいが、とりあえずは、「他者論」という大枠のもとで、「規則のパラドクス」が「アスペクト論」と「根元的規約主義」へと枝分かれしていったという構図だけ、押さえておいていただきたい。それは、本書を読む上での里程標ともなるだろう。

本書は四つのパートに分かれている。第一部「他我問題」では、まず旧来の他我問題を論じ、そこからの脱却を図る。ついで第二部「規範の他者」では、アスペクト論と根元的規約主義を二本の柱として、新たな他者問題をあぶり出そうと試みる。第三部「行為の意味」では、そこからさらに進んで、行為という場面において、また第四部「他者の言葉」では言語（コミュニケーション）という場面において、それぞれ第二部で出された「規範の他者」「意味の他者」の姿を浮き彫りにしようとする。ここで私は、私の手製のいかだに乗って、行為論と言語論という現代哲学の荒海を渡ろうとしている。果たして渡りきれたか、沈没したのか。いや、私はまだそのただ中にいる。

全体は35の短い章から成っている。それぞれの章がある程度のまとまりをもっているので、余裕があれば、一つの章を読み終えるごとに、しばし本を閉じて、ぜひ読者自ら哲学的なもの思いに耽ってみていただきたい。「一日一章」などというのも、本書の正しい使用法であると思う。そうして、本書における私の思考と読者自身の思考とが、交差しあいながら澪（みお）を引いていく。目を上げると哲学という海が広がっている。さあ、出航しよう。

目次

II　規範の他者　115

III 行為の意味 205

IV 他者の言葉 291

哲学・航海日誌

I 他我問題

1　他者という謎

哲学は謎としてその姿を現わす。だがその謎たちは、「何が問題なのか」、それこそがまず問題にされねばならないという二重の問題性を帯びている。例えば私は「他者」とつぶやく。どこからか「答えよ」という声がする。「だが何に答えればよいのか」――「そうだ、なによりもそれに答えよ」。私はこれから少しずつ、私に呼びかけてくる謎の輪郭を刻み、刻みなおしていくことにしよう。

目の前の相手が頭痛に悩まされている。それは締めつけるような痛みなのか、それとも脈打つような痛みなのか。私には分からない。聞いてみると、締めつけるような痛みだという。かなり痛いのか。「それほどでもないが、けっこうつらい」、と答えが返される。こうした日常的なやりとりの中で、ふと、なんだかぼんやりとだが、奇妙な感じに襲われることがある。相手の表情やふるまいは見てとれる。尋ねれば答えてもくれる。しかし、かんじんの痛みはぽっかりと抜け落ちている。そんな、ちょっと嫌な感じ。例えばその感じはこんなふうに表現されるかもしれない。「痛いと言っているが、それは私の痛みと同じような感覚なのだろうか。」もしかしたら、私だったら、「熱い」と言いたくなるような感じかもしれないし、あるいはなんとも名状しがたい感じかもしれない。相手の痛みがダイレクトに伝わってこない。そこだけすっぽり抜け落ちている。

ここで、「どうせ他人のことなんだから、本当のところは分からなくて当然」とさばけた感想をもつ人もいるかもしれない。しかし、「他人の痛みは本当のところは分からない」と日常的に言うとき、同時に、「でも少しは分かる」と言いたくもなるだろう。痛んでいる他人を前にして、まったくもどかしさを覚えずに「君の痛みは完全によく分かる」と言い切れるとは思えないが、「まったく分からない」と突き放してしまうことも、およそ実情からかけ離れている。それゆえ、いま芽生え始めた「嫌な感じ」は日常の実感そのものではない。日常的には他人の痛みだって少しは分かると言いたい。しかし、ここでこう自問せずにはおれなくなるのだ。

——どうして「少しは分かる」と言えるのだろう。

表情、ふるまい、そして発せられた言葉、それは分かる。「痛い」と言っているのだから、痛いのだろう。だが、その「痛い」という言葉で表わされているはずのその人の感覚はどのようなものなのか。それは本当に「少しは分かる」のか。私が「痛い」と言うとき、おおむねこんな感じがしている。では目の前の相手はどうか。その人が「痛い」と言うとき、いったいその人にはどんな感じがしているのだろうか。本当に、少しは分かるのだろうか。

「痛い」と言って顔をしかめている人が、もしかしたら私とまるで異なる感覚、あるいは感覚とすら呼べない何ものかに襲われているかもしれない、この可能性。私の知りうるのは表情やふるまいといった外面的なことだけであり、他人の痛みそのものを直接知ることはできない。このぽっかりあいた穴。この穴に何を埋めるかはまったく恣意的な、かってきままなことではないか。私が感じたことのあるそれに類するものをはめこんでもよいが、まったく別ものをはめこんだってかまわない。つまり、「痛い」と言って顔をしかめている人が、私とまるで異なるものを体験している可能性は、確かにあるように思われる。そしてその可能性は、どれほど表情やふるまいを観察したとしても、他人の痛みそのものが塞ぎようのない穴としてつねに開いたままになっている以上、けっして消え去りはしない。とすれば、もはや、他人の痛みについて私はまったく知りえないと結論せざるをえないのではないか。

これはもう、「少しは分かるが細かいところまでは分からない」という日常的実感を離れている。「他人の痛みはまったく分からない」、これは日常的どころか、むしろグロテスクな疑いである。

しかし、どうして分からないと言いたくなるのだろう。最初に思いつくふつうの答えはこうである。「内面的なことは外からは見てとれない。それは他人の内に隠されている」。だが、ここでわれわれが置かれた状況は一見するよりもはるかに奇妙なのだ。分からないと不平を言う。しかし、どうすれば分かったことになるのか。この不平はどのように解消されうるのだろうか。非現実的な想像でもよい。この不平が解消される可能性、「他人の痛みが分かった」と言える可能性、それを想像してみてほしい。

心臓は外からは見てとれない。それは皮膚の下に隠されている。この場合であれば、メスを入れて開いてみればよい。では、他人の痛みはどこに隠されてあるのか。

——どこにって、まさに内面、心の内に隠されてある。

だが、もしそうだとすると、痛みが隠されてある他人の内面を覗き込むことができたとすれば、「他人の痛みはまったく分からない」という不平も解消されることになるだろう。メスを入れて他人の心臓を見たりさわったりするような、何かメスのようなものを入れて他人の内面を開き、そこにある他人の痛みを私が知覚する。

だが、「他人の痛みを私が知覚する」とはどういうことなのだろうか。他人の痛みを私が感じとるということ?

しかし、私が感じとったならば、それは私の痛みとなる。起こったことは、あまりにも単純に、ただ私が痛い、ということでしかない。

最初、他人の痛みがまったく分からないのは、他人の痛みがどこか他人の内面とでも言いたくなるところに隠されてあるからだと思われた。しかし、そうではなかったのではないか。その隠れ家を見つけ、他人の痛みを表に引き出し、それを、他人の心臓を観察するように、私が知覚する。かりにこのストーリーになんらかの意味があったとしても、これはいまのわれわれの不平不満を解消させるものではありえない。私が知覚したとたんに、他人の痛みは私の痛みとなり、他人の痛みであることをやめる。つかんだと思ったとたんに、それは別ものになりおおせている。

自分の痛みを見本にして他人の痛みを想像しなければならないとしたら、それはそれほどたやすいことではない。というのも、私は私が感じるものとしての痛みに基づいて、私が感じるのではないものとしての痛みを想像しなければならないからだ。すなわち、たんに自分の痛みの場所を——手から腕へといったように——ずらしていけばよいというものではないのである。つまり私が想像すべきことは、けっして、他人の身体のところに私が痛みを感じている、ということではない。(そういう想像でよければ、やってできないこともないだろうが。)[1]

これはウィトゲンシュタインのコメントだが、まさにいま述べたような事情を指摘したものとして理解できるだろう。

ウィトゲンシュタインに触発されて、少し想像力のレッスンをしてみよう。四つのステップからなっている。実際にやってみていただきたい。

(1)まず、ふつうに、自分の腹に痛みがあることを想像してみる。痛みはシクシクした痛みでもズキズキした痛みでも、なんでもよい。

(2)次に、多少難しい注文になるが、なんの拍子か、あなたがいま読んでいるこの本の紙の上に痛みを感じたと想像してみていただきたい。神経がつながっていないんだから痛むはずはないとかそういうことは言わないで、腹にあった痛みを移動させてみる。腹から指先へと痛みが動き、さらにはその先にある本のところが痛む。想像をよりいきいきさせるために、「イテッ」とか言って思わず本のところを押さえる自分を想像してみてもよいだろう。

(3)そうしたら次は、その勢いで、誰か目の前にいる他人の腹のあたりに、自分の痛みがあると想像してみる。他人の腹にあなたが痛みを感じる。ここでも、「イテッ」と言って思わず他人の腹を押さえて、「何するんだ」とか言われているところを想像してみてもよい。

⑷そして最後に、他人の腹にあなたではなくその人が痛みを感じていることを想像してほしい。

――これは、ふだんやっている何気ない想像のはずである。だが、他人の腹に、まさに「痛み」を想像してしまったのでは、それは他人の腹にあなたが痛みを感じている想像になってしまう。他人の腹に想像上の痛みを置く、それではその想像において痛いのはあなたなのである。

想像力のレッスンのステップ⑶とステップ⑷を区別しなければいけない。そしてステップ⑶の想像にならないように、ステップ⑷の想像を行なってみなければいけない。それゆえ、他人の腹に痛みを想像することなく、他人の腹の痛みを想像せねばならない。しかもそれは、他人の腹痛の表情やふるまいを想像することではなく、まさに他人の腹痛を想像することでなければならない。なんだか、禅の公案をつきつけられたような気分ではないだろうか。

痛ミヲ想像スルコトナク、他人ノ腹痛ヲ想像セヨ。

まるで、「馬を描くことなく、白馬を描いてみよ」と言われているかのようである。禅問答なら一喝して呵々（かか）大笑すればよい（かもしれない）。あるいは、白馬は馬ではないのだと論破する手もあるのかもしれない。しかし、われわれとしては「そんなことは不可能だ」と結論するしかない。

しかも、こんな矛盾した要求に答えるのは、論理的に不可能である。

だが同時に、この結論はけっして居心地のよいものではない。ふだん自分が他人の痛みの分かる人間であることを自認し、実際に他人の痛みを想像していたはずだと思っていただけに、これは驚くべき結論である。

謎が、少しずつその姿を現わしてきた。

2 「他人の痛み」の意味

「痛ミヲ想像スルコトナク、他人ノ腹痛ヲ想像セヨ」、この公案もどきに対して、いったいどう答えればよいのだろう。

これはもはや、「他人の痛みはどうすれば分かるのか」という、いわば認識論的問い（いわゆる「他我認識の問題[2]」）ではない。「他人の痛み」ということでわれわれはいったい何を考えているのか、「他人の痛み」という概念をどう理解すればよいのか、その意味の問題（他我の意味の問題）にほかならない[3]。

他者を巡る謎が「他人の痛み」ということの意味の問題であることを強く訴えたのは、大森荘蔵であった。

他人の痛みをわたしが痛むことはできない。それは事実的にできないのではなく論理的にできないのである。つまり、他人とわたしという分別に意味がある限り、他人の痛みをわたしが感じるということは意味をなさないのである。(4)

こうして大森は、「他我問題とは何よりもまず、「意味の問題」であって、時々誤解されるように「彼に意識がある、というのは本当だろうか?」といった「真偽の問題」ではない」(5)、と指摘する。では、「意味の問題」として新たに見えてき始めたこの謎を、さらに立ち入って見つめてみることにしよう。

「他人の痛みはまったく分からない」と言われるとき、見逃してならないのは、ここで「他人の痛み」の意味についてのある予断が働いている、ということである。

「他人の痛み」という表現は、「他人の感じているその感覚」を指し示すものである、そうふつうは考える。これが、常識的な予断である。おそらく、常識の内にはさらにいろいろな予断が含まれているだろう。そうして、全体としては矛盾しつつも、その場その場でバランスのとれた判断をしているのである。しかしいま、常識の内に含まれるこのひとつのテーゼ、「「他人の痛み」という表現は「他人の感じているその感覚」を指し示すものだ」というテーゼをそれだけ取り出して純粋培養してみよう。

これはしばしば哲学がやるところである。常識の内に未整理のまま混在するさまざまな考え方のひとつだけを取り出し、それだけをつきつめてみる。それはもちろん、自分たちがどのような考え方をもっているのかを明らかにするための徹底した方法なのだが、そのため、ときに常識的には思ってもみなかった地点へと連れていかれることになる。しかし忘れてはならない。出発点はあくまでも、われわれの常識のそこにあったのである。

「「他人の痛み」という表現は「他人の感じているその感覚」を指し示すものだ」というテーゼの帰結、それは何か。

まず第一に、そのとき、「他人の感じているその感覚」を私が感じることは論理的に不可能となるだろう。私が感じたならば、それは私の感覚になってしまうからである。そして、私がじかに見てとれるのは他人の表情、ふるまい、発言といったことでしかないのであれば、私は「他人が感じているその感覚」という意味での「他人の痛み」について、その人の表情、ふるまい、発言から推測するしかないことになる。

だが、これは不思議な推測なのだ。証拠は外面的なこと、つまり、状況やふるまいや発言であり、そこから推測される結論は内面的なこと、つまり、他人の心のありよう、例えばいまは他人の痛みである。ところが、私はここで証拠しか手にしえない。他人の外面と内面について、「私はその外面をとおして内面について間接的に推測するしかない」と考えるとき、他人の内面は絶対に直接知ることのできないものと考えられている。そうだとすると、私が直接知りうることはただ外面的なことだけであり、他人の外面と内面のつながりについて、私はいっさい無知だということになる。外面的なデータから内面的なことがらへとつなげるルートが完全に遮断されているところで、私は何を推測すればよいのか。

一般にあることがらが推測されるとき、例えば今日の夕焼けから明日の晴天を推測するとき、その推測を可能にしてくれるのは、夕焼けの翌日に実際晴れたことが多かったというこれまでの経験である。この場合には、過去において夕焼けと晴天とをともに経験し、比較し、法則的なつながりを確認している。そして、それを背景にして、今日の夕焼けから明日の晴天を推測する。しかし、いま問題にしている他人の心の場合には、その外面と内面の連関についてそうした法則的な確認がまったくない。ありえない。そこには、証拠しかない。

そして、一般的に確認しておいてよいことだと思うが、直接的に知るみこみがまったくないものについては、間接的に知ることもできないのである。

とすると、「他人の痛み」という表現の意味を、「他人の内面に秘められた感覚」のように理解すると、完全な懐疑、グロテスクな懐疑が避けられないということになる。

だが、本当にそうだろうか。本当にそうなるしかないのだろうか。

もう少し考えてみよう。

――こういうのはどうか。

内面と外面のつながりについて、私は私自身の場合にはそれを知っている。私が腹痛を感じているとき、私は腹を押さえ、顔をしかめる。私が机の角に足の指をぶつけたとき、私は痛みを感じ、声をあげ、ぶつけた足を浮かせる。だから、私は私自身の場合に基づいて、内面と外面の法則的連関を知ることができる。だったら、この「内‐外法則」を他人に対しても適用すればいいじゃないか。他人が机の角に足の指をぶつけ、声をあげ、ぶつけた足を浮かせているとき、この「内‐外法則」を適用して、あの人も私が感じるような感覚を感じているのだろうと推測するのである。

確かに、こうした考え方が表明されたこともあった。そしてそれに対しては「類推説」という名前がつけられている。私の場合から他人の場合を「類推する」というわけである。しかし、類推説は実は答えになっていない。

私が私の場合に経験したことに基づいて「内‐外法則」を作るのはよい。しかし、それと同じ法則が他人にも適用できる、と考えてよいかどうかこそが、まさに問題なのである。他人の内面に対して完全な懐疑が表明されているときに、他人に対しても、私の場合と同じ内面と外面の間の法則的つながりが保たれているということを前提にして答えるのは、たんなる論点先取でしかない。懐疑に陥った者は、「他人に私と同じような秩序を期待してよいかどうか、その点が分からなくなっているんじゃないか！」、そう追及するだろう。他人は私とまったく異なる「内‐外法則」に従っているかもしれない。

――では、こう考えたらどうか。

「他人の痛み」という表現は、「他人が感じているその感覚」を指し示すものではないのだ。それは、たんに「他人の痛そうな表情、ふるまい、呻き声」ないしはその一定のパターンでしかない。実際、「他人の痛み」ということで私が想像できるものは、そうした「外面的」なことがらでしかないのだから。

この考え方は「行動主義」と呼ばれる。そしてなるほど、これならばグロテスクな懐疑は単純に回避できる。この場合には、外面的な観察がすなわち他人の痛みの観察にほかならないからである。実際、大森もまた一時期そのような行動主義者であった。あるいはウィトゲンシュタインは自分が行動主義者とどこが違うのかを問題にし、仮想の対話者に「やはり君は仮面をつけた行動主義者じゃないのか？」(6)と問いかけさせている。

確かに行動主義ならば懐疑を単純に回避することができる。しかしそれは、懐疑をたんに回避したというにすぎない。「他人の痛みはまったく分からない」という不平に対して、「いや君は分かってるじゃないか。だって、「他人の痛み」というのは他人のふるまいを意味しているのだから」と答えて、いったい行動主義者以外の誰が満足するだろう。行動主義は、けっきょくのところ、他人はみんな木偶(でく)人形だと宣言しているのである。そういうおまえはどうなんだ、と言うと、私は違うさ、と答える。ならば私にも言わせてもらおう。私だって違うさ。

だが翻って、「他人の痛み」が「他人のふるまいそのもの」ではなく、「他人が感じているその感覚」を意味するとしたならば、そのときわれわれは、「他人の痛みは文字どおりまったく分からない」という、日常の実感をはるかに越えたあのグロテスクな懐疑を避けられなくなるのである。

こうして、他我問題はなによりもまず「他人の痛み」の意味をどう捉えるべきなのかという問題として捉えなおされることになる。

われわれはふだん、「頭痛がするんだ」という他人の発言を理解し、あるいは例えば指を切ってしまった人をみて「あ、痛そうだ」と思う。ここにおいて「他人の痛み」の意味が問題になるなどとは思ってもいない。しかし、他我認識の懐疑が最初の謎として立ち現われたならば、それに向かいあうことによってやがてその意味の問題が浮上してくるのである。「他人の痛み」とはどういう意味なのか。そしてわれわれは不用意に、「他人が感じているその感覚」に類した答えを返してしまう。だが、この答えは有無を言わせずわれわれを他我認識の懐疑へと引きずり込むことになる。

他方、懐疑を回避すべく「他人の痛み」の意味をふるまいのパターンのようなものとして捉えることは、理論的には一貫した立場を作りはするかもしれないが、とうていわれわれを満足させるものではない。

問題状況を単純に言い切ってしまうならばこうなのだ。――「他人の痛み」とは、「他人の感じているその感覚」を意味するものでも、さりとて「他人のふるまいのパターン」を意味するものでもない。だとすれば、それは何を意味するのか。いったい、何を意味しうるのか。

3　大森荘蔵の「他我の意味制作」論

自分と他人は異なる。

だが、「自分の痛み」と「他人の痛み」において「痛み」は同じ意味をもつ。

この二つの直感が他我問題においてぶつかりあっている。

私は「自分の痛み」を感覚体験の一種として理解している。そこで「他人の痛み」の意味もまた同じように、感覚体験の一種として理解したいと思う。しかし、自分と他人は異なる。私は他人の痛みを感覚的に体験することができない。それゆえ、他人の痛みを感覚体験として意味づけることができない。

これが、他我問題のディレンマにほかならない。

このディレンマに直接答えるには、二つの直観の内のどちらかを捨て去るしかないだろう。だが、自分と他人とが異なるというのはあまりにも自明ではないだろうか。そうだとすれば、「自分と他人とで「痛み」は同じ意味をもつ」という直感を切り捨てるしかない。そう思われる。

大森荘蔵もまたその道を進んだ。そして、その点は彼のさまざまな紆余曲折においてけっきょく変わることがなかった。だが、私はその道を大森とともに進むことをためらっている。私はむしろ「痛み」の意味が自他において同じであるという直観の方を保持し、自分と他人が異なっているという直観の方を切り捨てたいという気持ちに傾いている。もちろん自分と他人は異なる。それはあたりまえのことだ。だが、こと「痛み」の意味に関しては、自分と他人の異なりは効いてこないのではないか。

どういうことか。

いや、その前に、しばらくは大森哲学の踏み跡を辿り、開けてくる光景を確認しておくことにしよう。

大森が「他我問題の落着」および「他我問題に訣別」と題した論文[7]において展開した議論は「他我の意味制作」論と呼べるだろう。その核心は、「他人の痛み」に対してそれ単独で意味を与えようとする態度と訣別し、それを取り巻く言語的ネットワーク全体において意味を見てとろうという、一種の全体論的発想にある。「他人の痛み」と結びつく言語的ネットワークを制作し、他人との応接において実際に使ってみる。そして、うまく使えたものとして長い伝統のうちに残されてきたものが、現在のわれわれの「他我言語」だというのである。もう少し具体的に述べよう。

他我問題という困惑を治療するため、大森は「意味制作の過程」と彼が呼ぶものをシミュレートしてみせる。それは三つの段階からなる。

(1)まず、「他人の痛み」は意味を与えられるべき目標として、さしあたりは意味不明の表現とされる。その上で、直接的に意味が与えられる表現の在庫目録を作る。ここで、「直接的に」意味が与えられるとは、観察ないし体験によって経験的に意味が与えられることにほかならない。「その板の角は尖っている」や「手から血が出ている」といった状況報告、「私は後ろをふりむく」や「彼はうずくまる」といった自他の行動描写、そして「(私は) 歯が痛い」という一人称の心的経験命題、これらがその在庫目録に納まる。

(2)次に、そうした在庫目録の中で、一人称の心的経験命題と他の諸命題との結びつきが確認され、一人称の心的経験命題を核とした命題ネットワークが作られる。いわば在庫目録にリスト・アップされた諸命題の集積が構造化される。例えば、「尖った角に思いきり手をぶつけた」ことに続いて「手から血が出ている」や「手が痛い」といった命題が連結される。そしてそれに続いて「手を押さえる」や「うずくまる」「呻き声をあげる」といった命題がつなげられ、あるいはまた

「しばらくは物がもてない」といった命題も結びつき、さらには「彼女が私に声をかけ」「傷薬をもってきてくれる」といった他人の反応を記述する言葉もまた、そうした命題ネットワークを形成する。

重要な確認をしておくならば、ここまでのところには意味論的全体論の発想はない。つまり、言葉の意味はあくまでも単独で、それぞれの体験的意味に即して意味づけられている。例えば「(私は)手が痛い」といった一人称の体験命題は「自分の身体的心的経験を描写述定する意味であるから、誰にとっても百も承知の明々白々の意味[8]」であるとされ、また「公共的に観察可能な命題の意味は、その観察によってすでに完全に所与となっている[9]」。そして、一人称の心的体験命題は、「無数の関連命題と経験的に連結している[10]」にすぎず、それゆえこの命題ネットワークはこの段階ではけっして意味的連関ではない。それはあくまでも経験法則的な連関にほかならない。

(3)最後に大森は、この経験的ネットワークを意味連関として読み換え[11]、一人称の心的経験命題の主語「私」をそっくりすべて二人称ないし三人称に書き換えることによって、他人の心的経験命題を核とする意味連関ネットワークを作る。

ここにおいて、「他人の痛み」はけっしてそれ自体の「所与的意味」をもっていない、つまり、この変換において「私の痛み」が「他人の痛み」に書き換えられると同時に、それは空欄化され

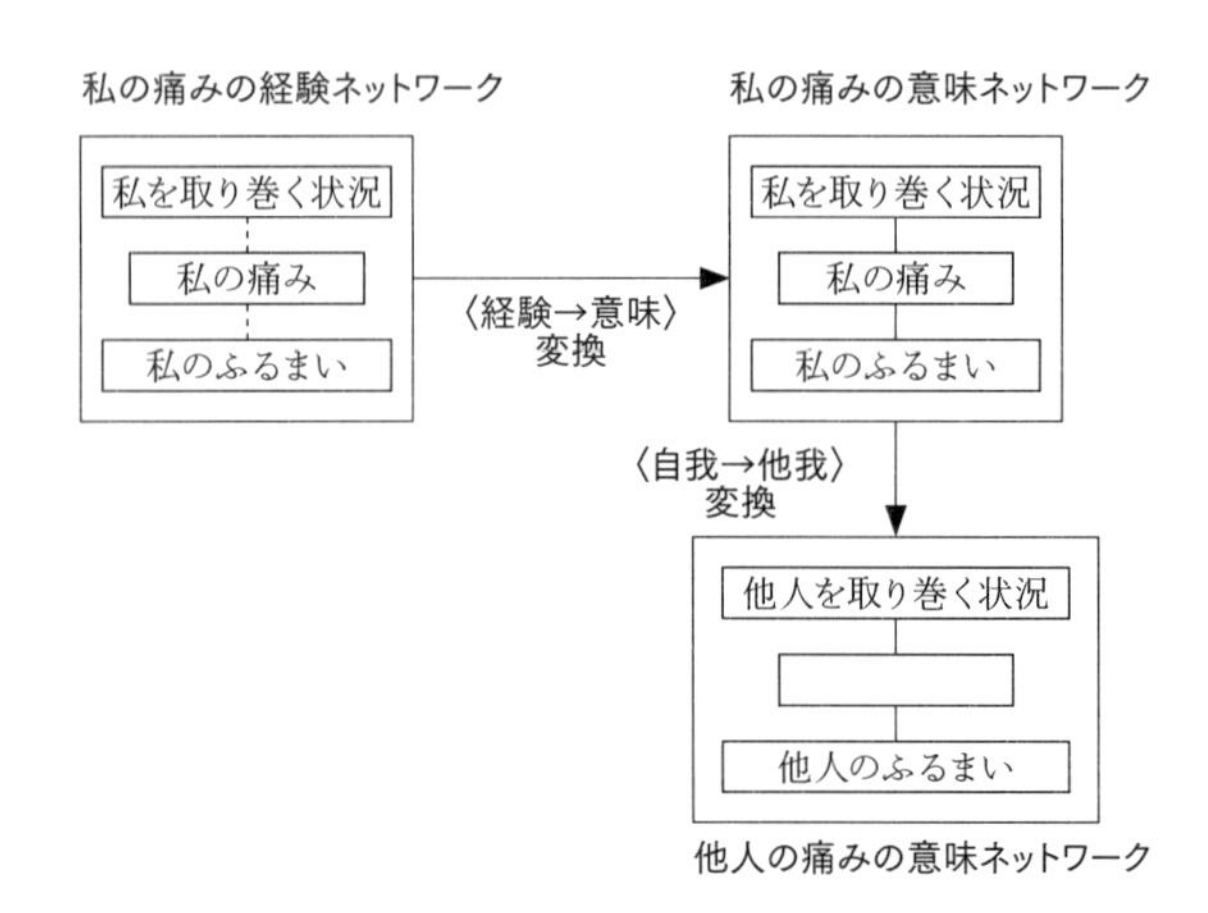

る。いわば、他人の命題ネットワークにおいては感覚が削ぎ落とされ、それと他の諸命題との関係だけが骨組みとして残されるのである。

大森の説明を用いるならば、「他人の痛み」はユークリッド幾何学の公理系における「点」や「線」といった語のもつ役割に似ている。すなわち、純化され形式化されたユークリッド幾何学の公理系において「点」や「線」が無定義用語とされるように、「他人の痛み」もまた、この命題ネットワークにおいてそれ自体としては定義されていない無定義用語にほかならない。そして、「点」や「線」が公理系の中で文脈的にのみ意味規定されているように、「他人の痛み」もまた、「他人の痛み」命題を核とする命題ネットワークにおいて文脈的にのみ規定される。意味論的な全体論的発想が姿を現わすのは、この段階においてなのである。

二つのことをコメントしておこう。

第一に、他人の痛みのところを空欄のままにしておくしかないのは、そこになんらかの感覚体験を書き込んでしまうと、それはもはや他人の痛みではなく、私の痛みになってしまうからである。ここで私は徹頭徹尾「私の視点」から逃れることができないでいる。私は私の視点から想像された他我ネットワークを作ろうとしている。そこでその他人の痛みの欄になんらかの感覚を想像して書き込んだとしても、それは私の視点から想像された他人の痛み、つまり、私が感じた痛みの想像を書き込むしかないのである。ここで、あの公案もどきがよみがえる。「痛ミヲ想像スルコトナク、他人ノ腹痛ヲ想像セヨ」。この想像ができたならば、それを空欄に書き込んでもよい。しかし、それが不可能ならば、空欄は空欄のままにしておくしかない。

第二に、空欄を空欄のままにしておいてネットワーク全体のあり方によってその意味を決定するというのは、それほど珍奇なやり方でもない。例えば「素粒子」などの場合、われわれは素粒子を直接観察し、われわれの体験のもとにそれを意味づけることはできない。「素粒子」は、理論体系とそれを取り巻くさまざまな実験・観察命題との関係において、つまり、そのネットワーク全体のあり方によって意味を決定される。大森は、「他人の痛み」もまったくこれと同様だと論じているのである。

大森の議論をさらに追っていこう。

「他人の痛み」それ自体はなんら感覚体験としての「所与的意味」をもっていないため、こうして作られた命題ネットワークが「他人の痛み」に対して適切なものとなっているかどうかはまだ分からない。「自分の痛み」であるならば、「自分の痛み」をそれ自体として体験的に了解し、それを他の個別的に了解される命題と経験法則的につないでいくわけであるから、まさにそうした諸命題の連関性の経験がこのネットワーク形成を根拠づける。つまり、実際に手をぶつけると私は手に痛みを感じるし、手に痛みを感じたときには手を押さえるじゃないか、というわけである。しかし、他人の場合にはその「手に痛みを感じる」というところが空欄のままに残されている。それゆえこの場合には、「実際に手をぶつけると彼女は手に痛みを感じるじゃないか」と、経験的に正当化することはできないのである。大森はこの無根拠性をそのまま承認する。そして、でも、とにかく使ってみるんだ、と言う。この命題ネットワークに従って他人と暮らしていく、暮らし続けてみる、それしかない。そしてうまくいくようならば、それは私の生活に根づき、その命題ネットワークにおける「他人の痛み」の意味理解は定着するだろう。

こうして「他人の痛み」の意味制作は完了し、完成する。

そのとき、「他人の痛み」の意味とはつまり何だったのか。

この問いに対しては、もはやそのネットワーク全体を指し示すしかない。「他人の痛み」とは「他人の感じているその感覚」であるとか「他人のふるまいのパターン」である、といった単独の意味づけはもう放棄されているのである。かくして、「他人の痛み」の意味は何なのかという問いに対して大森は次のように答えることができる。

私の答は簡単である。貴方は先刻御承知ですよ、と。知っていることを尋ねることはないでしょう、と。[12]

別に肩透かしを食わせているわけではない。もうわれわれはそんな問いから解放されてよいのだと言っているのである。「他人の痛み」の意味をこのように見てとるならば、私の痛みと他人の痛みの類似性や他人の痛みと行動との連関に私は納得し、あのグロテスクな懐疑と手を切ることができる。こうして大森は、他我問題についての最後の考察となったこの論考の締め括りにおいて、他我問題との訣別を告げる。ただし、「おそらくはほんのしばしの別れであろうが[13]」という遠慮がちな留保をつけて。

どうだろうか。

私の紹介の不首尾が大森の「意味制作」論の説得力を減じてしまったことを恐れるが、納得できただろうか。

先にも述べたように、私はこの議論に納得できないでいる。そのことはまた改めて論じることにするが、とりあえずは、大森のこの議論において「私の痛み」が私の感覚体験によって意味づけられているのに対して、「他人の痛み」の方はあくまでも全体論的に意味づけられている点を見逃してはならない。大森にあっては、自他の非対称性が「痛み」の意味における自他の非対称性へとつながっているのである。私と他人とは異なる。だから、「私の痛み」と「他人の痛み」とで「痛み」の意味は異なる。――しかし私は、「でも、「痛み」は「痛み」じゃないか。私の場合だって、他人の場合だって、そうじゃないか」、と言いたくなる。それに対して大森は、おそらく、誰のものでもない痛みなどありはしない、そして、「痛み」はそれが誰の痛みであるかに応じて異なる意味をもつのだ、と言うだろう。だって君、「他人の痛み」の空欄を埋めることが絶対不可能である以上、しょうがないでしょう。

　いや、私はその空欄を埋めてみたいのだ。

4　フッサールの「他我構成」と大森の「意味制作」

大森荘蔵は、その「他我の意味制作」論の中でフッサールを引き合いに出し、フッサールと対比する形で自らの議論を展開している。だが、私のフッサール理解が正当なものかどうかははなはだ心許ないのだが、どうも大森の印象に反して、私にはフッサールの議論はあるところまで大森の議論ときわめてよく似ているように思えるのである。もちろん、重要な点において大森と異なるものをフッサールの議論はもっているし、大森自身がそこに類似性を認められなかったように、一見したかぎりではそれほど似ているようにも見えないかもしれない。しばらく、両者のこの微妙な関係を見つめてみることにしよう。

フッサール[14]もまた、大森と同じく、他我問題に答えるべく在庫目録を作るところから始める。問題となるのは他人の心＝他我であるから、他我だけは在庫目録からはずし、それ以外はすべて在庫――私の在庫――に含まれる。そこでは私はさまざまなことを感覚し、知覚し、体験する。またそうした心的体験と結びついた身体をもち、そして私は世界の中、身体の置かれてある位置にいる。例えばそこには本や紙の束でごちゃごちゃした部屋があり、私はその部屋にいて机に向かい、いくぶんの疲れと軽い頭痛を覚えている。出発点としてあえて空欄のままにおかれているのは他我であり、他我だけである。

あるいはもっと徹底して「虚心坦懐」に眺めれば（とフッサールは別の言葉で言うと思うのだが）、それが部屋であること、それが私の身体であること、そしてまた私がその部屋にいる、つまり世界の中に位置する一人の人物であること等もまた、空欄にされ、もっと少ない禁欲的な在庫からその空欄を埋める作業をしていかなければならないだろう。それゆえ、他我のみが欠落しているとされるこの世界の眺めは、もはやかなり「虚心坦懐」度の低いものとなっている。逆に言えば、手持ちの駒はけっこう多いと言える。

さてその部屋に何ものかが現われる。われわれに言わせればそれは他我――心身をそなえた他人――なのだが、フッサールの禁欲的プログラムのもとではそれはさしあたりなんらかの物体でしかない。これを、手持ちの在庫から心身をそなえた他我に仕立てあげる変身譚を説得的に語り出すこと、フッサールはそこに勝負をかける。他我の錬金術である。

素朴に述べるとあまりにも無邪気な言い方になってフッサール学者が怒りだすのではないかと危惧するのだが、私の読んだかぎりでは、フッサールは次のように考えている。そこに現われた物体は、ともあれ私の身体に似ている。似ているからといってそれが身体であるという決め手にはならないが、ともかくその物体を身体とみなす大きなきっかけにはなる。他方、私の身体は状況や私の心的体験と結びついている。だから、その物体を他の身体とみなすことは、そうしたことがらをそっくり伴って相手に移すことにほかならない。ただし、ここでも私の心的体験は「他人の心的体験」に書き換えられ、同時にそれはいったん空欄化される。つまり、たんに身体として私に似ているから心のあり方も私に似ているだろうと類推する「類推説」ではなく、私のもとで形成された経験の骨組み、その型を、他人の身体を軸として相手にかぶせるのである。

少しフッサールを引用しておこう。

身体、ないし外界における身体のふるまいには、心に属する一定の内容もまた示されている。例えば、外に表わされたあるふるまいは、怒りや喜びを示したりするだろう。それらのふるまいは、私自身が似たような状況で為すふるまいをもとに、容易に理解することができる。たんなる身体運動を超えた心的なできごとは、どれほど多様であろうと、またなじみ深いものであろうと、そうした心的できごとが他のことがらを伴い、また他のことがらへと経過していくときの一定の型（Stil）をもつことになる。私は自分自身のそうした生の型を、そのおおまかな形において経験的に知っている。そこで、私はその型を、私が他我をまとめあげるための手がかりとして捉えることができるのである。[15]

私の心的体験は経験的に状況やふるまいと結びつけられ、そしてそこで編み上げられたネットワーク・パターンが、身体の類似性をきっかけとして相手にそっくり移植される。だが、他人の心的体験が私に体験できないという点は動かない。それゆえ、その移植はどうしても恣意的なものとなる。本当にたんなる運動物体ではなく、心をもった身体だったのか、それはまだはっきりしない。そこでフッサールは、「やってみるしかない」と言う（もちろんもっと難しい言葉で）。一発では分からない。ともあれ、そこに現われた物を心ある身体とみなし続け、もしうまくいかなかったら撤回すればよい。それは身体のように見えて、実はどうも身体ではなかったのだ。失敗。

ここまでの私の紹介の仕方に明らかだろうが、大森はこれとほぼ同じことを言語的ネットワークを用いて行なったのである。ところが奇妙なことに、大森は、廣松渉の次のような主張を援用しつつ、フッサールの挫折を結論する。「まさしく、ここに、フッサール認識論全般のアポリア、従って亦、彼の他我認識論の隘路が運命づけられているのである。これを以ってしては、事の原理上、独我論的な呪いの輪（circulus vitiosus）から脱出することは不可能である。[16]」

私は別にフッサールは実は正しいのだと言いたいのではない。しかし、大森がフッサールを批判するとき、私は当惑せずにはおれない。大森もフッサールも私にはほとんど同じ路線に思われるからである。あるいは、大森にはフッサールに対する誤解があるのかもしれない。（あるいはもちろん、それよりもありそうなこととして、私の方にフッサールに対する誤解があるのかもしれない。）

大森はフッサールの移植手術をウィトゲンシュタインによってすでに指摘されたはずの禁じ手（「他人の痛み」という空欄を私の感覚体験で埋めること）であるとみなす。しかし、私のフッサール理解が誤解でないならば、大森のこのフッサール理解は誤解である。

というのも、フッサールは自分の痛みを他人に移植しようなどとは言っていないからである。「〔他我についての〕統覚は、その本性上、根源的呈示によって充実されることを求めもしなければ、また充実されることもない[17]」という箇所はそのことを示していると私には思われる。つまりこのいささか難解な言い回しでフッサールは、「他人の痛みは、どうしたって、私の感覚体験として私に体験されるべきものでもないし、私が体験できるようなものでもない」と言っているのである。「他人の痛み」の部分はあくまでも空欄のまま、フッサールの言い方をすれば「充実を求めない」ままであり、より大森流の言い方をするならば、私の場合をモデルにした諸命題の連関性において思考的にのみ理解されるものなのである。

この点で、フッサールのやり方が一般に「感情移入（Einfühlung）説」と呼ばれているのは不幸なことであるように思われる。むしろフッサール自身の「対化（Paarung）」という言葉、つまり、私と対をなすようなものとして相手を理解するという言葉の方がましだろう。しかし、これも正確ではない。というのも、私の場合の心的体験がそれ自体として体験しうるものであるのに対して、他人の場合にはそれは状況やふるまいとの連関性の型においてのみ、理解されうるものだからである。それゆえ、あえて名前をつけるとすれば、「関係投影説」とでも呼ぶことができるかもしれない。

大森の意味制作の方法もまた、関係投影説、ただし言語的関係投影説にほかならない。それゆえここまでのところに関して言うならば、大森とフッサールはほぼ同じと言えるのである。

だが、そうした連関性の型を投影することにおいて何が理解されるのかということになると、大森とフッサールはまったく異なってくる。一言で言えば、大森がそこで止まるところを、フッサールはさらに進撃するのである。

大森はそうした連関性の型において理解されるべきものは、まさにその連関性の型それ自体であり、それ以上でも以下でもないと言う。他人が私と同様の命題ネットワークに位置づけられること、それが分かったなら、それでもういいじゃないか。「私の意味制作では、事は端的で単純である。自他変換による意味公理系の同型性がそのまま自他の類同性そのものであることに疑問の余地はないからである。[18]」それゆえ、あとはもうお分かりでしょう、と。

他方フッサールは止まらない。大森が連関性の型こそ他我理解のすべてであると考えるのに対して、フッサール的錬金術は、あくまでも自我と対等の体験主体たる他我を求めてやまないのである。さしあたり空欄のままにされている他人の痛みのところを、私が書き込んでやったならば、その体験主体は私になってしまう。それゆえ、私が書き込んでやるなどということはいらぬおせっかいでしかない。いま欲しいのは、それを自ら書き込んでくれる私ならざる誰か、である。

この「誰か」を立てようとするフッサールの努力はいささか強引であり、理解しにくい。しかし、とりあえず紹介しておくならば、こうである。フッサールは連関性の型において示された他我を、他我そのものとは考えない。それではまだ他我は私と対等の体験主体としては立っていない。それゆえ、それはあくまでも他我に辿り着く一歩手前だと考える。フッサールの言い方をするならば、その連関性の型において示される他我は、あくまでも「間接的な呈示」にすぎないのである。しかし、それが間接的な呈示であるからには、そこに直接的な呈示が理解されているはずだ。ただし、誤解を避けるために言っておかねばならないが、間接的呈示を証拠としてそのものとを推測しようというのではない。「間接的呈示が間接的呈示であるかぎり必然的にそなえている性格とによって[19]」そこに「他我の第一次的なあり方」がすでに読み込まれている、というのである。もう一度これまでの道筋を振り返りながら、フッサールが言いたがっていることを捉えてみよう。

議論を他人の痛みに限定し整理してみる。

(1)「他人の痛み」を想像しようとして、私が感じているこれを他人のもとに貼りつけると、たんに

私が痛いということになってしまう。（感覚移植の失敗）

⑵それゆえ、他人の痛みのところは空欄にしておいて、それを取り巻く状況やふるまいといった連関性の型を、私から他人へと移植する。（関係の投影）

ここまでが、私が関係投影説と呼んだものである。フッサールはさらにここから、次のような主張へと進む。

⑶ここにおいて他人は、彼自らの痛みを体験する主体として理解される。（第一次的な他我の了解）

フッサールは、間接的に他我が呈示されているのであれば、そこにおいて直接的な他我の理解も含まれているはずだ、と言う。なるほど、直接にはどうなのかということがまったく分からなくて、ただ間接的な理解だけが成立することはありえないだろう。「間接的」とは「直接的」に寄生した概念でしかありえない。

だが、ちょっと立ち止まろう。

大森ならば、それは間接的ではなく直接的だ、と言うだろう。その連関性の型、それが他我なのだ。それでは満足できないフッサールの気持ちはよく分かる。しかし、満足できないからといって「間接的だ」と決めつけるわけにもいかない。フッサールはなぜそれを「間接的呈示」とみなしたのか。

私は、そのための正当な論拠をフッサールから読みとることができなかった。あるものが「間接的」だと主張するためには、「直接的」にはどうなのかということをある程度は理解していなければいけない。そう議論するのはフッサール自身である。だとすれば、むしろそのことを逆手にとって、じゃあどうしてフッサール氏はここで投影された連関性の型が他我の「間接的呈示」だと言えるのか、と問いたくなる。他我の直接的呈示がいかにして可能かが分からないので困っているときに、直接的呈示の理解を前提にした「間接的呈示」という概念をかってに持ち出してきて、ここには直接的呈示が織り込まれているでしょう、と議論するのは論点先取というものではあるまいか。

大森もフッサールも、そしてあるいはウィトゲンシュタインも、「他人の痛み」という項を空欄にせざるをえない問題状況を共有している。その空欄に安直に何かをはめこもうとしても、私の手持ちの在庫には何もない。感覚を入れたら私が痛いことになる。しかし、ふるまいのパターンを入れても納得できない。それゆえ空欄は空欄のままにして、それを取り巻く状況とふるまいの連関性を移植したのである。そこで大森は、その空欄に何かを書き込むことを最後まで拒む。私はそこに何かを書き込む手駒をもっていない。だから、その空欄は空欄のままに、公理系における無定義用語のようにして、あくまでも文脈的に理解しようとする。しかしフッサールは空欄を埋めずにはおれなかった。私が他人の空欄に書き込むことはなるほどできない。そこで、その空欄に自ら内容を書き込める主体たる他我を立て、彼に書き込ませることにしたのである。

だが、ここでわれわれは見誤ってはならない。他我たる彼が書き込んだそれを、私はあいかわらず読むことができないのである。私が見てとれるのは、〈状況－（心的体験）－ふるまい〉という空欄つきの他我ネットワークでしかない。その点の事情はあいかわらず何ひとつ変わっていない。だから、誰が出てきて何を書き込もうとも、それはこの連関性のネットワークとは関係がない。やろうとするならば、大森がそうしたように、あくまでも文脈的に「他人の痛み」を理解することだけだろう。

私は、大森が立ち止まったところでなおも進もうとしたフッサールは勇み足だったと考える。関係投影説は大森の地点で止まらねばならない。すなわち、他我をただ文脈的にのみ理解するのでなければならない。フッサールや大森が手持ちの在庫で作れるのはそこまでだと思うのである。

だが同時に、そこで立ち止まらねばならないということは、まさに関係投影説の限界を示している。われわれはフッサールの設定したゴールまで行きたいのである。すなわち、その空欄を書き込む主体たる他我、もっとふつうの言い方をするならば、私と同じような痛みを痛む他人、そこに到達したい。しかし関係投影説は大森の辿り着いたところまでしか行き着かない。他人の痛みは空欄とされ、そして空欄は空欄のままに、状況やふるまい連関の型において文脈的に理解されるしかない。他方、「私の痛み」であれば、それはまさに痛みの体験によって意味づけられる。大森は、自分と他人が違う以上、これは当然の違いなのだと言う。だが、それでは他人を正当に立ち上がらせていないのではないか。フッサールはそれゆえにこそ、そこに立ち止まることができなかったのである。自我から他我を構成するという手続きの非対称性にもかかわらず、フッサールは、構成された他我と自我の対称性を実現しようと望んだ。すなわち、自我がもっているものを、そっくりそのままもっているはずのものとして他我を構成することをめざした。そうして、私と他人たちとの「間主観性」を基礎づけようとしたのである。

私は、他我問題のゴールの設定においてはフッサールの方が正しかったと考える。他方、議論の持ち分をきっちりと見積もることにおいては大森の方が正しかったと考える。逆に言えば、つまり、両者ともしくじったと思うのである。

5　「自我から他我へ」という袋小路

大森の「他我の意味制作」論においては、「私の痛み」は私の感覚体験によって意味を与えられ、「他人の痛み」は私が経験しうる諸命題のネットワークに位置づけられることで文脈的に意味を与えられる。それゆえ大森は、「私の痛み」と「他人の痛み」とで「痛み」に異なる意味を与えることになる。そして、それは自分と他人が違うのだから当然のことだ、と言うのである。だが私は、なによりもまずこのことに納得できないでいる。

「自分の痛み」と「他人の痛み」の認識の仕方は、なるほど異なるかもしれない。つまり、自分の場合にはまさに感じとるのであり、他人の場合にはもっと間接的なやり方になる。多少微妙な問題は残るとしても、大筋としてその指摘はもっともである。だが、その意味が異なるというのは、どうにも理解しがたい。

自分の痛みは、他人から見れば他人の痛みである。私にとって彼女の頭痛は他人の痛みであるように、彼女にとっては私の痛みは他人の痛みにほかならない。では、そのとき私は、二つの異なる意味の「痛み」――自分が体験的に意味づけた私の「痛み」と彼女によって文脈的に意味づけられた私の「痛み」――を互いに翻訳して重ね合わせているのだろうか。

彼女が私に話しかけてきたとしよう。

「まだ痛いの？」

私は答える。

「少しね」

そのとき彼女は「他人の痛み」について語り、私は「私の痛み」について語っている。しかし両者は「同じもの」なのである。もし彼女が私の痛みを文脈的に理解しているのだとしたら、私が彼女の発話を理解するときにはおそろしくややこしいことになるのではないか。ちょっと、やってみよう。

以下は、大森説に従うとこうなるだろう、というストーリーである。

(1)彼女が「まだ痛いの？」と私に尋ねる。私はそれが彼女の側から文脈的に理解された痛みであると理解する。つまり、彼女は彼女の心的体験を核として自分の経験命題ネットワークを制作し、それを意味連関ネットワークとして読み換え、さらに自他変換した上で私にかぶせているはずである。

(2)ところが、私は私で彼女の命題ネットワークの核となる心的体験を文脈的にしか理解できない。ここに紛糾の種がある。

くどいようだが、繰り返しておく。彼女は彼女にとっては他人である私の痛みを文脈的にしか理解できない。そこで私は彼女の発言を理解するために、彼女が基づいているその文脈を理解しようとする。しかし、それはもともと彼女の心的体験を核として形成された文脈である。それゆえ私は彼女の文脈を理解するために、その核となる彼女の心的体験を理解しなければならない。だが、私はそれを文脈的にしか理解できないのである。

(3)そこで私は、私が文脈的に理解した彼女の痛みを核として彼女の命題ネットワークを制作する。そしてそれを自他変換したものを彼女が私にかぶせているのだろうと理解する。

これが、彼女の「まだ痛いの？」の私にとっての意味である。

つまり、おそろしくややこしいのである。ところが、それを受け取った私はどういう仕掛けか知らないが、それをただちに私の体験で意味づけられた「私の痛み」に翻訳する。そして「少し痛い」のように答えることになる。

言葉で言えばややこしいのは車の運転だって同じことだと言われるかもしれない。だが、私にはどうもこれがわれわれの実情を捉えたうまい説明であるようには思えないのである。

他人にしてみれば自分こそ「私」であり、私は「彼」である。しかしこの身近な実感が、独我論的傾向を色濃くもった者たちには果てしなく遠い距離に感じられる。けっきょく、「独我論的な呪いの輪から脱出することは不可能」という廣松の言葉を引用してフッサールを断罪した大森だったが、それはまったく大森自身にもはねかえってくるのではないだろうか。

大森は「他人の痛み」が文脈的にしか理解できないことをもって、それをユークリッド幾何学の「点」や「線」に似ていると言い、あるいはまた「電子」や「クォーク」のような理論的概念とも似ていると言う。しかし、「他人の痛み」の場合には、大森が文脈的にしか捉えられないという「他人の痛み」と体験的に捉えられる「私の痛み」とが、他人にしてみれば私こそ他人ということによって、縦横に交差し、重なるのである。それに対して「点」や「電子」にはそのようなことはない。それらは徹頭徹尾文脈的にのみ理解される。この点は見逃してはならない。ここには理論的概念の場合との大きな違いが見られる。「電子」などの場合には見られない「人称変換」という現象が、「痛み」の場合には決定的に効いてくるのである。

大森が自分の場合に実際に体験される痛みを核として状況やふるまいに関する諸命題を経験的に編み上げていくとき、そこには、他人から見たときの「他人の痛み」としての「私の痛み」も入らざるをえない。つまり、私が編み上げる自分の場合の命題ネットワークの中には、他人からの「まだ痛いのかい」とか「痛かったでしょう」といった語りかけも含まれてくる。そしてそれは、他人から見た「他人の痛み」としての「私の痛み」にほかならない。そこには「他人から見られた私の心」が入ってくるのである。

「他人から見られた私の心」、それは大森他我論のもとでは文脈的に捉えられるしかないものだろう。とすれば、意味制作の第一段階としてまず自分の場合の命題ネットワークを作成するときに、私はたんに体験的に理解された自分の痛みだけではなく、文脈的に理解された自分の痛みも理解していなければならないことになる。

実際、例えば子どもは、自分が感じた痛みを自分の視点から言い表わすだけではまだ十分に「痛み」の概念を習得したとは言えないだろう。痛んでいる自分を他人として捉える視点を獲得して初めて、子どもは「痛み」のなんたるか——少なくともふつうの日本語の「痛み」の意味を知る。それゆえ、私自身の命題ネットワークにおいてすでに、「他人の痛み」が取り込まれていなければならないのである。

だが、そうだとすると、大森の「全体論」はきわめて中途半端なものであったと言わざるをえない。もし意味論的全体論に加担するのであれば、「私の痛み」もまた、それ自体として体験的に意味づけられるのではなく、命題ネットワーク全体に位置づけられることによって、文脈的に意味を与えられると言うべきだろう。[20]

自分の体験によって言葉に意味を与える、私には、これこそ大森が手を切るべき発想であったように思われる。終始この発想に囚われていたからこそ、体験によって意味を与えられない「他人の痛み」の意味が大森にとって問題となったのである。[21] そしてまた、それゆえにこそ、言語のレベルで議論を為しているにもかかわらず、途中まではいえ、フッサールとほとんど同じ道を辿ることにもなったのではないだろうか。両者に共通しているのは、大雑把に言えば、「自我から出発して他我へと到達する」という発想である。

しかし、もう私はこの発想と手を切ろうと思う。

6　逆転スペクトルの懐疑

――他人が「赤」と呼ぶ色は、私ならば「緑」と呼ぶ色かもしれない。私もその人も「赤」信号で止まる。しかし、その人に映じているそれは、私に映じているこれとは違うかもしれない。――この懐疑は「逆転スペクトルの懐疑」と呼ばれる。そしてこれは、色覚についての実際的な疑いとは異なっている。例えば赤と緑が識別しにくいといった、色がもつ差異の捉え方が多くの人と異なっているような人たちは、実際に生活において相応の違いが現われてくるだろう。また、その違いを検査によって調べることもできる。だが、いま問題にしようとしている懐疑はテスト不可能な懐疑にほかならない。私が区別する色をその人も区別する。その差異の体系に関してはまったく一致する。しかも、「青」と「黄」の絵の具を混ぜれば「緑」になる等々のことに関しても、一致する。実生活上には何の違いも現われない。しかし、それにもかかわらず、私が「赤」と呼ぶときに私に体験されているこれは、その人が「赤」と呼ぶときにその人に体験されているそれとは異なっているかもしれない、というのである。

　同様の懐疑は色以外にも考えられる。例えば、他人が「痛み」と呼ぶ感覚は私だったら「かゆみ」と呼ぶものかもしれない。その人は顔をしかめて痛そうにしており、その直前には机の角に足をぶつけている。しかし、体験されているその感覚は、私だったら「かゆみ」と呼ぶものかもしれない。掻きはしないし、掻きたくもならないが、体験されるその感覚それ自体は「かゆみ」かもしれない。

　こうした懐疑に表面的に応答するのはたやすい。一通り懐疑に耳を傾けたあとで、ただ一言、「それで?」と問い返せばよい。

「それでって……、それだけ」

それだけの懐疑なのだ。実生活に何か影響があるわけではない。理論的な矛盾に悩まされるわけでもない。まったく放置可能な、無害な懐疑にすぎない。

だが、ここには何かある。「答えよ」という、あの声が聞こえる。

　謎は、その姿を十分に立ち上がらせたときにのみ、そこから解放される道も現われる。「それで?」という一言には、まだその力はない。

次のように問い返して応答することもできるだろう。

「では、君が「赤」と呼ぶ色は本当は何色なんだ？」

本当は何色なんだと問われて何と答えればよいのか。

例えば、子どもが母親に「お母さん、これがシクシク痛いって感じなの？　お母さんがシクシク痛いときも、こういう感じなの？」と尋ねたとしよう。母親は当惑するだろう。そして、子どもはさらに問う、「お母さんがシクシク痛いときって、どんな感じなの？」。この問いに、愚直なまでに良心的な母親ならばこう答えるかもしれない。「お母さんがシクシク痛いときはね、それは、シクシク痛い感じがするの」

私が「赤」と呼ぶ色は本当に赤なのである。それ以外に言いようがない。

懐疑はとりあえずこのように表現されていた――「他人が「赤」と呼ぶ色は、私が「赤」と呼ぶ色と違うかもしれない」。だが、違いようもないではないか。どちらも本当に「赤」なのだから。いったい、君は何が「違う」と言いたいのか。ここでも懐疑論者は黙るしかない。

しかしこの沈黙は、懐疑が晴れたことを意味してはいない。むしろ、謎が深まったことを意味している。逆転スペクトルの懐疑をふつうの日本語でどのように言い表わせばよいのか、分からない。だけど、この懐疑は多くの人に理解され、共有されるじゃないか。いったい、日本語でうまく表現できないものが、どうして理解され、共有されうるのだろう。

ふつうの日本語。そして、ふつうの日本語ではうまく表現できないもの。その落差にはまりこんでいるように思える。

「赤」や「痛み」といった日本語をどうやって学んできたのか、考えてみよう。ひとつの単純な考え方は、赤い色を子どもに提示して「赤」という名前を教え、痛みの感覚を提示して「痛み」という名前を教える、というものだろう。痛みの場合にはおそらく、子どもに痛みが生じているような場面で、それが「痛み」と呼ばれるものなのだと教えることになる。教育熱心な親ならば、子どもの手をつねりあげて「痛み」という語の意味を教えるのかもしれない。

だが事情はもっと複雑である。「赤」を教えるとき、何か赤いもの（熟したリンゴ）を子どもに見せて「これが赤だ」と教える。ところが、大人はそのとき「これ」が「どれ」かも教えなければならないのである。できるならば、「この色が赤だ」と言いたい。しかし、まだ「赤」も「青」も学んでいない子どもが、どうして「色」という言葉を理解するだろう。それゆえ、そこにあるものを指差して「これ」と言うとき、指し示されているのがその色なのだということは、子どもにはまだ分からない。

「これ」――それはリンゴのことかもしれないし、果物一般のことかもしれない。あるいはその形のことかもしれないし、その手ざわりかもしれない。あるいはまたその堅さや重さのことかもしれない。さらに言えば、その影のできぐあいのことかもしれないし、何かとくに朝という時間帯に特有のことかもしれない。何ものかを「これ」と指示するとき、そこで指し示されているものは無限に多様でありうる。

それゆえ、あるひとつの場面での指示が成功するためには、多くの場面での準備が必要となる。たんに指差すことで指示が成功し、それによって語の意味を学ぶことができるというのは、いかにも単純すぎる。少なくとも、さまざまなものを赤いものとそうでないものとに区別されるようなことを子どもとともに行なうこと。もっと実際的に言えば、「そこの赤い箱をもってきて」とか「ここを赤く塗ろう」といった呼びかけに適切に応じるよう、子どもを訓練していくことが必要だろう。たんに「これ」と指差すだけではなく、「それ」で何をするのか、「それ」とともに為されるべき子どもの活動を規制しなければならない。

あるいは、呻いたり顔をしかめたり、トゲが指に刺さっているとき、大人は子どもに「痛い」という言葉を教える。そして同時に、痛みをもっている人にはなぐさめたり、手当てをしたりすることも教える。こうして子どもは「痛い」という語に関わる実践に参加することを学ぶ。ここにおいてもまた、たんに「これ」が「痛み」と呼ばれるものなのだと教えるのではなく、「それ」とともに為されるべき活動を示し、訓練していかなければならない。そして、「痛い」という語を正しく習得したかどうかは、そうした実践連関のレベルで決まる。

それゆえ、「赤」や「痛み」といった語は、そうした語を用いて為されるさまざまな実践連関と結びついてのみ、その言葉遣いの適切さが評価されるのである。

だとすれば、逆転スペクトルの懐疑を通常の日本語で表現することは原理的に不可能なこととなるだろう。

逆転スペクトルの懐疑は、実践連関においては完全につじつまが合っていることを前提にしていた。それでもなお、私と他人とでその体験のありようが異なるのではないかと疑うのである。この、実践連関上にはまったく姿を現わさない異なりの可能性を表現するには、実践連関から切り離され、実践連関とは独立に意味を与えられる言語でなければならない。純粋にこの感覚を指し示すことで意味を獲得している言語、それこそがこの懐疑を表現するには必要なのである。

純粋に自分の内に秘匿された私秘的（プライベート）な対象を指し示す言語。そのような言語を、ウィトゲンシュタインにならって「私的言語」と名づけることにしよう。逆転スペクトルの懐疑は、ふつうの日本語では表現できないが、私的言語でなら、表現できるのではないか。

――だが、実践連関とは無縁なのだから、そんな言語は何の役にも立たない。

いや、自分自身の体験を記述するのに役立つかもしれない。例えばあるとき日本語では何と呼んでよいか分からない感覚をもったとしよう。それを「感覚」という日本語で呼ぶべきかどうかも分からない。あまりにも独特な体験。そこで私はそれを例えば「トカトントン」と名づける。それ以後、私は自分がこの体験をもつたびに、「今朝もまたトカトントンだった」のように記述する。その意味するところは誰にも分からない。だが、私には分かる。

子どもが母親に「お母さん、ぼく、なんかトカトントンなんだ」と訴える。母親はどういうことかと聞き返す。しかし子どもは別の言葉で言い換えることができない。「なんか、トカトントンなの」

――いや、実践連関から切り離されては、「トカトントン」が何を指示するかも決まらないだろう。指示には無限の多様性がある。それを固定するのは実践連関においてほかにないはずだ。そんなことはない。私がそれに注目し、私がそれに「トカトントン」と名前をつけたのだから、私自身はそれがどういう意味かはよく分かっている。

――本当にそうだろうか。私自身は、本当に「トカトントン」の意味をよく分かっているのだろうか。

ある日、「トカトントン」という名前を定義した。そして次のときに、「またトカトントンだ」と記述する。何をやっているのか。これが体験記述をしたことになるのだろうか。

まったく同じ状態で訪れたのではないことに注意しなければならない。以前の「トカトントン」といまの「トカトントン」はまったく同じものではない。それはおそらく質的にも多少は異なっているだろう。かりにまったく同じものが繰り返し起こったと言いたくなるとしても、「まったく同じ」ということの意味がなお問題にされねばならない。つまり……、いや、そのことの議論はもう少しあとにしよう。

例えば「痛み」という語の場合を考えてみよう。「痛み」といっても実にさまざまな感覚がそこには含まれている。切傷の痛み、偏頭痛、胃痛、腰痛、神経痛、これらはきわめて異質な感覚であり、さらにそれぞれがより細かく多様な感覚に区別される。そしてまた、痛みとかゆみ、しびれ、圧迫感、だるさ等々との境界もそれほど明確ではない。もちろん、ふつうの日本語の場合であればある感覚を総称して「痛み」と呼ぶことにはそれなりの理由がある。それはたんに感覚としての類似性に基づいた分類ではなく、それに対するわれわれの関わり方、耐えること、なぐさめること、治療すること等との関係において、ひとまとめに「痛み」と分類されているだろう。

だが、「トカトントン」の場合には、我慢するとか治療するといったこととはまったく独立に、ただ現われる感覚とだけ向き合わされる。いったい、いま訪れたこれが、このまえ定義した「トカトントン」ではなく、新たな「タカタンタン」ではないと、どうして言えるのだろう。

いや、多少の違いは気にしないことにするのだ、と言われるだろうか。まったく同じではないが、似ているから、これも「トカトントン」なのであり、「タカタンタン」ではないのだ、と。だとすれば、それもまた「トカトントン」の定義にほかならない。つまり、二度目のそのとき、それもまた「トカトントン」に含めるということを定義したのである。

三回目。またもや似たような感覚に襲われた。しかし、それはむしろ「テケテンテン」ではないのか。いや、これもまた「トカトントン」に含めると私は定義する。

……いつまでも定義を繰り返さなければならない。私がやっていることは、つねに、「これをないのである。

「トカトントン」の定義という果てしない作業の泥沼であり、いつまでたってもその意味は確定し「トカトントン」と呼ぼう」と定義しているにすぎない。体験記述の見かけをもつそれは、実は、

かりにまったく同じものが繰り返されたと言いたくなるとしても、事情は変わらない。「同じ」という言葉は適用される対象に応じてさまざまな同一性の規準をもっている。例えば幼児の私といまの私はある観点から見れば同一人物だが、他の観点から見ればもはや同一ではない。あるいは、ある観点からすれば、われわれは二度と同じ川で水遊びをすることはできない。ブルドッグと柴犬は犬としては同じだが、さらに細かく見れば同じではない。この柴犬とあの柴犬は「おんなじだ」と言いたくなるが、もちろん別の個体である。

「同じ」とは、それに同一性を与える観点を伴って初めて意味をもつ言葉にほかならない。それゆえ、以前のあれといまのこれが「まったく同じ」ものだと言うことは、すなわちそれが「トカトントンとして」同一であると言っているにすぎない。つまり、同一性の認定は「トカトントン」の定義と連動しており、私的言語において「トカトントン」がたえず定義され続けることと、以前と「同じ」体験がいま繰り返されたとみなすこととは、別のことではないのである。私はいま、「これは以前と同じくトカトントンだ」と定義し、同一性を取り決める。そして次のときにもまた、そうして定義を与え、同一性を与え続けなければならない。

それゆえ、私はある状態を「トカトントン」と呼ぶことにおいてけっして誤りえないことになる。

「あ、本当はタカタンタンだった」ということは起こりえない。なぜなら、その場面でも私がやっているることはたんに「これも「トカトントン」と呼ぶことにしよう」と定義しているにすぎないのだから。そしてそう定義することを誰も止められはしないのだから。どうぞごかってに。まちがいということはありえない。

他方、日本語の「痛み」であればけっしてそうはならない。日本語の場合には、実践連関において不適切であったならば、それを「痛み」と呼ぶことが不適切になることも起こりうる。例えば、子どもが蚊に刺されて「痛い、痛い」と言い、そうしてボリボリ掻いていたとするならば、大人は「それはかゆいって言うんだ」と訂正するだろう。あるいは、赤信号を「青信号」と呼んで渡ろうとしたならば、それは明らかに誤りとされる。

だが、「トカトントン」という言葉を使うとき、それはまちがいだと指摘してくれる大人も、それをまちがいと判定する規準となる実践連関もない。ただ私だけが、ある体験を前にして「これもトカトントンと呼ぼう」と定義するだけでしかない。そうして、私的言語には誤りということがなくなってしまう。

私的言語における実情は、ただ、ある状態になると私は「トカトントン」と言いたくなる、というものにすぎない。誤りえないものは記述ではない。それはたんにある状態に促された「うわごと」にすぎない。一見言語の見かけをしていても、実はまったく言語ではないのである。[22]

かくして、逆転スペクトルの懐疑は、それを表現する言語的手立てをいっさい失うことになる。そしてそれは、たんに私秘的対象は言語化不可能なのだと言って済ますことのできるようなものではない。ある対象に「トカトントン」という名前を与えるということは、それが対象として成立するということを同時に意味している。今日のトカトントンと昨日のトカトントンを同じトカトントンとしてまとめあげる、その同一性の規準を与えるということが、その対象に名前を与えるということにほかならない。そして、他人と実践連関とから切り離された私的言語においては、そうした対象の同一性の規準を与えることができないがゆえに、私的言語はたんに「うわごと」にすぎないとされねばならないのである。

とすれば、私秘的言語が実はいささかも言語ではなかったということは、すなわち、「私秘的対象」なるものも、実はいささかも対象ではなかったということを意味している。そこには、対象が対象として成立するために要求される同一性が決定的に欠けている。

私秘的対象など、存在しない。

私が「赤」と呼ぶ色を見つめるとき、そこには何かがあると思われた。だが、その何かとは、まさに赤以外の何ものでもありえないのである。それゆえ、逆転スペクトルの懐疑は理解できようはずのない懐疑にほかならない。それは、他人には伝わらない思いというのではなく、疑っている本人にさえ、実は意味不明でしかない。

ふつうの日本語をすなおに使っているかぎり、そのような懐疑には思い至らなかっただろう。素朴な実感に訴えていたかのようなこの懐疑は、実はそのみかけに反して、すでに不自然な知的プロセスを経たものであったのだ。つまり、ふつうの日本語の使用がいったん中断され、前理論的にせよ、言語についてある描像が形成される。そしてその側面だけが肥大し、私的言語のような領域がその幻影を浮かび上がらせる。そうして、逆転スペクトルの懐疑をあたかも理解可能であるかのように思わせてしまったのである。

7　無痛人間の「痛み」理解

「痛ミヲ想像スルコトナク、他人ノ腹痛ヲ想像セヨ」

この公案もどきに、どう答えればよいだろうか。

もう一度、なぜ痛みを想像してはいけないのか、と問おう。

こう答えられる。――想像された痛みは、自分自身の痛みでしかない。たとえそれが他人の腹であろうとも、そこに想像上の痛みの感覚を貼りつけたならば、それは自分が他人の腹に痛みを感じている想像になってしまう。だから、痛みを想像することなく、他人の腹痛を想像しなければならない。

先に大森とフッサールの試みを見たが、ウィトゲンシュタインもまた、この公案もどきに挑んだひとりである。

ひとはこう言うかもしれない、「彼は痛みを感じている」という言葉で行なわれる言語ゲームには、ふるまいの像だけでなく、痛みの像もまた含まれている。あるいは、ふるまいの見本だけでなく、痛みの見本もまた含まれているではないか、と。――だが、「痛みの像が「痛み」という語で行なわれる言語ゲームに入り込んでくる」というのは誤解である。痛みの想像は痛みの像ではない。このように想像したからといって、それはわれわれが像と呼ぶであろうような何ものかの位置を言語ゲームにおいて占めうるわけではない。――確かに、痛みの想像はある意味で言語ゲームの中に入ってくる。しかし、それは像としてではない。[23]

「痛み」という語の意味を知ろうとして自分の心の中を覗き込むのは筋違いなのである。ウィトゲンシュタインはこう言うだろう。大人が君に「痛み」という言葉の意味を教えたとき、大人はけっして君の心の中を覗き見たりはしなかった。その言葉が教えられた現場は、例えば君が机の角に足をぶつけ、顔をしかめて足を浮かせている場面、そしてそれに耐えている君、なぐさめる大人、傷ができたならば君は手当を求め、大人はその求めに応じて処置をする、こういった場面にほかならない。つまり、それは徹頭徹尾、状況とふるまいに関係づけられ、そこで君自身が感じているであろう感覚それ自体は「痛み」の意味とは無関係でしかない。
あるいは、こうした路線を受け継いで野家啓一はかつて次のように論じた。

体験表現は、基本的には他者へ向っての実践的要求の言語行為なのである。
他人の発する「私は……が痛い」という言葉を聞けば、私は相手の顔色や表情を見、傷があればその具合を調べ、薬を調達に走り、場合によっては医者や救急車を呼ぶといった一連の行為へと促される。むろん、一片の同情の言葉で済むこともあれば、知らぬ顔をきめ込むこともできよう。しかし、相手の体験表現の発言は、いずれにせよ私の具体的行為を誘発するのである。その場合、私が相手に向って「仲々見事な体験の描写をなさいましたね」と答えたとすれば、私は殴られるのがおちであろう。(24)

一言で言ってしまえば、生まれつき痛みを感じない無痛人間でも、痛んでいる他人をなぐさめたり手当てしたりできる以上、「痛み」の意味は理解できる、というのである。――ここには、大森やフッサールに対置されるべきもう一方の考え方の極がある。だが、本当に、無痛人間にも「痛み」の意味は理解できるのだろうか。

ウィトゲンシュタインから明確な答を引き出すのは難しいが、例えば先の引用は、無痛人間にも

「痛み」の意味が理解できると答える方向を示している。そしてウィトゲンシュタインからその方向を受け継ぐ野家は、よりはっきりと「理解できる」と答える。

具体的な実践的状況において私が理解すべきものは、相手の言語行為を通じて行われる実践的要求であって、相手のもつ私秘的感覚体験ではない。その限りにおいて、相手の私秘的感覚体験を知ることは、彼の体験表現の意味を理解することからは独立なのであり、別の事柄（しかも不可能な事柄）なのである。

確かに、私はしばしば自分の痛みになぞらえて他人の痛みを理解することであろう。同病相憐れむとの喩えもある通り、神経痛を患ったことのある人であれば、相手の神経痛の訴えに対して、より心のこもった実践的態勢をとりうることであろう。しかしそれは、体験表現の理解の深浅を左右するものではあっても、理解の正否を決定するものではない。[25]

「頭が痛い」というのが、その人の体験報告であるならば、その体験をもったことのない人には何が報告されているのか分からず、それゆえその言葉の意味も分からないだろう。しかし、「頭が痛い」という発話は、なんらかの実践的要求の言語行為にほかならない。それゆえ、そうした体験が欠如している人であっても、その要求に適切に応じることのできる人であれば、その言葉の意味を正しく理解していると言える。野家はそう主張する。逆に言えば、純粋な「痛みの体験報告」という言語行為など、ありはしないと言うのである。

だが、そうだろうか？　痛みを含めて、さまざまな体験報告をわれわれがしているというのは、明らかなことではないだろうか。

例えば、人と一緒に食事をしていたとして、食べたことのないものが出されたとする。私より先にその人がそれを食べる。私は「どう？」と尋ねる。そしてその人は、「ちょっと辛い」と答える。これは別に何ごとかを要求しているわけではなく、たんなる味覚の報告にすぎない。辛いから食べるのはよせ、と言っているわけでもないし、水が欲しいと言っているわけでもない。

あるいは、騒々しい店でさんざん声高にお喋りをしたあとで、「のどが痛くなっちゃったね」と言う。これも別に何ごとかを要求しているわけでもない。ただ、自分がそういう感覚をもっていることを報告しているのである。実践的要求の言語行為などということさらな役目を負わされていない、たんなる体験報告。長時間椅子に腰掛けていたので尻が痛くなったこと、さっきは少し頭が痛かったがいまはすっかりよくなったこと、冬の乾燥したときにドアのノブに触れてビリッときたこと、玉ネギを切っていて目が痛くなったこと、等々。もちろん、何ごとかを要求する場合もある。しかし、しない場合もある。いったい、それらすべてを実践的要求の言語行為と称するのはいささか無理筋ではないだろうか。(26)

さらに、知覚の場面を考えるならば、野家のこうした議論はいっそう強引なものとなるように思われる。懐疑論者が想像できないと主張するのは痛みだけではない。他人の見ているものもまた、論理的に想像できないとされる。他人が立っているそこに私も立ったとして、私はその人と同じ光景を見てはいない。なぜなら、たとえ同じ視点に立ったとしても、それは「私の見た光景」であり、「他人の見た光景」ではないからである。それゆえ、「他人の見ている光景」を想像することもできない。何かそのようなものを想像したとしても、それはその視点に立った「私が見ている光景」でしかない。私が想像できるのは、徹頭徹尾、「私が見ている光景」でしかない。

そして、こうした知覚の場面では痛みの場合よりもはるかに、実践的要求という性格は乏しくなる。例えば、私と野家氏が並んで立っているとする。そして彼が「今日は富士がきれいに見えるね」と言ったとする。いったい、私は野家氏に何を要求されているのだろう。

最初の問題に立ち返ってみよう。

「私は他人の痛みを想像することができない」――他我問題の論者、例えば大森はそう主張する。それゆえ、私が「他人の腹痛」ということを理解するとき、その痛みの感覚のところは空欄のままにしておくしかない、と。そして野家は、この主張をまったく無傷のまま容認するのである。野家の議論を乱暴に言ってしまえば、こうなるだろう。私が他人の痛みを想像できないのはそのとおり、だが、それはたいしたことではない、私はただ他人が何を要求しているのかを想像できればよいのだから。かくして、「痛ミヲ想像スルコトナク、他人ノ腹痛ヲ想像セヨ」という公案もどきに、野家は「他人の実践的要求を想像すればよい」と答えることになる。

だが、「他人の痛みは想像できない」という主張を無傷のままにしておくかぎり、他我問題の根本的な治療にはなっていない、私にはそう思われてならない。

私は、他我問題が問題の出発点とするこの前提を受け入れることができない。問題は、この出発点を受け入れた上でいかにして他我を意味づけるかではなく、むしろそこで言われている「私の痛み」ないし「私が見ている光景」ということの意味を洗いなおし、そうして「他人の痛みの想像不可能性」という前提を突き崩すことではないだろうか。

もう一度、先の野家の文章を引用しよう。こう言っていた、「相手の私秘的感覚体験を知ることは、彼の体験表現の意味を理解することからは独立なのであり、別の事柄（しかも不可能な事柄）なのである」ここで野家は、他人の感覚を「私秘的感覚」と呼んでいる。どういう意味だろう。もしこれが、私的言語と結びつけられるような私秘的な何ものかを意味しているのだとすれば、野家はまちがっている。そのような私秘的な何ものかなど、端的に存在しない。それゆえ、感覚はけっして私秘的対象などではない。私秘的対象に対比してあえて言うならば、感覚はあくまでも「公共的対象」なのである。

感覚をなお「私秘的体験」とし、公共言語における純粋な感覚体験の報告というあり方を拒否することにおいて、むしろ野家は私的言語の呪縛を逃れていない、と私は言いたくなる。それゆえ、野家の一見すっきりした議論は、実は見逃せない混乱を含んでいるのである。野家のもうひとつの論点を見てみよう。彼は次のように議論する。

> しかしながら、私秘的な感覚的体験は、それでは体験表現の理解に何の役割も果たさないのであろうか。もちろん、幼児の感ずる不快感と泣き叫ぶ振舞いとの間に密接な結びつきがあるように、私の腹痛感覚と「私は腹が痛い」という発言との間には切り離せない関係が存する。しかし、それは自然史的結びつきとでも言うべきものであって、想定されているような意味論的結びつきではない[27]。

他人が痛みの感覚を報告するとき、それが何かある感覚に促されたものであることは認めるが、その感覚報告はそれを促したその感覚を記述したものではない、と言うのである。だが野家は、他人の感覚報告がなんらかの感覚に促されたものだという自らの主張の意味を、どのように理解しうるのだろうか。野家は、「相手の体験表現の言葉を聞くとき、私はそれが相手の感覚的体験を契機として発せられたものであることを知る」と言う。だが、彼の「実践的要求の言語行為論」に従うとすれば、どのようにして野家自身のこの主張の意味を理解すればよいのだろう。野家はここで、自分の主張に従えばその意味も理解できないはずのことを述べていはしないか。

ここには野家の議論の混乱がある。野家は他人の痛み感覚と他人の痛み報告の間には「自然史的結びつき」があると言う。それはおそらく、感覚体験が原因となって感覚報告が引き起こされたというような因果的結びつきのことだろう。だが、野家自身の議論に従うならば、私は他人のこうした「自然史」をどのように記述すればよいのだろうか。こうした「自然史的結びつき」を記述するためには、他人の感覚体験を報告行為の原因として取り出し、記述しなければならない。しかし、それはもはや野家自身によって閉ざされた道なのである。

野家は、その「実践的要求の言語行為論」において、感覚体験そのものを空欄のままに意味理解する議論を展開した。それは大森の「意味制作論」よりも徹底して、自分自身の感覚体験をも空欄のままにしておく議論であった。それゆえその議論は大森の議論よりもはるかにすっきりしている。だが、野家は感覚体験が空欄のままにすっぽり抜け落ちていることに満足しなかったように思われる。そしてその空欄を「自然史的結びつき」によって埋めようとしたのである。私は、野家が空欄を空欄のままに放置しえなかったことを、まったく健全で正当なことと感じる。だが、「自然史的結びつき」によってその空欄を埋めようというのは混乱の所産以外の何物でもない。「痛み」の意味において完全に抜け落ちている感覚体験が、「自然史的」記述において姿を現わすことなど、不可能なのである。「自然史的」記述もまた言語によって為され、それもまた「痛み」の意味理解のあり方に従うほかはないのだから。

私的言語の呪縛からもっと、はるかにもっと自由にならなければならない。

どうすればよいのか。大森の言葉を引こう。すなわち、「街頭を呑気な顔で歩いている普通人の二の舞を舞うこと[28]」である。だがそれは、大森やフッサールやウィトゲンシュタインや野家の「二の舞」を舞うことではない。私は、普通人としての私自身の「一の舞」を舞うことにしたい。

8　世界の眺め

ごくふつうにあたりを眺め渡してみよう。

さまざまなものごとが見える。机が見え、左の方に本が重ねてあり、右の方にコーヒーカップが置かれてある。さらに窓の外には家々があり、道路を車が走っている。そしてその向こうには丘陵がゆるやかに続いている。こうした光景は、この視点から見られた光景であるという特徴をもっている。他の視点から見れば、また別の光景が見えるだろう。

これは視覚にかぎった特徴ではない。聞く位置によって聞こえ方は異なり、鼻の位置を変えれば臭い方が変わる。身体のどこで何に触れるかによって現われる触覚は異なり、そして、舌の上に何をのせ、どう味わうかによって味覚は変化する。

私は五感に応じたさまざまな知覚に晒されている。そしてそのあり方は、私の身体がどこに位置し、どちらを向き、何と触れているかによって変わってくる。これを「知覚のパースペクティブ的構造」と呼ぶことにしよう。そして、知覚的に現われている世界のさまざまな光景を「眺望」ないし「眺め」と呼び、視覚的眺望における「視点」に相当するものを知覚一般に拡張して「眺望点」と呼ぶことにしたい。

眺望点は眺望の一部ではないが、しかし、眺望において示されている。

例えば一枚の風景写真があったとする。レンズの位置によって撮られた写真のようすは変わってくる。レンズの位置が写真に写っているわけではない。しかし、写真に写された風景はそれがどの視点から撮られたものなのかを示している。同様に、ある眺望は、それが得られる眺望点の在りかを示している。眺望点と独立に眺望だけを提示することはできない。

他方、眺望から独立に眺望点だけを指定することはある程度可能である。「あの木の上から見てみよう」とか「ここをさわってみてごらん」と言うとき、われわれはそこから開けるはずの眺望には言及することなく、ただ眺望点だけを指定している。

何をあたりまえのことを、と思われるかもしれない。しかし私はいままさにあたりまえのことを確認しておきたいのである。こうして、普通人の舞を舞いながら、他我問題の呪縛を払い落としていきたいのである。

もう少し踏み込んで考えてみよう。

実は、ひとつのパースペクティブもかなり複雑な構造をしている。例えば、丘陵に近いあたりに大学の時計台が見えるが、言うまでもなく私はそれを立体として捉えている。そして立体として捉えているということは、その時計台が側面や背面をもつこともあわせて捉えているということである。あるパースペクティブのもとでの眺望はけっして奥行のない書割のようなものではない。そこにあるものが立体であり、その眺望が奥行をもつということは、私がその時計台の方へ近づいて行ったり、あるいはその横の方や裏の方にまわりこんだりする可能性をこめて、この眺めを見ているということである。

なるほど私はいまここから眺めている。しかし、可能的にはあらゆるところから眺めている。その可能性と、他の位置に立ったらどう見えるかについての漠然とした了解とが、このパースペクティブを成立させているのである。もし、この可能性のいくつかを実際に描いて、いま見ている光景に重ねたならば、それはちょうどキュビスム絵画のようなものとなるだろう。

視覚以外の知覚の場合にも、こうしたキュビスム的構造は確かにある。私はいまここから聞いているからこのように聞こえるが、そのことは、位置を変えればまた別様に聞こえるだろうという可能的な了解を伴っている。足の裏で踏んだときにチクリとした感じがしたとすれば、かがみこんで指でさわったときにも相応の感触があるだろうと私は考える。よい匂いならば鼻を近づけ、いやな臭いならば遠ざけようとする。あるいはおいしいものならばよく味わい、絶えがたくまずいものならば吐き出そうとする。これもまた、可能的な嗅覚や味覚のパースペクティブを了解しているからにほかならない。

一般に、ある対象の性質を知覚するとき、その性質はさまざまな眺望点から知覚されうる。そこでその対象についてもっとよく知りたいと思ったならば、われわれは眺望点を変化させてそれを観察する。ひとつの眺望点からの眺望には、必ず、他の眺望点からの他の眺望の可能性の了解がこめられているのである。

だが、事態はもう少しややこしい。

それはたんなるキュビスム絵画ではない。というのも、正面図に重ねるべき側面や背面の絵が、再びキュビスム絵画になるからである。私はここから向こうの時計台を見ている。それは立体であるから、側面や背面の漠然とした了解がそこには伴っている。しかし、どれほど漠然としたものであれ、その了解もまた、書割のようなものではなく、やはり立体としての時計台の側面であり、背面の了解にほかならない。すなわち、それもまたキュビスム的構造をもたねばならない。かくして、それはたんなるキュビスム以上のキュビスム、いわば「超キュビスム的構造」をもつことになる。

それゆえ、可能的な眺めに関してだけ考えるならば、世界はどこから見ても同じ眺めだということになる。ここからの眺めには他のすべての眺望点からの眺めがこめられている。正面からの眺めには側面からの眺めも背面からの眺めもこめられ、側面からの眺めにもまた、正面からの眺めや背面からの眺めがこめられている。つまり、あらゆる眺望点はすべての眺望を可能性として等しくもっている。いまここからの眺めの特殊性は、ただこの眺めが現実化しているという点にしかない。世界の眺めは「モナド的」なのである。これは、現実にわれわれが特定の対象を観察する以前に、そもそも世界の眺めのあり方としてア・プリオリに把握されている世界了解の基本形式にほかならない。

ここで重要なことは、こうした了解の内には「ここ」と「あそこ」の違いしかない、という点である。そこには「私」と「他人」の違いはない。私であれ他人であれ、ここにいる者にはこう見え、あそこにいる者には別のように見える。眺望点と眺望の相関、それが超キュビスム的構造に関わっているすべてであり、それはまったく「非人称的」なものにとどまる。

それゆえ、この眺望点に立ちながら、なお他の眺望点からの眺めを了解することには、――少なくとも「論理的」には――何の困難もない。もちろん、まだ行ってみたことのない時計台の背面を想像することはそれほどたやすくはないかもしれない。しかしそれは、ウィトゲンシュタインが奥歯にもののはさまったような口調で「他人の痛みを想像することはそれほどたやすいことではない」と言ったときの困難とはまったく性質を異にしている。他我問題の論者たちが指摘するのは論理的な困難であるが、他のパースペクティヴの想像に伴う困難は、「まだ行ってみたことがないから」という経験的な困難にすぎない。

それゆえ私はむしろ、他の場所に立っている人が眺めている光景を想像することはそれほど難しいことではない、と言いたい。そもそもそうした他の視点からの眺めの了解なくしては、私のこの位置からの眺めも成立しないのである。他人は、私がいまここで可能的に理解しているその眺望を現実のものとしているにすぎない。私もそこに行けば見えるであろうものを、その人はいま見ている。その人が見ているものを私も見たければ、なんのことはない、そこに行ってみればよい。

だが、他我問題に囚われた者たちは、世界の非人称的構造ということに納得しようとはしないだろう。超キュビスム的構造は認めるかもしれない。しかしそれは「私の世界」の構造なのだ。そう主張するだろう。ここからは「私の世界」はこう見える、あそこからは「私の世界」は別のように見える、しかし、「他人の世界」は想像もつかない、と。

なるほど見ているのは私である。しかしそれは、そこに立っているのが私であるのと同じ意味で「私」なのである。私の立っているところに私をどかして他人が立つことはできるし、逆に他人の立っているところにその人をどかして私が立つこともできる。あるいは、そうすることを想像することもできる。だとすれば、私が見ている光景を他人が見ることも、他人が見ている光景を私が見ることも、そしてまた、そうしたことを想像することもできる。

「私が時計台を見ている」とは、「私が〈私の時計台〉を〈私の知覚〉として見ている」といったことではなく、むしろ「私が立っているところから時計台が見える」に類することなのである。そしてそれは、「私」という人称を剝脱して「野矢が立っているところから時計台が見える」と言い換えても同じことである。つまり、そこにおいて眺望点と眺望の関係はあくまでも非人称的なものとして理解されているのである。眺望点と眺望の関係の内に、「私」とか「彼」は含まれてこない。

なぜ「私の眺望」などという考えに行き着いてしまうのだろう。

目の前に一個ケーキを置いてみよう。

私はそこで――奇妙な言い方だが――ケーキという対象を見ている。現われているのはひとつの眺望点からのひとつの眺望にすぎないが、たんにひとつの眺望点のもとでの姿としてではなく、さまざまな現われ方をするひとつの対象――物――として、そのケーキを見ている。向こうにまわればまた別の見え方をするだろうし、さわれば柔らかく、なめれば甘いだろう。すなわち、ここにおいて眺望点と眺望の関係がひとつの秩序をもつものとして捉えられている。

この秩序こそが、対象にほかならない。

もしこの秩序が崩れたならばどうなるだろうか。

見る角度を変えるとケーキではなくカボチャが見える。また変えると小さなカバが見える。右手でさわると柔らかいが左手でさわるとカチカチに固い。少しなめると甘いがたくさんなめると納豆のような味がする、等々。しかもその変化には何の秩序も認められない。そのときわれわれはそこに単一の対象を捉えることができないだろう。逆に言えば、われわれが世界の内に対象というまとまりをつかむことができるのも、眺望点と眺望の関係が相応の秩序をもっているからなのである。対象が実在するから現象的な秩序が得られるのではない。この秩序には根拠はない。われわれはともあれこのような秩序の内に生きている。これは所与である。そして現象の内にこのように眺望点と眺望の秩序を見てとるがゆえに、その秩序がすなわち対象として立てられるのである。すなわち、「対象」とは、現象のもつ超キュビスム的秩序にほかならない。

独我論的傾向をもつ人たちは、知覚をすぐれて一人称的な体験、つまり「私の知覚」として捉える。それゆえ、当然の成り行きとして、対象もまた「私」というヒモつきでしかありえないことになる。そうであれば眼前のケーキもまた、たとえそれがケーキ屋の店頭に並んでいるものであったとしても、ことごとく「私のケーキ」となってしまうだろう。

だが、もちろんそれがふつうの意味で「私のケーキ」となるのは少なくとも金を払ったあとのことである。独我論者がいくら「それは私のケーキであり、それを味わえるのはただ私だけだ！」と叫ぼうとも、独我論者ならざる彼女はこともなげに手をのばしてそれを食べてしまう。

言い訳しておくが、私はただ冗談を言いたいためだけにこんなことを述べているのではない。「私の」という言葉は、ふつう、権利を主張し、しかるべき手順を踏んだ上で、自他ともに認める状態で、言われることである。そして私は私のケーキに手をのばし、食べる。そのとき、他の人ではなく私が手をのばし、他の人の口ではなく私の口にそれを入れ、他の人の舌ではなく私の舌の上で咀嚼したからこそ、私がそのケーキを味わえたのである。こうしたやりとりにおいて初めて、自他の人称性が姿を現わしてくる。

世界のパースペクティブ的構造の内に人称性を読み込んでしまうのは、そうした他人とのやりとりにおける人称性を場違いにも知覚へと投影してしまったからではないだろうか。

私は、「私の世界」という言い方を理解することを拒否したい。「私の」と言えるのは世界の中のものについてだけである。世界そのものは「私の」ものでも「他人の」ものでもありはしない。

「この眺望点に立てば**誰でも**この眺めに出会える」という世界了解の非人称的構造は、痛みやくすぐったさといった感覚においてもまったく同様に成り立っている。

例えばトゲが刺さった人を見たら、「あれは痛い」と思う。これはすなわち、「トゲが刺さったら誰だって痛い」という基本了解のもとに、実際にトゲが刺さっている他人の痛みを理解することである。これは、木に上っている人を見て「あそこからなら塀の向こうが見える」と思うのと同じではないだろうか。

このことはしかし、自分の痛みをもとに他人の痛みを想像すること、すなわち類推ではない。自分の痛みでさえ、「トゲが刺さったら**誰だって**痛い」という了解のもとに意味を与えられているからである。「誰だって」という非人称的な了解から出発する、これが、「自我から他我へ」という袋小路と手を切って私が新たに採りたいと考えている基本的立場にほかならない。

そこで、先に「眺望」と「眺望点」と呼んだものを拡張することにしよう。向こうに丘陵が見える。これも世界の眺望であるが、背中がかゆかったり頭が痛かったりする、こうした感覚の現われもまた、世界の眺望である。そして、背中のかゆみや頭痛は、何か身体にその原因があるものと考えられる。そこで、目や耳の位置だけでなく、さらにさまざまな身体状態も合わせて「眺望点」と呼ぶことにしよう。そして、目や耳の位置といった知覚の眺望点を身体状態に対して「視点位置」と呼ぶことにし、眺望点の内に「視点位置」と「身体状態」とを区別することにする。[補注1]そのとき、知覚と感覚よりなる世界の眺めは視点位置と身体状態を含んだ眺望点に応じて変化する。そして、そこにおいてわれわれは「あの眺望点に立てば、誰でもその眺望が得られる」という了解をもつ。これが、感覚にまで広げた世界のパースペクティブ的構造にほかならない。

それゆえ、「他人の痛み」を想像することは、なによりもまず、その人の身体状態に自分がなってみたところを想像することであるだろう。これはなるほど必ずしも簡単なことではないが、不可能なことでもない。少なくとも、「論理的に」不可能なことなどではない。例えば私の指にトゲが刺さった状態を想像したり、私の胃に潰瘍ができていることを想像してみる。それはたんに、ある人の身体がもっている物理的性質を私もまたもっていると想像することである。それゆえ、自分の経験したことのない身体状態はなるほど想像しにくいとしても、それが身体の物理的状態である以上、原理的には観察可能なものである。そして他人の身体状態が想像できたならば、それと身体状態と感覚の関係の了解とから、他人の感覚も想像できることになる。[29]

かくして、「痛ミヲ想像スルコトナク、他人ノ腹痛ヲ想像セヨ」、この公案もどきに対してきわめて平凡な、しかしこの公案もどきに対してはまったく破壊的な答えを与えることができる。――いや、他人の腹痛を想像することは、とりもなおさず痛みを想像することなのだ、と。

だが、それでは私が他人の腹に痛みを感じている想像と、他人がその人自身の腹に痛みを感じている想像とはどう区別されるのか。これに対しては、お好みならばこう答えてもよい。どちらの想像の場合も、私は他人の腹に想像された痛みの感覚を生じさせている。そのかぎりでは、違いはない。だが、見逃してはならない。それは眺望点を異にするのである。ふつう、私が感覚をもつときの眺望点は私のこの身体であり、他人が感覚をもつときの眺望点はその人のその身体である。それゆえ、日常的に他人の腹痛を想像するときには、私は眺望点をあの身体へと想像において移動させる。木に上ったところを想像するように、何か異常の生じたあの身体から、世界を眺めてみるのである。他方、私が他人の腹に痛みを感じる想像というのは、ふつうの想像ではない。それは、私の感覚の眺望点を拡大することの想像にほかならない。例えば、感覚器官を伴った一メートルの義手を右手に接続したとしよう。そのとき私は義手の指先にさまざまな触覚をもち、あるいは熱さや痛みを感じるだろう。これは私の身体が延長されたということであり、私は感覚の眺望点を広げたのである。他人の腹に私が痛みを感じるという想像もまた、他人の腹にまで私の身体が拡大されたことの想像にほかならない[30]。

ここでは、認識主体と認識対象というモデルを徹底的に払拭することが要求されている。そこには、木登りをする主体や腹に手を当てる主体、行為主体があるだけでしかない。そこから何かを見る主体や感じる主体は存在しない。認識主体と対象という対を、眺望点と眺望という対として捉えること。そうして感覚と知覚の世界の眺めの非人称的な構造に納得すること。そこに他我問題からの出口がある。そして、そこにしかないと私には思われる。

9　感覚と知覚

「その眺望点に立てば誰でもその眺めが得られる」という非人称的構造に関しては、感覚と知覚はまったく同じ構造をもっている。だが、感覚と身体には、知覚の場合には見られない独特の構造が見出されるだろう。それゆえにこそ、しばしば見ることよりも痛みを巡って他我問題が議論されるのである。ここにおいてわれわれは、他我問題が発生するぎりぎりのところまで接近し、そこで他我の謎に溺れることなく生還しなければならない。そのとき、われわれを苦しめていた謎の姿がより明瞭に現われてくるに違いない。

感覚と知覚の違い、そして私が重要と考える違いはこうである。

「見る」場合には「よく見る」という言い方ができるが「痛む」場合には「よく痛む」という言い方はできない。

われわれは、「もっとよく痛んでごらん」とか「もっとよくむずむずしてごらん」と言われても理解できないだろう。さらに「くすぐったい」の場合には、いったい「もっとよく……」のあとに何と言っていいのか、それさえ分からない。だが、これはつまり、どういうことなのか。

「よく見る」や「よく聞く」と言った表現は「観察」に関わる表現である。そこには観察される対象がある。その対象は超キュビスム的に与えられたものであり、さまざまな視点位置からの漠然とした見え方の了解を合わせもっている。そこで、そうした漠然とした了解をもっとはっきりしたものとするために、視点位置を変えてその対象を見てみる。近寄ってみたり、裏にまわってみたり、大きすぎないものならばひっくりかえしてみたりする。それが「もっとよく見る」ということである。逆に言えば、痛みの場合に「もっとよく痛む」ことができないのは、われわれが痛みに近寄ってみたり、痛みをひっくりかえしてみたりすることができないからにほかならない。痛みは側面や背面をもたない。感覚は超キュビスム的構造をもたないのである。

そのことはまず第一に、感覚がなんらかの観察される対象ではないということを意味している。われわれは茶碗をひっくりかえして見るようには、痛みをひっくりかえして痛むことはできない。

どこかに感覚があり、われわれはそれを感じとる、というのではない。知覚対象であれば、たとえ誰も知覚していなくとも、それは視点位置と見え方の関係として理解され、その視点位置をとることが可能でさえあれば、そこに対象があるとされる。赤いバラは暗闇に潜んでいようと赤いバラなのである。(補注2)だが、痛みは無感覚の闇に潜むことはできない。感じられなくなったならば、感覚はただ消え去るしかない。おせっかいな医者が私の感じていない痛みを発見し、「あなたは感じていないようだけど、首筋にひどい痛みがある」と言われても、私にはなんのことやら分からない。

感覚は観察される対象ではない。だが同時に、感覚は対象を認識することでもない。これが第二のポイントである。見ることは、つねに「何ごとかを見る」のであるが、痛むことはけっして「何ごとかを痛む」ものではない。われわれは、「犬が走っているのを見る」とか「走っている犬を見る」と言う。しかし、「痛む」にはそのような言い方はない。なるほど、「胃が痛い」のような言い方はある。だがそれは、「胃のあたりに痛みがある」ということであり、痛んでいる場所を示すもので、痛みの対象を示すものではない。「痛む」は自動詞的に用いられており、「胃を痛む」のように目的語をとることはできないのである。

逆に、「痛む」が目的語なしに「たんに痛む」のに対して、「見る」や「見える」にはそのような自動詞的用法はない。何ごとかが見えるのではないような「たんに見える」ということはありえない。

この二つのポイントを換言すれば、こうである。ある眺望点（身体状態）のもとでなんらかの感覚が現われたとき、その感覚はその現われですべてであり、それを捉える他の眺望点はない。それに対して知覚の場合には、例えばそこで見られた時計台はその見え方ですべてであるわけではなく、他の見え方をする他の眺望点をもつ。

そこでこの点を対比するために、知覚がもつこの超キュビスム的構造を「複眼的構造」と呼び、超キュビスム的構造をもたない感覚の場合を「単眼的構造」と呼ぶことにしたい。

ここでひとつ注意しておかねばならないだろう。現象としては、知覚と感覚の区別は曖昧であり、例えば味覚などは感覚と知覚が混ざりあっている。あるいはまた、例外的な場面では痛みが知覚としての側面をもつこともある。例えば、暗闇の手探りで、なんの因果かサボテンの形状を確かめなければならなくなった場合、それは触覚的知覚であると同時に、端的に痛みの感覚であるだろう。そして、味覚の場合であれば、口をゆすいでから味わいなおしたり、舌の上をころがしてみたり、ゆっくり噛んでみたりして、その食物をもっとよく味わおうとし、サボテンの場合であれば、いろいろな場所に手を当て、その痛みをとおしてその形を、いわば「もっとよく痛んでみよう」とする。つまり、これらの場合にもその眺望点をさまざまに変えることで対象を観察しようとするのである。それゆえ、単純に視覚は知覚、痛みは感覚、と分類するのではなく、むしろ、視覚にも知覚的側面と感覚的側面があり、痛みにもまた知覚的側面と感覚的側面がある、と言わねばならない。味覚などはごくふつうにその両側面をもっている[31]。

では、「知覚的側面」とは何で、「感覚的側面」とは何なのか。この問いに対しては、私は先の考察を逆向きにして、複眼的構造をもつのが知覚的側面であり、単眼的構造をもつのが感覚的側面なのだ、と答えたい。そのとき、これはむしろ私の与えた定義であることになる。私は、「知覚」を複眼的構造をもつものとして定義し、「感覚」を単眼的構造をもつものとして定義する。というのも、私が感覚で問題にしたいことは、まさにこの単眼的構造にあるからである。(補注3)

感覚が単眼的構造をもつことの重要な帰結は、感覚には誤りがない、ということである。知覚には「見まちがい」や「聞きまちがい」があるが、感覚には「痛みまちがい」や「かゆみまちがい」はない。複眼的に対象が立てられる場合には、ある視点位置からの眺めが他の視点位置からの眺めと不整合を起こすことも考えられ、その結果どれかの眺めが「まちがい」とされる可能性が生じる。例えば、遠くから見たときに蛇と見え、近づいて見たときに縄に見えた場合、われわれはふつう蛇に見えたのがまちがいだったと考えるが、こうしたことが可能なのも、「縄」という対象が複眼的、すなわち超キュビスム的構造をもつからにほかならない。それゆえ単眼的構造しかもたない感覚の場合には、まちがいということがありえなくなるのである。感覚はそこにおいてその全貌を現わし、われわれは正しいもまちがいもなく、ただそれを受け入れるしかない。

「痛みは痛んでいる当人にしか分からない」という日常的な気分は、部分的には、こうした事情に由来するものと考えられる。私が「痛い」と言ったら、それはまちがいなく痛いのであり、他人がどうこう言える筋合いのものではない。また、他人が「痛い」というのであれば、私としてはそれはそうなのだろうと認めるしかない。私は他人の感覚報告に異を唱えることができないのである。ここには確かに、感覚主体の「一人称権威（first person authority）」と呼ばれてきたものが見出される。

感覚におけるこの当人の権威性は、しばしば感覚の私秘性に由来するものと理解されてきた。「私の痛み」という私の内に秘められた対象があり、それに接近可能なのはただ私だけだ。そして、他人にもまた彼にとっての「私の痛み」があり、それに接近可能なのはやはり彼だけでしかない。だから、私は彼の感覚報告に口出しできないし、彼もまた私の感覚報告に口出しできないのだ、と。

だが、ここで私はもう一度繰り返しておかねばならない。感覚は対象ではない。超キュビスム的構造をもつ知覚だからこそ、見え方と概念的に区別された「対象」という概念が成立する。しかし、感覚はその現われがすべてであり、ここに「対象」という概念の入る余地はない。もし対象として成立しているならば、私が見ていないときにも対象が存在しているように、私が痛んでいないときにも対象としての痛みは存在していなければならない。しかしそれはナンセンスである。「痛みという対象を痛むのだ」というのは、つまり、ただ「痛い」ということでしかない。

感覚報告は誤りえないという権威性は、それゆえ、心の中に痛みという私秘的対象を隠しもっていることに由来すると考えられてはならない。それは、感覚が単眼的構造をもつからにほかならない。そしてそう考えるならば、ここには実は「一人称権威」など姿を現わしてはいないということが理解されるだろう。ある人が痛みを訴える。その報告は誤りえない。しかしこれは、眺望が構造的にもっている性質にほかならない。つまり、「眺望報告は、複眼的構造をもつ側面に関しては誤りうるが、単眼的構造をもつ側面に関しては誤りえない」ということであり、それは「一人称」のすなわち「私」の権威性ではなく、世界の眺め一般について言えることなのである。なるほど、私がその眺望点に立てば私がその不可謬性の特権を受け取ることになる。だが、その特権は「私」だからではない。そこから開ける眺めが単眼的だからである。単眼的眺望がもつ不可謬性の特権は、いわば万人に開かれている。それゆえ感覚の不可謬性という現象は、いささかもわれわれを他我問題へと引きずり込む力をもつものではない。

10　身体の人称性

他人の知覚や感覚はある程度は分かるが、完全には分かりきらない、これは日常的な実感である。私はここまで、この実感から「他人の知覚や感覚はまったく分からない」というグロテスクな懐疑に踏み迷ってしまう道を封鎖しようとしてきた。それは、私が正しいと思う道を示すことであり、いかにも踏み迷いそうな道に立て札を立てる作業だった。だがその結果、「他人の知覚や感覚はある程度は分かる」という実感に戻ることは可能になったが、もう一方の「他人の知覚や感覚は完全には分からない」という実感を積み残してしまっている。この実感を正しく捉えることができないかぎり、私はたんにひとつの谷を避けようとしてもう一方の谷に落ち込んだにすぎないことになるだろう。「他人の眺望はその人の眺望点のあり方が分かれば完全に分かる」、私はいまのところこの点を崩すつもりはない。しかしさらに進んで、「そして他人の眺望点のあり方はよく調べれば完全に分かる」と主張したならば、その結果、「他人の知覚や感覚は完全に分かる」ということになり、この疑いを知らぬ物言いは、これはこれでグロテスクな反‐懐疑と言わねばならないだろう。

他人が窓辺に立ち、外に目を向けている。私はその人がどこに立っているか、その目の位置がどこにあるかを正確に測定することができる。そしてまた、視線の方向でさえ、測定できるだろう。彼女は部屋のしかじかの位置に立ち、その目は床からしかじかの高さにあり、眼球は下向きにこれこれ、右方向にこれこれの角度を向いている。そこで私は彼女にどいてもらい、正確にその眺望点を再現する。私は彼女とまったく同じものを見ているのだろうか。私のこれまでの議論は、グロテスクな懐疑に対抗する勢いで「そうだ、まったく同じものを見ている」という性急な主張に傾いていた。彼は胃に痛みを覚えている。調べてみると胃潰瘍ができている。そこでもしそれとまったく同じ潰瘍を私の胃に生じさせることができたならば、私は彼とまったく同じ胃の痛みを感じるのか。これに対してはもう少し言い分もあるが、やはり勢いとしては「そのとおり」と答える方向に傾いていた。だが、これはやはりわれわれの実感を捉えそこねていると言わざるをえないだろう。この隙をついて他我問題の論者たちが私をもう一度彼らの谷へと引きずり込もうとするのは目に見えている。

単純に、かつ率直に考えていこう。他人の視線を正確に再現できたとして、私にも「まったく同じものが見える」だろうか。

イエスであり、ノーである。

犬が走っているのが見える。彼女にもそうだろう。イエス。だが、彼女は私よりもずいぶん目が悪い。それに彼女は多少赤と緑の区別がつきにくい。それゆえ「まったく同じものが見えている」とは言いがたい。

ここで、視覚における二つの側面を区別することが必要となる。私は先に、視覚には知覚的側面と感覚的側面があることを指摘した。そして、知覚的側面を複眼的側面として、感覚的側面を単眼的側面として規定した。その規定に従って考えるならば、「犬が走っているのが見える」ということは複眼的側面である。それはさまざまな視点からそれに応じた見え方をする。近眼であっても、彼女の視点位置からも私の視点位置からも「犬が走っている」のが見えるかぎり、私たちは同じものを見ている。ある程度赤と緑の区別がつきにくくとも、「信号が赤に変わった」ことは見える。だからこそ、無事に交差点を渡れるのである。だが、それがぼやけて見えたり、色の違いが多少判然としなかったりすることは、複眼的ではない。それはむしろ身体状態を眺望点とする眺めに属している。

そこで、知覚が捉えていることを「知覚内容」と呼ぼう。それ以外の単眼的側面は感覚であるが、それが内容をもたないことを強調する場合には、とくに「感覚質（qualia）」という用語を使うことにする。

知覚は「……であることを見る」という形式をもっており、この「……であること」がその知覚内容である。近眼の人は、犬が走っているのがぼんやりと見えるだろうが、しかし「犬がぼんやり走っている」のが見えるわけではない。「ぼんやりと」は「見える」にかかる副詞であり、見えることの対象ではない。しかし、視界がぼんやりとしているのも事実であり、視界がもっているこの側面は感覚質として捉えられる。彼女には赤信号が緑と区別のつきにくい色合いに見えているとき、「赤信号」は知覚内容に属し、「緑と区別のつきにくい色合い」は感覚質に属する。そしてあくまでも知覚内容に関してならば、「他人が何を知覚しているかは完全に分かる」ということは、それほどグロテスクではないだろう。問題は感覚質に絞られる。

知覚は視点位置を眺望点とする世界の眺めであり、感覚は身体状態を眺望点とする世界の眺めである。この単純な構図は動かない。そして、知覚は複眼的構造をもち、感覚は単眼的構造をもつ。この点も変わらず押さえておかねばならない。問題は、感覚の眺望点たる身体状態である。身体状態そのものは、たんなる物理的状態であるから、そこに人称的意味が入り込む余地はない。背が高いとか太っているといったことに何の一人称権威もないように、胃に潰瘍ができていることにも何の一人称権威もない。だが、目の前の机の物理的状態を調べるときと違って、私が私の身体状態について知るときには、そこに独特の知り方が姿を現わすのである。

ここで、感覚がまさにそうした認識論的機能を、しかし知覚とはかなり異なっていると言わざるをえない認識論的機能を果たすことになる。感覚そのものは、すでに述べたように何ごとかを認識対象としてもつわけではない。例えば、痛みの感覚の場合には「何ごとかを痛む」のではなく、ただ「痛い」のである。しかし、例えば胃のあたりに痛みを覚えるとき、それ自体は「たんに痛い」にすぎないとしても、それはその眺めの眺望点について何ごとかを示しているだろう。ちょうど、忠実な遠近法に従って描かれた絵画がその視点を描くことなく、しかしどの視点から描かれたかを示すように、感覚もまたその眺望点たる身体状態を示している。すなわち、胃のあたりに痛みを覚えることによって、痛んでいるその人は自分の身体状態に何か変化が生じていることを知るのである。

そこでもし、医者が私の胃やその周辺を丹念に調べ、何の異常も見出せなかったとしよう。それでも、医者には「あなたは本当は痛くないはずだ」のように言う権利はない。私は確かに胃のあたりに痛みがあるのであり、痛みがあるからにはどこか身体に変化が生じているはずなのである。繰り返し確認しておくが、感覚が身体状態となんらかの因果的関係にあることは感覚概念の文法に属することであり、さらにまた、感覚報告が誤りえないことも感覚の単眼性から帰結することである。それゆえ、身体状態になんらかの変化が生じているという私の身体把握が誤りえないということも、こうしたことからの直接の帰結にほかならない。医者がどれほど丹念に調べようと、私はそんな医者の観察にはおかまいなしに、「何か私の身体に変化が生じている」と主張することができる。これはまさに私のみが為せる「私の身体」に関する特権的把握なのである。医者は観察をとおして私の身体を調べる。つまり、さまざまな視点位置から私の身体を眺める。それに対して私のこの身体把握は、感覚に基づくものであり、そして感覚することは観察することではないから、私は私の身体状態を観察によらずに把握しているということになる。私は私の身体を「内側から」把握する、と言ってもよいだろう。そしてその言い方に対比して言うならば、観察に基づいて自分の身体状態を知る場合は、「外側から」の身体把握である。

それゆえ私の身体把握は二重化されている。例えば指にトゲが刺さったとき、私は「イテッ」と言って指先を見る。ここにおいてまず、指先を見る前に、すでに痛みとともに指先になんらかの変化が生じたことを私は観察によらずに、内側から把握している。そして指先にトゲが刺さっているのを見て、「痛いはずだ、ずいぶん深く刺さっている」のように言う。そのとき、私はそれを目で見て、観察することによって知ったのである。そして、観察による外側からの身体把握は私だけでなく他人からでもできることであるが（私は「ほら」と言ってトゲが刺さった指を彼女に見せる）、内側からの身体把握は私にしかできないのである。

しかも、内側からの身体把握は、「この感覚が生じている以上、身体状態に何か変化があるはずだ」という形式をもつ。これは存在命題である。そして一般に存在命題は、検証はできても反証は原理的に不可能である。つまり、何かがあるという主張に対して、実際にそれを見出してその主張を検証することはできても、探してみて見つからなかったからといって決定的な反証にはならない。たんにそれは探し方が足りないというだけかもしれない。「あるはず」なのだから、探してみなければならない。「もっと探してごらん」と言われればそれまでなのである。

　同様に、胃の痛みによって私が自分の身体に何か変化があることを知ったとき、この「何か身体に変化があるはずだ」という存在命題は検証は可能だが反証は不可能となる。他人は観察によってその原因を、例えば胃潰瘍を特定することはできる。しかし、観察して何も異常が見つからなかったからといって、「君のその痛みには何も原因はない」とか「君のその痛みはたんなる錯覚だ」とは言えないのである。それはただ「原因不明」とされる。そして原因不明とは原因がないということではなく、あるのだろうけれども、これまでの観察では見出せなかったということにすぎない。

　身体把握におけるこの自他の非対称性こそ、他人の感覚がある程度は分かるが完全には分かりきらないことの核心にほかならない。例えば、トゲが刺さっているような場合には、私もまたその人の痛みの原因を観察することができる。しかし頭痛のような場合には、私には彼女の痛みの眺望点がはっきりとは観察できないだろう。私は痛みに悩む彼女の身体状態をただ漠然と把握することしかできない。そして眺望点が漠然としか把握できない以上、そこからの世界の眺めもまた、漠然としか把握できないのである。

　しかし、繰り返すが、このことはいささかも「感覚の私秘性」を意味するものではない。それは、感覚が身体状態となんらかの因果関係にあるという基本了解と、感覚が単眼的構造をもつことに由来する認識論的帰結であり、感覚が私の心の内に秘められてあるといったこととは無縁である。しかも、これによって他人の痛みがまったく不可知になってしまうわけでもない。他人の身体状態を観察によって捉えることはできる。ただ、他人の身体状態の把握が漠然としたものにとどまることは現実にしばしば起こることであり、そのかぎりにおいて、私には他人の痛みはよく分からない。逆に言えば、他人の痛みがよく分からないのは、他人の身体状態がたまたま私にはよく分からないからにほかならない。それはけっして心の内奥の秘め事ではない。

11　知覚因果説の誤り

他我問題を巡ってきた考察の最後として、「知覚因果説」と呼ばれる考え方を検討しよう。しばしば「実在が原因となって知覚が生じる」のように言われる。しかし、必ずしも哲学的理説としてではなくとも、こうした知覚因果説的な捉え方はわれわれの中に常識的にしみ込んでいるだろう。例えば、目の前にリンゴがあるとする。そのリンゴは光を反射し、それが私の眼に入り、視神経を刺激する。そうして神経興奮が脳に伝わり、しかるべき脳状態を引き起し、その結果、リンゴの知覚が生じるのだ、と。だが、この説明にはいくつか奇妙な点がある。

第一に、知覚の「原因」とされるものに問題がある。

私がリンゴを見ているとき、知覚因果説は、この知覚を引き起こしている原因は実在のリンゴであると主張する。だが、その「実在のリンゴ」なるものを私は捉えることができない。目の前のリンゴをよくよく調べてみても、そこで私に得られるものはすべてリンゴの知覚でしかない。つまり、私は想定されているこの因果関係において、結果しか受け取っていないのである。原因となる実在と結果である知覚を峻別することにおいて、知覚因果説は実在の世界と知覚の世界の二元論をとる。しかも、私が生きているのはその一方の知覚の世界だけでしかない。リンゴを見て、手にとり、かじる。そこに現われるのは視覚的、聴覚的、触覚的、嗅覚的、味覚的に知覚されたリンゴである。見回しても、指先をはわせても、すべては知覚でしかない。あたりまえだが、知覚の原因は知覚できないのである。

一般に、因果関係を認識するとき、それは原因と結果の相関関係の観察に基づいている。そのためには、原因とされることがらと結果とされることがらをそれぞれ観察しなければならない。例えば、喫煙と肺がんの因果関係を知るには、喫煙者と肺がん患者をそれぞれ調べ、その相関を確認するわけである。しかし、知覚因果の場合にはこのような可能性は完全に断ち切られている。私は知覚の原因に出会ったことなどないし、その可能性もない。このような場合、そこに因果関係を言い立てることには原理的な困難がある。

知覚因果において、知覚はあたかもテレビのモニター画面のようにして考えられている。あちらに撮影現場があり、こちらにそれを映した映像がある、と。しかし、テレビのモニター画面の場合には、撮影現場とモニター画面をそれぞれ独立に知ることができる。他方、知覚因果の場合には、いわばモニター画面を見ることしかできないのである。それゆえ、その点において知覚因果説は不当な比喩を用いていると言わざるをえない。

知覚がテレビのようなものだとして、その撮影現場はいったいどこなのだろうか。「どこ」と言われても、われわれが指差せるのは再び知覚であり、それゆえいわばモニター画面上を指差すようなことしかできない。そしてまた、その撮影現場の様子が、画面上に映し出された様子と同じなのかどうか、少しでも類似しているのかどうか、そうしたことを問題にしようにも、知覚しか与えられていないわれわれには知覚と実在を見比べることができない以上、似ているともいないとも言えはしないのである。知覚を引き起こした原因たる実在は、知覚とは似ても似つかぬ姿をしているかもしれない。いや、そもそも非知覚的な実在の「姿」ということの意味がまったく不明なものとなるだろう。

第二に、結果として考えられている「知覚」をどう捉えるかという問題がある。

光が届き、視神経を伝わり、脳を興奮させる。その結果としてリンゴが見え、さらにそれが原因で脳の興奮状態が変化し、そうしてリンゴに手がのびるといった運動が引き起こされる。だが、もしこのようなことが実情であるならば、知覚は不要ではないだろうか。これをよくできたロボットにやらせるならば、知覚のところはショートカットするだろう。情報として受け取った脳興奮を、他の脳興奮に変化させ、運動を引き起こす。それで十分であり、「知覚像」のようなものはそこではまったく必要とされない。必要なのはただ、神経興奮の伝達だけでしかない。神経興奮が伝わり変化していく過程に、モニター画面が「見る人もなく」むなしく映っていることになりかねないのである。

ここには、知覚という意識現象に関わる、他我問題とは別の袋小路がある。

そして私の考えでは、そもそも知覚を「意識現象」ないし「心的体験」と捉えることがまちがっているのである。

もし知覚という心的体験があるのだとすれば、「犬が走っているのが見える」という報告において、何か主体の意識状態のようなものが報告されていることになるだろう。しかし、「犬が走っている」という知覚内容はけっして意識状態を表現したものではない。それはあくまでもわれわれの世界のあり方にほかならない。「犬が走っているのが見える」と報告するとき、私は、その眺望点から世界の眺めを報告しているのであり、私の体験を報告しているのではない。

自問してみていただきたい。いったい、「犬が走っているのが見える」という体験など、あるだろうか。くすぐったさや痛みであれば、確かに、われわれが日常的に出会う体験である。しかし、「犬が走っているのが見える」といった知覚を、私は本当に体験しているのだろうか。

知覚を体験と誤って考えさせてしまういくつかの要因がある。それをひとつずつ取り出していってみよう。

(1)感覚の混入

何かを知覚しているとき、そこにはしばしばさまざまな感覚が伴っている。例えば指先に痺れや痛みがあるとしよう。痺れや痛みが強いものになるほど、指先の触覚はにぶる。壁をさわり、「壁がざらついているのを感じる」という知覚を報告するとき、同時にそこに痺れや痛みといった感覚が混じり、そしてそれが知覚を妨害する。同様に、視力のせいや疲れ目のせいでかすんで見えるといった場合や、めまいや酔いのせいで視野が不安定になる場合がある。こうした場合には、視野がかすんだりふらついたりするといった感覚が知覚を妨害しているのである。私が他人の視点に立って眺めてみたときに、必ずしもその人と同じ視野の状態にならないのは、知覚にこうした感覚が混じるからにほかならない。

だが、感覚はそれぞれの身体状態の差異として捉えられる。彼女は私よりも視力が弱いし、私は彼女よりも疲れている。それゆえ、そうした視野の異なりはけっして何か「知覚の背後にある実在」のようなものに引き起こされたものではなく、あくまでも二元論が言うところの「知覚世界」に属する身体によって引き起こされたものなのである。

われわれはときに視力検査を受けるが、視力検査とは知覚体験と称される私の意識状態を測定するものではなく、知覚を妨害する感覚のあり方を調べるものにほかならない。「右」と報告するとき、「右側が切れている円」という知覚内容はけっして私の意識内容ではない。私はそこであくまでも提示された図形の姿を報告している。ただ、そう報告することにおいて、その知覚を妨害する視野のぼやけや歪みといった感覚の有無を調べ、それによって眼球等の身体状態を調べているのである。

私はここで、感覚に関してはそれを因果的に捉えることを否定してはいない。むしろ、感覚は本質的に身体状態と因果関係にあると考えている。

知覚因果を問題視する議論の中には心身因果（心と物の間の因果関係）一般を問題視するものがあるが、感覚に関してであれば、心身因果を考えることに何か問題があるとは私には思えないのである。もちろん、因果を物理現象に限定するような狭い因果概念をとるならば、身体状態と痛みの間に因果関係を考えることには不都合があるだろう。しかし、日常的な因果概念をとるならば、胃に潰瘍ができていることが原因で痛みが生じるという言い方をしていけない理由はないと思われる。少なくともここには、知覚因果説の場合のような、原因が姿を消し、ただ結果が与えられるだけでしかないといった困難はない。われわれは胃に潰瘍ができていることと、痛みが生じるという二つのことを知り、その相関を確認することができるのである。

それゆえひとつには、知覚因果という考えは、知覚にしばしば伴う感覚に関する因果関係を誤解したものと捉えることができる。

(2) まぶたの開閉

まぶたを閉じれば見えなくなる。このこともわれわれを知覚因果という考えに誘う。私は自分の意のままにまぶたを開閉し、見えたり見えなかったりさせることができる。それゆえ、見えたり見えなかったりするのは、私の意のままになる体験である、と。

だが、これは世界の眺望がもっているパースペクティブ的構造の特殊なケースにほかならない。カーテンを閉めれば窓の外の景色は見えなくなる。一般に対象の前に別のものを置けば、その対象は隠されてしまう。このことから、例えば「前に背の高い人がいたのでよく見えなかった」のように言うのであれば、そこには何の問題もない。また、これは知覚因果が言うようなわれわれの知覚の背後の実在の想定などとも無縁である。まぶたを閉じるということも、これと同じことと考えることができるだろう。対象の前にまぶたを置いてしまうのであり、それゆえに見えなくなるのである。

机の上にコーヒーカップが置いてあり、それと私の眼の間に遮蔽物がないこと、そのことは確かに私のいる位置からコーヒーカップが見えるための条件となる。しかし、それはけっして知覚という心的体験を引き起こすための現象の背後の実在のあり方ではなく、眺望点と眺望のあり方に関するパースペクティブの確認にほかならない。

(3)「見る」動作

たんに受動的に「見える」だけではなく、私は能動的に何ごとかを「見る」。そう言いたくなる。このことも、知覚を体験のようなものと考えさせる要因のひとつだろう。

だが、「見る」というのはいささかも心的体験ではない。そこには私が身体を移動させ、ある位置に立ち、そちらに首を向け、まぶたを開けるという身体動作があるだけでしかない。「リンゴを見ている」とは、「リンゴの方に目を向けており、リンゴが見えている」ということなのである。「リンゴの方に目を向ける」というのは、確かに私の為していることであるが、「リンゴが見える」というのは私の為しているような何ごとかではない。それゆえ「見る」という心的体験なども、ありはしないのである[32]。

こうした、感覚やパースペクティブ的構造や身体動作が、われわれに「知覚因果」という想定を誘う大きな要因ではないだろうか。それゆえ、そうした要因を除去し、純粋に「犬が走っている」という知覚内容と眺望点の関係として知覚を捉えるならば、なおも知覚を「実在に引き起こされた心的体験」として捉えようとする誘惑はかなり減じられると思われる。

私は窓の外に目をやる。低い丘の連なりが見える。道を歩く人が見える。これはいささかも心的体験などではない。これはけっして私の意識のスクリーンに映じた映像ではなく、パースペクティブ的構造をもった世界そのものにほかならない。そして因果はこの世界のひとつのあり方としてのみ、捉えられる。それゆえ、いま私が捉えているこの世界のありさまそのものを何ものかに因果的に引き起こされたものと考える知覚因果説は、根本的に誤っているのである。

II　規範の他者

12 「意味」という幻想

他我問題に関するこれまでの考察は、「心の在りか」という点ではけっきょくのところ私を振り出しに戻すことになった。知覚はそもそも心的体験ではなく、感覚における自他の非対称性は身体に関するものにほかならない。とすれば、「心」とは何か。われわれはもう一度この問いの前に立たされている。

ここでいったん議論の目を別のところに向けてみることにしたい。哲学の議論は一直線に為される論証ではありえない。それはむしろ散策のようなものとなる。思いがけないところで展望が開け、思いがけないところで道が出会うこともあるだろう。そのことを期待して、しばらくは他の道を辿ってみよう。聞こえてくる呼び声は、「意味」である。

「意味」とは何か。

言葉は「意味」をもつ。だが、それは何をもつと言われているのか。ここでもまた私は、私を誘う謎の姿を明確にするよう試みていかねばならない。

「「意味」とは何か」とは何か。何を問われているのか。

例えば、「ニゲロ！」と声が出されたとしよう。敵が来たのを見つけた者は「ニゲロ！」と声を発する。すると他の者たちは逃げ出す。この現象と、「ワッ」と大声を出して驚かすこととを対比しよう。「ニゲロ」は言語であろうが、「ワッ」は言語ではない。では、どこが違うのか。

これに対してこう言いたくなる。「ワッ」の場合には声の大きさという物理的性質に反応しているのだが、他方、「ニゲロ」の場合にはその意味に反応している。実際、紙に「ワッ」と書いて見せても驚きはしないが、紙に「ニゲロ」と書いてみせればしかるべき場面では逃げ出すのである。それはつまり、「ニゲロ」がたんに声に反応しているのではなく、紙に書いても表現できるような「意味」に反応していることを示しているのではないだろうか。

だが、――

「意味に反応する」とはどういうことなのだろう。いったい、そこでわれわれは何に反応しているのか。

こうして、意味なる何ものかを心の中に求め、観念のごときものを立てようとしたり、あるいは心でも物でもないイデア的な何ものかを立てようとしたりするかもしれない。——「意味」という幻想が始まる。

言葉が無限の多様性をもっていることも、こうした幻想を育てるだろう。無限の表現力をもっている言葉の場合（われわれの知っている言語はたいていそうであるが）、その言語学習はたんなる丸暗記ではありえない。子どもは、大人たちの使っている限られた言葉を耳にして、大人たちも使っていなかったような新しい、しかも正しい言葉を使えるようになる。それゆえ、おそらく子どもたちは大人たちの限られた言葉遣いの中から、何かをつかみとるに違いない。そしてそれは、言葉の「意味」とそれを分解したり組み合わせたりする言語規則のようなものに違いない。

われわれがなめらかに会話を交わしているとき、その言葉の意味は安定している。さらにまた、大人が子どもに言葉を教える場面でも、子どもは大人の言うように言葉を覚えるしかなく、そこにおいて大人たちの使う言葉の意味は揺らぐことがない。まさにこうしたことが、「意味」という幻想を生み出していくのである。

しかしそれは、ありもしない幻影にすぎない。——そう断罪したのはウィトゲンシュタインであった。

ウィトゲンシュタインの規則のパラドクスを巡る議論は、この「意味」という幻想を徹底的に破壊しようとしたものにほかならない。

きわめて単純な事例で見てみよう。

大人が子どもに向かって「2から始めて順に2を足す」ということの意味を教えようとしている。大人はもちろん具体例を示すだろう。まず具体的にやってみて、そして子どもにもやらせてみる。うまくできればほめ、しくじれば注意する。大人はそこで、「まず2、次にそれに2を足すから4、また2を足して6、6に2を足すと次は8、分かった?」のように言う。子どもはこうした具体例を通じて「2を足す」ということの「意味」を把握する。その「意味」が正しく把握できたならば、子どもは大人が与えた具体例を越えて、いつまでも正しく数列を展開していくことができるだろう。

だが、ここでこう問わずにはおれない。大人の満足いくような応答を身につけた子どもは、いったいそこで「何を」つかみとったのか。

子どもはもちろん、「2、4、6、8、……」という無限の事例をそのまま丸暗記したのではありえない。われわれのメモリーは限られている。ならば、そうした無限の事例を正しく紡ぎだしてくれるような源泉をつかみとったに違いない。しかし、無限の事例がそこから紡ぎだされてくる泉とは、何なのだろうか。

別の子どもを、ただし、われわれの目から見れば異様と言えるほどに奇妙な子どもを考えてみよう。われわれが自明視していることを、その子はまだひとつずつ学んでいかなければならない。けっしてアタマが悪いというのではない。飲み込みはひと一倍よいのだが、何というか、反応の仕方がわれわれとまったく違うのである。そんな子どもに、先の「2から始めて順に2を足す」ということの意味を教えてみよう。

その子はまず教えられたとおり、「2、4、6、8、……」と続けていく。ところが、100まで順調に進んでいたのだが、そこから急に「104, 108, 112, 116, ……」と4おきに続け始める。われわれはその子どもを制止して言うだろう。

「何をやってるんだ。2を足さなくちゃだめじゃないか」

するとその子は、こう聞き返してくるのである。

「「2を足す」ってこういうことじゃないの？」

私は少し当惑して、この子は100を過ぎたら違うふうにやるとでも思い違いをしたのだろうと考える。そういえば、100を過ぎたらどうするかということは何も言っていなかった。私は反省してこう答える。

「100を過ぎても、100までと同じようにやるんだ」

すると子どもは尋ね返す。

「「同じようにやる」って、どうやること？」

私は、「だから、100を過ぎても順に2を足していくんだ」と答えそうになり、（そうか「順に2

を足す」ということの意味を教えようとしているんだっけ）と思いなおす。しょうがない――「だから、100に2を足せば102になって、102に2を足せば104になる。そうして、106, 108, 110, ……と続けていくのさ」

その子はうなずき、しばらく私の言ったとおりに続けていく。しかし、200を過ぎたところから、またもや、「204, 208, 212, ……」と4おきに続け始めてしまうのである。

ウィトゲンシュタインによって提示されたこうしたエピソード[33]は、いったい何を言わんとしているのだろう。

逆のエピソードを考えてみよう。いま紹介した（われわれの目からすれば異様な）反応をする者たちが圧倒的多数を占めており、私はその中にまぎれこんだ子どもであるとする。大人たちはそんな私に「2から始めて順に2を足す」ということを教えようとする。私は当然のように、「102, 104, 106, 108, ……」と続ける。だが、その大人たちはそんな私を見て驚き、「おいおい、100を過ぎても同じようにやるんだよ」と言うのである。そして彼らは一様に「104, 108, 112, 116, ……」と続けていく。私は為すすべもなく、彼らの集団の中から「落ちこぼれ」ていくだろう。

私はいま部屋の中でひとり原稿を書いているが、もしかしたら、一歩外へ出れば、いままさにそういう状況ではないと、何が保証してくれるのだろうか。

「意味」の脆さに気づかねばならない。具体例をとおして意味を把握し、その意味に正しく従うことによって無限の適用を為す、この描像は誤っているのである。具体例は、そこから無限の適用が自動的に導き出されるような「意味」なる何ものかを定めてはくれない。あえて「意味」と言うならば、それは無限の適用それ自身でしかないだろう。

とすれば、何ごとか規則を定めたとしても、そこから自動的に無限の適用が導き出されてくるということはない。その規則が何を「意味」するのかは、そのもとに展開される適用こそが決めるのである。

例えば、「よいことを為せ」と取り決めたとする。しかし、何が「よいこと」なのかはまだ定まってはいない。その後われわれが何をこの規則に従ったものとみなすかによって、「よいこと」の意味が定まってくる。末期がん患者に塩化カリウムを注射して安楽死させることがはたして「よいこと」なのかどうか。それはただ「よいことを為せ」と言っただけではまだまったく決まってはいない。そのことはまた、道端のゴミを拾うことや困っている人を助けるといったことに対しても当てはまる。たんに「よいことを為せ」と言っただけでは、そうしたことが「よいこと」なのかどうかは決まりはしない。まったく同様に、「2から始めて順に2を足せ」の場合でも、そう言っただけでは、まだ何も決まってはいないのである。

このことを最大限に厳格に、そして深刻に受けとめるならば、こう結論せざるをえなくなるだろう。すなわち、いくら規則を定めても、それには適用の次の一歩を定める力はない。

われわれのパラドクスはこうであった。規則は行為の仕方を決定できない。なぜなら、いかなる行為の仕方もその規則と一致させることができるからである。[34]

これが、ウィトゲンシュタインによって提起された「規則のパラドクス」にほかならない。

ここでさらにグロテスクな想像をしてみよう。「2を足せ」という規則に対して、みんながまったくバラバラな反応をしてしまうのである。ある人は100の次に104と言い、またある人は100の次は98だと言う。私は私で100の次は200だと思う。私は私が正しいと思うが、他の人たちもまた、自分こそが正しいと言い張るだろう。しかし、このようなアナーキーな状態になったならば、もはや誰が正しいということもなくなる。「規則」や「意味」の規範的な力は、そこでは端的に崩壊してしまうのである。

そのような世界では、「2を足す」ということは趣味の問題とされるかもしれない。例えば「この上着に似合うネクタイをしろ」と言われたとき、人によってかなりまちまちの反応をする。それゆえそれは趣味の問題とされる。それは誰が正しいといった問題ではない。同様に、「100に2を足せ」と言われたとき、もし人々がバラバラな反応をしたならば、それは趣味の問題とされ、「へえ、98だって？　悪い趣味だね」のように言われるのである。逆に、かなり趣味が特定化されたサークルの中では、はずれた反応はたんに「悪い趣味」では済まなくなるかもしれない。ある場合にはそれは「まちがっている」ものとされ、矯正されねばならない。そこではわれわれが趣味の問題とみなすことが規範化しているということもありうるだろう。

何が趣味でしかありえず、何が規範でありうるのか、それはことがらそのものの性質によるものではない。「100 に 2を足す」が規則として働くことが可能であるのは、われわれがそれに対しておおむね一致した反応をするからにほかならない。そして、われわれがそのようにおおむね一致した反応をすることには根拠はない。たまたま一致した反応をするものは規則となりえ、多様な反応を引き起こすものは趣味の問題とされる、それだけのことにすぎない。もちろん、たまたま一致した反応をするもののすべてがただそれだけのことから自動的に規則になるわけではない。たんに規則的であることと規則に従うこととは異なっている。だが、それが規則になりうるためには、少なくともこうした一致がなければならない。そして、そのような一致がわれわれの間に見られるかどうかは、まったく偶然のことなのである。

ここでウィトゲンシュタインは、こうした反応の一致を促す要因として、「訓練」ということを強調する。それは理性的な判断ではなく、もっと動物的・本能的なレベルだと言うのである。

例えば、「2を足せ」という規則を教える前に、もっと基礎的な、数を数えるといったことについて大人は子どもを訓練するだろう。あたかも呪文のようにして、「1、2、3、4、……」と口ずさむことを身につけさせられる。そして、100 の次に 101 と続けずに 102 と続けてしまったならば、叱られ、直される。こうした道程で、もしどうやっても大人の満足する形で反応ができない子どもがいたならば、それは単純に切り捨てられてしまうだろう。そして、われわれの文化は、そのように切り捨てられる子どもがあくまでも少数にとどまるような人間の動物的秩序の上に組み立てられている。かくして子どもは、もって生まれた本性と大人たちの訓練の結果として、「数を数える」ということに対して大人たちの満足するような反応傾向をごく自然なものとして身につけていき、そして均質な反応を為す集団が再生産されていくのである。

そしてさらに、こうした基礎訓練に基づいて「2を足せ」といった規則に対しても一様な反応が期待できるようになる。繰り返すが、それは理性に基づいた根拠ある一致ではなく、生まれつきのものに社会的な訓練が合わさってできた本能的一致にほかならない。

ウィトゲンシュタインの考察から引き出されてくるこの洞察はそれ自身驚くべきものである。「2を足す」といった規則に従うこと、あるいはさまざまな言語規則に従うこと、この最も人間的な活動が、どうしようもなく動物的なものに根ざしていると言うのである。

だが、これはまだことがらの半分にすぎない。

ウィトゲンシュタインの言いたいことはけっして、われわれはけっきょくのところ本能的・動物的にふるまっているだけなのだ、というようなことではなかった。

「2を足せ」と言われて100のあとに104と続けてしまう者が、「悪趣味」と言われるのではなく「まちがっている」と言われ訂正されるように、われわれの言語使用の中には、趣味の問題では済まない多くの規範的側面がある。猫を「犬」と呼べば誤りであり、尊重すべき文法があり、守らねばならない論理がある。もしいっさいを「動物的」と十把一からげにくってしまうとしたら、こうした趣味と規範の差異は無視されることになるだろう。われわれの言語が動物的な本能に支えられているのはそのとおりである。だが、だからといってわれわれの言語が規範的な側面をもたないということになるわけでもない。

「ワッ」と大声を出して相手を驚かせることと「ニゲロ」と言って警告することとの違いはなによりもまずそこにある。われわれはけっして「意味」なる何ものかに反応しているのではない。「ニゲロ」と言われて逃げ出すとき、それはあくまでも「ニゲロ」という音に反応しているのであり、その点では大声を出して驚かせる場合と違いはない。紙に「ニゲロ」と書いて警告する場合でも、それは「ニゲロ」という文字模様に反応しているのであり、それが表現している何ものかに反応しているのではない。だが、曖昧な言い方をするならば、「ニゲロ」という音や文字模様が位置づけられる秩序が、「ワッ」の場合とは決定的に異なっていると思うのである。

私は、ここで自然的秩序（ピュシス）と規範的秩序（ノモス）とを区別したい。大声を出して驚かせることは自然的秩序に属している。それに対して、「ニゲロ」と言って警告することは規範的秩序に属している。しかし、同時に、規則のパラドクスはすべてを自然的秩序のもとへと解体してしまうかのようにも見えるのである。われわれは、意味や規則をありもしない実体的な何ものかとして立てる誘惑と戦いながら、そして規則のパラドクスの教訓を引き受けながら、なおわれわれが生きているノモスのあり方を見定めていかねばならない。

13　クリプキの誤謬

規則のパラドクスがウィトゲンシュタイン研究者以外にも注目され、議論されるようになったのは、ひとえに、一九八二年のソール・クリプキの著書『ウィトゲンシュタインのパラドックス』[35]あるいはその前年に公刊された彼の論文やそれに先立つ講義の影響力によっている。クリプキはそれらの議論において、規則のパラドクスを透徹した懐疑論として定式化し、それに対して「懐疑的解決」と彼が呼ぶ解答を与えた。ウィトゲンシュタイン解釈という点で言えば、クリプキの仕事は、規則のパラドクスを巡る議論を後期ウィトゲンシュタインの主著である『哲学探究』の中心として定位し、続く私的言語批判をそこから派生する議論として捉える、というものであった。これがウィトゲンシュタイン解釈として妥当であるかどうかに関しても強力な否定的議論があるが、ここではウィトゲンシュタイン解釈という観点からよりも、哲学の議論としてクリプキの議論を検討してみよう。

クリプキは規則のパラドクスを「クワス」という独自の事例を用いて提示している。論点は先の数列の場合と同じであるが、ここではクリプキによるこの事例を用いながら議論を見ていくことにしたい。

私が子どもとして足し算を学んでいるとする。一定の計算練習を経て、初めての問題として68+57という問題が出された。これに対する大人たちの答えは125だろう。だが、ここでこう問いが発せられる、「どうして私は68+57に125と答えねばならないのか」。

——だって君はそのように足し算を習ったじゃないか。——いや、しかし、私にとってこの問題は初めてなのである。これまで教わってきた計算練習のどこに、68+57=125であらねばならないということが規定されていたのか。

ここでクリプキはわれわれの虚をつくようにして「クワス」なる演算の可能性を言い立てる。57より小さい数では足し算と同じ答えを出しつつ、それ以上の数では異なった結果を与えるような演算はさまざまに考えられる。そのようなもののひとつとして、次のような「足し算もどき」を考えよう。

$x+y$ の x と y がともに57より小さいときには足し算と同じ結果を出し、いずれか一方でも57以上であるときには答えは5となる。

これが、クリプキの「クワス」算である。そのとき私が学びとるべきは、もしかしたらクワスの方であったかもしれない。もしそうだとすれば、いま私はむしろ「5」と答えるべきなのである。このクワスの可能性がありながら、それでも「125」という答えを与えねばならないとするならば、この「ねばならない」という規範的力は何に由来するのだろうか。

しかし、57より小さい数で練習問題を行なっていたとき、私は確かにプラスを意味したのであり、クワスを意味したのではなかった。そう言いたい。そう言いたいのだが、いったい「プラスを意味していた」というのはどういうことなのだろうか。それは私が学びとったことであるから、何か私の心理状態あるいは脳状態といったことに関する事実を表わしているのだろう。だが、例えば12＋26＝38という計算練習をしているとき、私は57以上の数のことなど考えてもいなかったのであり、それをクワスと分かつような事実など、私の行動や意識、あるいは脳のどこを探しても見つかりはしないように思われる。クリプキはそうして、いくつもの試みを否定的に検討した後、こう結論する。「私がプラスを意味していることとクワスを意味していることを区別するような、私に関する事実など、ありはしない。[36]」

このパラドクスに対して、クリプキの解答はまずこのパラドキシカルな事態を容認することから始まる。——そのとおり、プラスとクワスを区別するいかなる事実も過去の私の内には存在しない。クリプキは懐疑論者とともにそう結論する。いわば、規則に従うことにおいてわれわれは「正当化をもたぬ暗闇の中のジャンプ[37]」を為すのである。

他方、それにもかかわらずわれわれは現実におおむね一致して125という答えを与える。クリプキは解答の第二の部分としてこの「共同体における一致」に照明を当てる。つまり、68+57という新たな問題における共同体の一致のみが、プラスとクワスを分かちうる、そう主張するのである。そして、規則に従うことが共同体におけることがらであるとされたならば、私的言語批判はそこから自動的に派生してくることになるだろう。

だが、いったい共同体における一致という事実は、クリプキの言うように規範性を取り込むことができているのだろうか。なるほど、一見すると「共同体のほとんどが一致して行なうことに反してしまった個人の行動は誤っている」と言えるようにも思われる。しかし、共同体における一致は規則とその規範的力にとって必要な前提条件ではあるが、けっして十分な条件ではない。例えば、共同体のメンバーのほとんどがブタクサを嗅ぐとくしゃみをするとしよう。そのとき、たとえ一人だけくしゃみをしなかったとしても、その人は別に「誤って」いるわけではない。それはたんに「変わっている」というにすぎない。つまり、「一致」に対してなお、それからの逸脱が「誤謬」とされるような一致と、たんに「変」とされるような一致が区別されねばならないのである。簡単に言ってしまえば、「一致すべき一致」と「たんなる事実としての一致」とが区別される。そして、みんなが一致してくしゃみをしたり、みんなが一致して驚きのあまり飛び上がったりすることは、たんなる事実としての一致であり、一致すべき一致ではないのである。では、この両者を区別するものは何だろうか。明らかに、それはもはや共同体における一致ではありえない。ブタクサの場合の一致も、足し算の場合の一致も、ともにそれぞれの観点において「共同体における一致」を見ている。

もう一度パラドクスを見なおしてみよう。そして、本当にプラスとクワスを分かつ事実、私に関するそのような事実は存在しないのか、問うてみよう。とはいえそれは、何か未知の事実を発掘しようということではない。むしろクリプキの「事実」概念を洗いなおしたいのである。

クリプキはある箇所でこう述べている。「全知の神が知りうることをもってしてもなお、私がプラスを意味していたのかクワスを意味していたのかは決定しえないだろう[38]」。ここにはクリプキの立つ地点が象徴的に示されているように思われる。神ですら知りえない。いわんや人間においてをや。——だが、神だからこそ知りえないこともありうるのではないだろうか。確かに、「神の目」で見られたときパラドクスは理想的に劇的なものとなり、全知の神はプラスとクワスを前にしてあたかもビュリダンのロバのように身動きならなくなるだろう。だが、それも彼が不幸にして全知であり、しかもそのすべてを平等に配慮してしまうからにほかならない。他方われわれは全知でもなく平等でもなく、生物的ないし社会的偏向に満ち満ちている。それゆえ、われわれはけっしてプラスとクワスから等距離に立っていはしないのである。「事実」とは、こうした限定され歪曲された場でこそ姿を現わすものなのではないか。それゆえ、神の目で見られたとき、「事実」はむしろ解体してしまうのではないだろうか。

ここで、「実践描写」と「行動描写」という二つの描写を区別しよう。実践描写とは、ある規則に関与することなしには成立しえない描写である。例えば「ヒットを打つ」のような描写は、野球の規則を背景として初めて成立する。他方、行動描写とは、そのような規則への関与なしに成立しうる描写であり、例えば、「しかじかの形状の棒で球を打つ」のような描写が挙げられる。そのとき、「プラスを行なう」や「クワスを行なう」は実践描写であり、「かくかくの記号模様を書く」は（とくに何か脈絡が指定されないかぎり）行動描写となる。

そこでまず第一に注意しておくべきことは、ひとつの行動描写に対して無数の実践描写が対応しうるという点である。「しかじかの形状の棒でかくかくのように球を打った」のようにして為された行動描写は、現行の野球規則では「ヒットを打った」という実践描写に対応するかもしれないが、別の規則のもとでは「ファウルを打った」と描写されるかもしれない。背景となる規則が異なれば、それはまたまったく別の実践として描写されうるのである。

それゆえ、「行動の一致」があるからといって、それが「実践の一致」を意味するわけではない。また逆に、実践の一致はけっして行動上の一致を意味してはいない。例えば「2プラス3に対して

5と答える」という実践において多くの人が一致していたとしても、その行動は声に出して「5」と言ったり、紙や黒板に書いたり、片手をひらいたり等、さまざまでありうる。

したがって、クリプキのようにたんに「一致」とだけ言うわけにはいかないのである。それは行動の一致なのか、実践の一致なのか、そして実践の一致であるならば、いかなる実践における一致なのか、その点を明確にしなければ、「一致」ということも無内容でしかない。

私には、クリプキが「共同体における一致」と言っていることは行動の一致であるように思われる。だが、もしそれが行動の一致にすぎないのであれば、それは規則のもとに「一致すべき一致」であるという性格をもちえない。すでに論じたように、「ブタクサを嗅ぐと誰もがくしゃみをする」、これもまた行動の一致を見ている。しかしそのことはいささかも規範性の在りかを明らかにしてはいないのである。

だが他方、もし「共同体における一致」が実践の一致であるというのであれば、実践描写のレベルにおいて、「プラスとクワスを区別する私に関する事実は存在しない」などとは言えないことになる。「プラス」と「クワス」とは実践描写として確かに異なる二つの「事実」を描写しているからである。

つまり、もし行動描写をとるならば「共同体の一致」は解決ではありえなくなり、実践描写をとるならばパラドクスがそもそも定式化できなくなるのである。これはクリプキにとってはディレンマであろうが、われわれにとってはいささかも困ったことではない。ただたんに実践描写の地平に立てばよい。そして、たとえ57より小さい数においてであれ、プラスとクワスは実践として異なることを認めればよいのである。

しかし、なおもこう言いたくなるかもしれない。――それでも、57より小さい数の計算練習ではプラスもクワスも同じことをやっていたじゃないか。

いや、そこで「同じこと」と言われているのは行動描写のレベルにほかならない。そしてその行動と整合するような規則を理論的に捉えようとしたならば、そこにはプラスとクワスだけでなく、無数の可能性が開けてしまうだろう。しかしわれわれはけっして行動の観察から理論を組み立てるようなことをやっているわけではない。なによりもまずその実践を生きているのである。われわれの生活はここにおいて規則中立的な行動を出発点とするのではなく、実践を出発点とする。われわれはそこに示されてくる規範とともにその実践的事実を受け入れるのであり、それしかやりようもないのである。

規則のパラドクスは、ウィトゲンシュタインが『論理哲学論考』において展開した「論理は語られえず示されるのみ[39]」という精神のもとにある。規範もまた、語られえず示されるのみでしかない。私には、これこそクリプキが見積もりそこね、ウィトゲンシュタインから読みとりそこねてしまったことのように思われる。

しばしば指摘されるように、クリプキは『哲学探究』第二〇一節の前半のみを引用し、後半を無視していた。ここでその後半部を引用してみよう。

> ここ〔規則のパラドクス〕には誤解がある。そのことは、このような筋道で考えるときわれわれがまず規則を解釈し、さらにその解釈をまた解釈するといった具合に進んでしまうことの内に、すでに示されている――あたかもそれぞれの解釈が、少なくとも一瞬の間、すなわち、われわれがその背後に控えているもうひとつの解釈のことを考えるまではわれわれを安心させてくれるかのように。〔だが〕実はこのパラドクスが示していることは、解釈などによってではなく、規則の適用の場面場面に応じて、われわれが「規則に従う」と呼び、また「規則に違反する」と呼ぶ事柄の内に自ずと現われてくるような規則の把握があることなのである。

規則のもつ規範的力を語ろうとして語りえないのは、むしろ「語り」のパラドクスであり、こうして「語り」の限界を見せることによって、ウィトゲンシュタインは言語実践における「示し」の基底性を明らかにしようとしていたのではなかったか。例えば12＋26＝38という計算をしている人を、われわれはけっして「しかじかの記号模様を描いている」のように語りはしない。われわれはそれを「12プラス26という足し算に38という答えを与えている」ものとして語る。そしてそのように実践を語ることにおいて、その実践が位置する規範性を示している。換言すれば、プラスの規範性が示されている場だからこそ、それをそのように実践として語り出すのである。そこにはクワス的規範性は示されてはいない。それゆえわれわれは「12＋26＝38」をクワスとして語ることはない。われわれの生活にはクワスという事実の成立する基盤が欠けているのである。なぜか。なぜわれわれの生活においてはプラス的規範性が示され、クワス的規範性は示されないのか。しかし、それを語ることはできない。語ろうとしたとたんに、プラスとクワスは理論的に対等のものとして姿を現わし、われわれは真空に宙吊りになってしまうだろう。

だが、こうして「示し」の基底性を確認するとともに、われわれはまた「示し」の脆さをも見てとらねばならない。確かにわれわれはプラス的規範性の内にしか生きられず、クワスのような可能性はプラスの了解に寄生した形でしか理解できない。それゆえ、クワス的な規範性を示しつつクワスを語ることは、われわれには不可能でしかない。だが、自分がこうしてプラス的規範性のもとに生きていることの根拠のなさを見てとり、その寄る辺なさに気づくとき、われわれの外に潜むクワス的外部を予感せずにはおれないのである。実際、私は私が自明視している秩序と異なる秩序のもとに生きているクワス的他者との出会いを経験することもあるだろう。同じ世界に生きていると思っていた相手が、どうも異なる規範の示しを受け取っているらしいと気づく。私にとって自然な一歩が、その人にとっては驚くべきものとなり、その人にとって自然な一歩が私にとっては驚くべきものとなる。私はもはや、「われわれ」という一枚岩の幻想に安住することができない。他者が私を驚かし打ちのめすかもしれない瞬間、それはたえずそこに潜んでいる。

その意味で、クリプキが指摘したように、けっして正当化されえないジャンプをしなければならない暗闇に私は確かに向かい合っているのである。

14　根元的規約主義

規則のパラドクスとまったく同じ方向を示している問題が、ルイス・キャロルによって提起されている。[40] 事例はキャロルのものと異なるが、それは次のようなパラドクスである。アキレスが亀に次のような推論を示したとしよう。

亀は脚の回転が遅く、かつアタマの回転も遅い　……(a)
それゆえ、亀はアタマの回転が遅い　……(z)

推論と言うにはあまりに単純なものだが、(a)を認めれば当然(z)も認めねばならない、そうわれわれは考えるだろう。アキレスもそう考えた。しかし、亀はそうではなかったのである。亀はキャロルのように少しどもりながら、アキレスに対してこう問いかける。

「ど、どうして、(a)を認めたなら、(z)も認めなければならないのかな」

アキレスに答えを続けさせる前に、少しアキレスの立場を明確にしておこう。アキレスはごくふつうの規約主義の立場を採っているとする。つまり、論理は何か理性による洞察によるのではなく、われわれの取り決め——規約——に基づいている。われわれとは異なる取り決めに従う文化もあるのかもしれないが、しかし、少なくともわれわれは現行のように取り決めたのである。それゆえわれわれはそれに従わなければならない。例えば、「なぜ車は道路の左側を走らなければならないのか」という問いに対して、それがわれわれの社会の決まりだからだ、と答えるようなものである。——なぜ「「Aかつ B」から「B」が帰結するのか」、それがわれわれの言葉の決まりだからだ。

さらにアキレスの立場たる規約主義は、ごくふつうの規約主義として、直接的な規約と派生的な規約を区別する。例えば、「一メートルは一〇〇センチである」という命題はわれわれが直接に取り決めたことであるが、「二・五メートルは二五〇センチである」という命題は、その直接的規約から派生的に導かれることと考えられる。一般に、例えば数学の証明のようなことを考えてみたときに、規約主義が取り決めの対象とみなすものは出発点として認められるいくつかの命題、すなわち公理と、そこからどのように推論が為されうるかという規則、すなわち推論規則までである。あとは、取り決められた公理と推論規則に従って、無数の定理が派生的にそこから導かれることになる。これは、いわゆる「規約主義」のふつうの姿であるが、亀に触発されて後に展開することになる規約主義――根元的規約主義――と対比する意味で、「限定的規約主義」と呼ぶことにする。

さて、もう一度亀の問いを確認しておこう。(a)「亀は脚の回転が遅く、かつアタマの回転も遅い」という前提を認めると、どうして、(z)「亀はアタマの回転が遅い」を認めねばならないのか、これが亀の問いであった。すると、限定的規約主義たるアキレスはこんなふうに答えるだろう、「(a)からは(z)が導かれねばならない。これがわれわれの決まりなのだ」。しかし亀はそんな決まりは知らなかった。そこで無知を詫びるとともに、そういうだいじな決まりならば、それも書いておいてほしい、と言うのである。アキレスはとくに嫌な顔もせずにその要求に答える。しかし、こうしてアキレスは悲劇の扉を開くのである。

いまやアキレスのノートにはこう書いてある。

亀は脚の回転が遅く、かつアタマの回転も遅い　……(a)

「亀は脚の回転が遅く、かつアタマの回転も遅い」からは「亀はアタマの回転が遅い」が導かれる　……(b)

それゆえ、亀はアタマの回転が遅い　……(z)

「(b)という決まりがあるから、(a)から(z)が言えるわけだ」、アキレスは亀にそう説明する。しかし、亀は首を傾げている。まだよく分からない。亀はそこでさらにアキレスに尋ねる。

「その、(a)と(b)を認めたならば、どうして(z)も認めなければいけないのかな」

「(b)で「AからBが導かれる」と言っている。しかるに(a)ではまさにAだと言われている。だとすれば、Bが帰結するだろう」

「「AからBが導かれる」と「A」、その二つからは「B」が帰結しなければいけないわけ？」

「それがわれわれの決まりなのだ」

そこで亀はアキレスにまたもやこう要求するのである。

「じゃあ、その決まりも書いといてくれないかな」

アキレスは少しうんざりして、簡略にただこう書きつける。

「(a)と(b)からは(z)が出てこなければならない　……(c)」

亀はしかし超然としてなおも首を傾げている。

「(c)か。……(b)と(c)は認めなくちゃね。決まりだもの。で、さらに(a)も認めると、その(a)と(b)と(c)から(z)が出てくるってわけ？」

「そういうこと」

「ど、どうしてかな」

アキレスは憤然として答える。

「決まりなんだよ。(a)と(b)と(c)からは(z)が帰結する。そういう決まりなの」

そして亀は、もはやアキレスにもはっきりと見えてきた結末へと向かう道への一歩を悠然と進めるのである。

「じゃあ、その決まりも書いておいてくれないかな」

以下同様。悲しきアキレスは命果てるまで書き続けることになる。(亀の方が寿命が長いとする。)

事態はアキレスにとってかなり悲観的である。いくつかの前提Γから論理的にZを帰結するとき、それが「論理的」であること、すなわち前提Γから結論Zが帰結せねばならないということを、限定的規約主義はΓからZが導出されるような推論規則Rの取り決めによって説明しようとする。だがそのとき、規約Rもまた結論Zを帰結するための前提のひとつにすぎないものとなってしまう。そしてそれゆえ、こんどは前提「Γ＋R」から結論Zが帰結せねばならないことを説明しなければならなくなる。推論規則を規約として取り出したとたんに、それは前提へと組み込まれ、前提から結論への論理の道筋そのものはあいかわらず積み残されてしまうのである。

$$\Gamma \xrightarrow{R} Z \quad \Rightarrow \quad \Gamma + R \xrightarrow{?} Z$$

限定的規約主義は、論理のもつ規範的道筋を規約で説明することに失敗している。これが、キャロルのパラドクスの教訓にほかならない。

これに対して大森荘蔵は、「このパラドックスの発生点は推論における規則と命題との混同であるように思われる」と指摘している。[41] アキレスの悲劇は命題「AかつB」と命題「B」を結びつける規則をも命題の形にしようとした点にある、というのである。ではどうすればよいのか。「日常言語の使い方を観察せよ」、大森はそう提案する。これはいかにもウィトゲンシュタイン的な指摘であり提案であるが、ウィトゲンシュタインを引き合いに出すまでもなく、「かつ」という言葉の論理に関わる規則を見てとるには、確かにそれが使われている現場、日常の言葉遣いを見るしか手立てはないだろう。だが、これでアキレスを、それゆえ限定的規約主義を救うことができるだろうか。

よろしい、日常言語を観察してみよう。だが、ここでもまたわれわれは「行動」のレベルと「実践」のレベルとを区別しなければならない。

まず、日常のわれわれの行動傾向を観察しよう。そこではわれわれがどういう規則に従っているかは棚上げにされる。そして例えば、「68＋57」という問いかけに対して「125」という声を出したり、文字を書きつけたりするわれわれの行動が観察される。なるほどきわめて多くの人がそうした仕方で反応するのが観察されるだろう。しかし、それは統計的事実である。すなわち、それは例えば「多くの人がブタクサを嗅ぐとくしゃみをする」とか、あるいは「579837＋296876という問題を見ると大多数がため息をつく」といった観察と同じレベルにある。それゆえ、そのような観察をいくら重ねても、そこから規範性は出てこない。「ブタクサを嗅ぐとくしゃみをせねばならない」や「579837 + 296876 にはため息をつかねばならない」ということが出てこないのと同様に、「68+57 には 125 と答えねばならない」ということも、「「A かつ B」からは「B」が帰結しなければならない」ということも、そうした行動傾向の観察からは出てこないのである。

それゆえ「日常言語の観察」とは、たんなる行動の観察ではありえない。われわれはあくまでも実践を観察し、その実践において示されている規範を見てとらねばならない。つまり、アキレスは黙って亀を引き連れて行き、推論の論理が示されている言語実践の現場に立ち合わせればよかったのである。「さあ、ごちゃごちゃ言わないで、「A かつ B」から「B」が帰結せねばならないことを、目を開けてとくと見てとるがいい」、と。

しかし、これがうまくいきそうに見えるのは見かけだけのことにすぎない。

大森の支援を受けた限定的規約主義は、この前提からこの結論が帰結せねばならないことは、われわれの言語実践において暗黙の内に示されている、と言う。では、いったいそれはいつ、どこに示されていたのか。

問題の推論はこうであった。

亀は脚の回転が遅く、かつアタマの回転も遅い　……(a)
それゆえ、亀はアタマの回転が遅い　……(z)

そして亀はアキレスに、(a)を認めるとどうして(z)も認めなくちゃいけないのか、と問うのである。これに対していまや限定的規約主義たるアキレスは、(a)から(z)が帰結すべきことはこれまでの言語実践において示されていたのだ、と答える。おそらくそれは、なぜか日本語を話すこの亀が、日本語を学び身につけてきたこれまでの言語実践であるだろう。では、かつて示されていたそれは、まさにこの(a)から(z)の導出それそのものであったのだろうか。そうではないだろう。だとすれば、ここにはなお亀のつけいる隙がある。「そこで示されていたそれを見てとっていたとして、そのときどうして、この(a)から(z)への推論も認めなくちゃならないのかな」、亀はそう問うだろう。規範が示されるのみであるということはそのとおりである。しかし、限定的規約主義は直接的規約と派生的規約を区別する。それゆえ、いまこの場面での推論を、かつて示されていた規約から派生するものとして捉えねばならない。だとすれば、ここでもまた、かつて示されていたその規約といまこの場面での推論とをつなぐ論理的導出の道が、なお規約にのらないものとして積み残されているのである。

限定的規約主義への問いはまったく単純である。「派生的規約」というからには、何かから何かを派生させていく論理的筋道があるだろう。だとすれば、その論理的筋道はどうしてそうであらねばならないものなのか。ただひたすら、この亀の愚直な問いを繰り返すのである。ここにおいて直接的規約が暗黙の内に示されうるのみであるかどうかは論点ではない。問題のすべては、限定的規約主義が直接的規約から派生的規約を導かねばならないというところにある。キャロルのパラドクスから引き出されるべきウィトゲンシュタイン的教訓は、すべての個別的事例がそこから派生してくる水源地のごときものとして、何か「一般的なるもの」を想定しようとするわれわれの思考法を破壊することにほかならない。それゆえ、そこで想定されるものが命題として表現されていようが、規則として暗黙の内に示されていようが、それはどうでもよかったのである。

「派生的規約」ということに実質がない以上、ひとたび規約主義の道を踏み出した者はすべてを直接的規約とみなさねばならない。規約主義が生存可能であるならば、それは「すべての規範的力は直接的規約に基づいている」とする意味において、「根元的規約主義」であらねばならないのである。あらゆる「べし」、あらゆる「ねばならない」は、何か先立つ規約から派生したものではなく、まさにそこにおいて取り決められた規約にほかならない。

だとすれば、亀に対するアキレスの答えもただ一度で済むことになるだろう。

亀は問う。

「どうして(a)から(z)が帰結しなければならないのかな」

アキレスは答える。

「いや、これはそう取り決めようという私からの提案なのだ」

亀が同意すればそれでよし、もし同意しなかったならばこの推論およびそれを用いた実践においてアキレスと亀は共同でことを為すことができないということにほかならない。ちょうど、野球の規則に従う人と従わない人とがともに野球をプレイすることができないように。

15　論理の作成

マイケル・ダメットは、ウィトゲンシュタインに根元的規約主義の立場を帰したあとで、「ウィトゲンシュタインが正しいとすれば、コミュニケーションが端的に破壊されてしまうという危機にたえずつきまとわれることになる」、とそれを批判している。[42] ウィトゲンシュタインが根元的規約主義であるかどうかはおおいに疑問の残るところであるが、いまはそうした解釈上の議論は措いておこう。ともかく、私自身は根元的規約主義の立場を採りたいと考えている。ではいったい、ダメットの言うように、根元的規約主義のもとではコミュニケーションは破壊されてしまうのだろうか。

根元的規約主義に従えば、規約の取り決めは適用のたびごとに為される。もしそうであれば、あらかじめの規約の導入は以後の展開をまったく強制しないことになるように思われる。この点に関してはウィトゲンシュタインの次の言葉を引用することができる。

——強制されているだって？　たぶん私は、けっきょくのところ自分の選んだ道を進めるのだ！
——「しかし規則に従い続けようとするならば、君はこう進まねばならないはずだ」——いや、断じてそうではない。私はこのやり方を「〔その規則に〕従う〔もの〕」と称しているのだ。——「それならば君は、「従う」ということの意味を変えたか、規則の意味を変えたかしたのだ」——そうではない。——「変えた」とか「同じまま」といったことがここで何を意味しているかを、いったい誰が言うというのか？[43]

しかし、これはやはりあまりにもアナーキーではないだろうか。例えばチェスを教えるとしよう。まずルールが教えられる。そして、その時点では誰もが明確かつ十分な合意に達する。さて、ゲーム開始。ところが、次の一歩から誰もが「自分の選んだ道」を歩み、てんでんばらばらなことをやりだすのである！　これではチェスをプレイすることはできない。ダメットがコミュニケーションの崩壊を言い立てるのも無理はないだろう。

ダメットは「反実在論の旗手」と称されていた。しかし、目下の議論の脈絡ではいささか皮肉なことに彼はむしろ実在論である。ダメットの「反実在論」とは、意味の説明形式に関する反実在論、すなわち、意味の説明をあくまでもわれわれの認識能力を越えないよう制限し、認識を超えた実在を要請しないという立場にほかならない。だが、そうした主張の背後には、「その言明における語の説明はすでに十分決定されており、それゆえさらなる決定の余地は残されていない」という立場が見られる。そのような立場に立つからこそ、意味の説明形式に関する実在論と反実在論の対立という、しばしばデイヴィドソン対ダメットとして描かれる対立も生じるのである。しかし根元的規約主義の前では、あらかじめの意味の説明が以後の言語使用をすっかり規定するのだと考える点において、どちらも実在論者にほかならない。（そして、デイヴィドソンのその後の展開を考えるならば、むしろデイヴィドソンの方が意味に関する反実在論者である。われわれはデイヴィドソンのそうした展開を第Ⅳ部において追うことになるだろう。）

色名の使用を例にとり、根元的規約主義の姿をより明確にするよう試みてみよう。多少単純化し、色名の意味規則は色見本の提示により「この色が赤だ」のように言うことによって教えられることとする。そこで、色名の学習において教師と子どもが、ある色見本の色を「赤」という名前で呼ぶことに関して一致したとしよう。ふつうは、ひとたびこの学習が為されたならば、以後「赤」がいかなるものに対して適用されるべきかは決定された、と考えられるだろう。だが、いまやこの見方は徹底的に批判されねばならない。

教師が次に、「じゃあ、あそこの棚から赤い紙をもってきてくれるかな」と子どもに頼んだとしよう。（「棚」とか「紙」とかは分かっているものとする。）ここでまたいささかふつうでない子どもを想定しなければならないのだが、その子はちょっと困ったなという顔をして、

「だって、「赤」っていうのは、これじゃないの？」

とその色見本を指差す。

その子はその色見本そのものが、「赤」と呼ばれる何ものかなのだと思ってしまったのである。だがもちろん、この色を「赤」と呼ぶことに決めたのだが、これそのものではなく、これと「同じ色」をした紙をあそこの棚からとってきてほしいのだ。教師はそう子どもに言う。そこで子どもはともかくその棚のところに行くのだが、やはり困ってしまう。

「「同じ色」って、どれのこと？」

――「赤」という色名を教えるということは、たんに色見本に「赤」というラベルを貼るだけではありえない。何がその色見本と「同じ色」なのかをも教えねばならないのである。

ここで、「見本」ということについて考えてみなければならない。何かあるものが置かれてあり、それに「見本」と付されていたとしよう。これだけから、それが何の見本であるのか分かるだろうか。例えば、一個のコーヒーカップが置かれてあり、「見本」と書かれてある。それはもちろん食器の種類の見本かもしれないが、形の見本や色の見本、あるいは素材の見本であるかもしれない。あるいはまた重さの見本であったり、素人にもこのくらい作れることを示す見本かもしれない。そのものはあらゆるものの見本となりうる。（浅草合羽橋道具屋街のある店頭にトンカツの食品見本等が置いてある。しかしそこはもちろんトンカツ屋ではない。それは見本の見本なのである！）

例えば、見知らぬ文化のもとに迷いこみ、ある程度言葉が分かってきた段階で、見知らぬものを提示され、「これは「トットペリ」の見本だ」と言われたとしよう。しかし、それでは「トットペリ」が何であるのかはまだまったく確定していないのである。それが何の見本であるのかは、それをどのように適用するかに依存している。ここにおいて、「トットペリ」とは何かということ、それが何の見本であるのかということ、何がこれと同じものとされるのかということ、これらがすべて連関しあって教えられていかねばならない。とすれば、先の色名の事例においても、子どもがともかく棚から何かをもってきて、教師が「それは同じ色じゃないか」とか「それが同じ色だ」と言うとき、それは色見本の提示による説明から自動的に導き出されてくる適用ではありえない。教師はそのように判断してみせることによって、何が「同じ」と言われるのか、それゆえその見本は「何の」見本であったのかを、さらに説明している。つまり、「赤」という色名の説明はまだ終わっておらず、それに続く適用において教師は説明を補充し続けねばならないのである。

いつ説明が終わり、いつから言語使用が始まるのか、それはたんにどのくらい子どもが迷わなくなったか、そして子どもの反応に大人がどのくらい満足するかといった、実際的な観点からのみ区別される、それゆえ、そこには明確な線引きなどありはしない。原則的には、すべての言語使用は説明の続行でありうるだろう。

こうしたことを称して「コミュニケーションが端的に破壊されてしまう危機」と言うのであれば、それはまったくそのとおりと応じるしかない。言語学習には終わりがない。逆に言えば、言語使用にはたんに子どもが「あれっ？」と迷わなくなったとか、大人たちが「おいおい、ちょっと」と制したりしなくなったという事実上の安定しか見出されない。それゆえ、論理的には、たえずわれわれは迷いや逸脱の可能性に晒されているのである。だが、それはそういうものなのだ。危機に晒されつつも、実際上はなんとかやっていけている、この現状はたんなる偶然の僥倖（ぎょうこう）にすぎない。むしろそこに何か合理的根拠を求めようとする姿勢こそが捨て去られるべきであり、そうした根拠への執着は、かえって言語と言語共同体を固定化し、そこに現われてくる他者の姿を見失わせることになるだろう。

だが、こうしてコミュニケーションの成功を偶然の僥倖としてしまうことは、「論理」の身分をそこねてしまうことになりはしないだろうか。例えばいま、命題Aから命題Bが帰結することが論証されたとしよう。この論証が論理的であるということは、Aを認めてBを認めないことがありえない、ということにほかならない。だが、そう述べたとたんにこうヤジが飛ばされるのである。「Aを認めてBを認めないことはありえないだって？　たえず逸脱の可能性があること、そして実際上逸脱せずにコミュニケーションが進んでいるのは偶然のことにすぎないと言ったのは誰なんだ」――規則のパラドクスを正面から引き受けたとき、われわれはむしろ、「それゆえAからBへの帰結関係は論理的なものではありえない。なぜなら、別の帰結の可能性はたえず潜んでいるからだ」と言いたくなってしまうのである。

ここにおける問題は次のようにディレンマの形で述べることができる。規則のパラドクスに従えば、われわれがある規則を定めたとしても、何をその規則に従ったものとみなすかはまったくの偶然に委ねられることになる。だが、もしそうならばなぜそもそも規則などを定めるのか。これに対して、規則を定める必要などないのだと答えてしまうならば、それは確かに論理の破棄であろう。すべての命題は互いに論理的関係を失い、ただ偶然の波間に孤立して漂わされることになる。しかし他方、あらかじめ定めた規則が個別の適用を導くとしたならば、われわれは再び限定的規約主義へと逆戻りしてしまうだろう。

慎重に検討しよう。このディレンマは見せかけにすぎない。

根元的規約主義は直接的規約と派生的規約の二本立てを認めない。すべては直接的規約にほかならない。そこでこう問われる。――ならばなぜ、規則などを立て、個々の適用をその規則に従っているとか従っていないとか言うのか。――議論が見てとりやすいように、数学の命題を公理的に証明する場合を考えてみよう。そこでは出発点として公理と推論規則が取り決められ、それに基づいて定理が証明されていく。根元的規約主義はこれに対して、われわれは定理の証明においてそれが「定理」であることを取り決めているのだ、と主張する。だとすれば、公理や推論規則などあらかじめ取り決めることなく、たんにその定理をそれ自体として「定理」として取り決めればよいではないか。いわば、すべてを「公理」とみなせばよいようにも思われるのである。――いや、ここには誤解がある。

われわれはごくふつうにこう考えがちになるだろう。――いくつかの命題を公理として立て、そこから論証を武器として未知の定理を発見ないし確立していくのだ、と。この見方のもとでは定理は派生的であるしかなく、逆に、定理をも直接的規約としてしまう根元的規約主義のもとでは論証の果たすべき役割がなくなってしまうようにも思われるだろう。だが、根元的規約主義が論証に与える役割は、これとはまったく異なっている。論証は定理を発見・確立する道具ではなく、定理に意味を与え、翻って公理にも意味を与えるものなのである。この論点はまさにウィトゲンシュタインの核心に属するものでもある。

私はこう言いたい。例えば平行線公理の言葉が与えられる（そしてその言葉をわれわれが理解する）とき、この命題の使い方、それゆえその意味は、まだまったく規定されていないのだ、と。[44]

ある意味では、数学の記号は数学によって初めて意味を与えられるものであり、それゆえ数学では記号の意味に訴えることができない。[45]

証明は命題がその中で使われている操作の体系の一部、ゲームの一部なのであり、そうしてそれはわれわれにその命題の「意味」を示すのである。[46]

定理がその公理と推論規則から導出されるべきものであることをわれわれはその導出の場面において取り決める。しかし、そこで取り決められているものは、公理や規則とその定理を含んだ論理的連関の全体にほかならない。この事情を多少図式的に示してみよう。きわめて単純な事例として、まず公理Aが定められ、ついでそこから定理Bが導出された場合を考える。これに対して根元的規約主義が提案する見方は次のようなものである。

ここでは少なくとも二つの規約が取り決められている。

規約(1)――Aを公理とする。
規約(2)――Bであり、かつBはAから導出されるものとする。

そして、規約(1)を取り決めた者たちがさらに続けて規約(2)を取り決めることになるかどうかは、偶然に委ねられる。だが、そのことはAとBの論理的連関性を損なうものではない。というのも、規約(2)で取り決められたことは、まさにそのAとBとの論理的連関性だからである。規則のパラドクスの教訓は、規約(1)と規約(2)の間にジャンプがある、というものにほかならない。そして根元的規約主義は、さらにそれに加えて命題Aと命題Bの間の論理的連関性は新たな規約(2)によって取り決められる、と主張するのである。

先に私は、「規則のパラドクスを認めるならば、AからBへの帰結関係は論理的なものではありえなくなるのではないか」という形で疑念を述べておいた。つまり、論理的には、Aを認めてもBを認めないような「クワス的」可能性がある、というわけである。だが、いまやこの言い方の奇妙さに気づかねばならない。クワス的可能性とは、規約(1)から規約(2)への推移に関して言われることである。だとすれば、それはそもそも「論理的」でも「非論理的」でもない。というのも、何が論理的であり何が論理的でないのかは、新たな規約によって取り決められることであり、規約の取り決めの推移に関わることではないからである。

われわれは「論理」の成立する場所を見定めなければならない。「論理的にはクワス的道筋が可能である」という言い方は実はナンセンスなのである。「論理的」と称してクワス的可能性をも平等に視野に入れ、そうすることによって、かえって言語規範の場が形成される以前の真空地帯に論理を位置づけてしまっている。確かに、クワス的可能性を考慮するならば言語規範は「予測不可能」である。だが、言語における規範性が今後どのように推移していくかが予測不可能であるからといって、いま自分たちが生きているコミュニケーションが端的にアナーキーなものになるわけではない。われわれはいままさに、この言語を生き、この論理を生きている。論理は、事実として、そこに命脈を保っているのである。

16　言語ゲームと他者

根元的規約主義に対しては、最も素朴な反論が実は最も強力であるように思われる。それはこのように言う。――でも、われわれは取り決めのようなことなどやってはいないじゃないか。

根元的規約主義の名に額面どおりに従うならば、「あることが必然的であるとはどういうことなのか」という問いに対して、「何であれ、あることが必然的であるとは、われわれがそのたびにそう取り決めるということにほかならない」と答えられるだろう。だが、この「取り決め」ということの実質が理解しがたいのである。「一メートルは一〇〇センチである」がわれわれの取り決めたことだというのは、文字どおりの意味でそうだろう。そして、そう取り決めたのだから、それは必然的なのである。しかし、「二・五メートルは二五〇センチである」については、そんな取り決めを交わした覚えなどまったくありはしない。

とはいえ、このことがただちに根元的規約主義の批判になるわけではない。それはちょうど、社会契約説に対して「そんな契約を交わした覚えはない」と批判するのが必ずしも的を射ていないのと同様であると考えられる。社会契約説における「契約」や規約主義における「規約」とは、けっして歴史的事実を指摘したものではなく、いわば、ことがらを説明するために導入された補助線のようなものにほかならない。すなわち、「取り決め」という観点から見てとるときこそ、事態がより明確に捉えられるはずだ、というわけである。だが、「取り決め」が実際に為された何ごとかを文字どおりに表わしたものでないとするならば、「取り決め」ということで何が意味されているのか、その内実がさらに明らかにされねばならないだろう。

興味深いことに、この点に関してウィトゲンシュタインはきわめて煮え切らないコメントを残している。

> 数列の各段階において、われわれがその規則を現にわれわれがやっている仕方で使うのは、洞察ないし直観を為すがゆえにではない。決定を行なうと言う方がまだ混乱が少ないだろう。だがそれも誤解を招く。というのも、必ずしも決定をする必要はなく、おそらくたんに書いたり話したりするだけの場合もあるからである。(47)

「われわれは自ずと——と私は言いたい——新たな言語ゲームを行なうことを決定する」[48]
「私はその規則をはっきりと把握している。この意味のもとでその規則に従うならば、その数の次はこの数でしかありえない」——それは自ずと為された決定なのだ。〔中略〕「自ずと決定を下す」と私が言うとき、もちろんそれは次のようなことではない。——ここで実際どの数がいちばんよいかを熟慮し、しかる後どれかを選び出す……[49]。

おそらく、ウィトゲンシュタインから読みとれる根元的規約主義は、たんに意味の実在論に対するアンチテーゼというに留まるものなのだろう。そしてそれが積極的にどういう立場であるのかについては、ウィトゲンシュタインは明確なことを何も言っていないように私には思われる。いったい、「自ずと下される決定」とはどういうことなのだろうか。

例えば、「2から始めて順に2を足せ」と言われたとする。私は「2、4、6、8、……」と続けていく。そこで「8」と書いたとき、私は何か決定を下したのだろうか。あるいはそれは何か「自ずと」為された決定なのだろうか。率直に言って、まったくそうは思えない。私はごく自然に「8」と書いた。それは「自動的」だったと言ってもよい。なんらかの理由で懐疑的になっているのでなければ、私には他の選択肢は視野に入ってはこない。この点に関しては次のウィトゲンシュタインの指摘がまったく当たっている。

規則に従っているとき、私は選択をしない。
私は規則に盲目的に従っている。[50]

だが、こうした「言語使用の盲目性」を認めると同時に、「6の次に8と書くことが「2を足せ」という規則の正しい適用例であることは、それ自身ひとつの規約にほかならない」という根元的規約主義の主張も保持したいのである。

もう一度、言語使用の盲目性というポイントを押さえつつ、根元的規約主義の内実を画定するよう試みてみよう。

根元的規約主義の主張は、「6の次に8と書くことは「2を足せ」という規則に従っている」とか「6の次に9と書くことは「2を足せ」という規則に反している」といった主張の身分を巡るものにほかならない。例えば、こうした主張を「このボルトはこのナットにぴったり当てはまる」といった主張と比較してみよう。ボルトとナットの適合に関する主張は、何ごとか事実を語っている。そして一見すると、「これはこの規則に従っている」といった主張もまた、ボルトとナットに関する主張と同様のものに見えるのである。一方に「2を足せ」という型があり、他方に「6の次に8と書く」という事例がある。そしてこの事例はその型にぴったり当てはまる、というわけである。しかし、こうした捉え方こそ、ウィトゲンシュタインが批判し、また根元的規約主義が訣別しようとしているものにほかならない。規則という実体的なものが何かあるわけではない。それゆえ、「これはこの規則に従っている／いない」といった主張はけっしてボルトとナットのような二つの何ものかを比較した結果を事実として報告したものではない。「これはこの規則に従っている／いない」と言うことにおいて、われわれは先に取り決めた規則の意味を明らかにしている。すなわち、「これはこの規則に従っている／いない」という主張もまた、規則なのである。

色見本の例で確認しておこう。「この色はこの見本の色に一致している」と言うとき、われわれはまさにボルトとナットの場合のようなことを考えがちになるだろう。しかし、それが何の見本であり、何をもってそれとの「一致」と呼ぶのか、そうしたことはたんに色見本に色名を貼りつけるだけでは定まりはしない。子どもはともあれ自分の本能的反応に従ってある紙をもってくる。そしてそれが大人によって「一致している」と言われたならば、そこにおいて「一致」ということの意味を教わるのである。それゆえ、「この色はこの見本の色に一致している／していない」という主張もまた、事実報告ではなく、それ自体再び規則にほかならない。

だとすれば、そうした規則はいつ取り決められたのか。問題になっている適用例が実際に現われたそのときをおいてほかにないだろう。かくして、根元的規約主義は「適用のそのたびごとに取り決める」と主張する。

――以上はただこれまでの議論を反復したにすぎない。だが、ここにおいてこれまで見過ごしてきたひとつのことに注意を促したいのである。

　こうした場面において、子どもは何ひとつ決定している必要はない。適用はあくまでも盲目的なのである。「この見本と同じ色の紙をもっておいで」と言われ、ある紙切れをもってくる。それはもって生まれた本性と訓練によって身についた自然な反応にすぎない。同様に、われわれが「2を足せ」と言われて6の次に8を書くときもまた、なんら決定のようなことをしているわけではなく、ごく自然にそうしているにすぎない。だが、根元的規約主義はけっしてそのことを否定してはいないのである。むしろ、個々の適用を導き出す水源地のようなものを拒否することにおいて、言語使用の盲目性を積極的に認めるところにいる。

　では、何が取り決められねばならないのか。

それは、個々の適用のあり方ではない。その適用を「規則に従っている／いない」と評価することなのである。ここで、「規則に従うこと」と「「規則に従っている」と評価すること」とを区別しなければいけない。先に引用した『哲学探究』第二〇一節後半の終わりの方をもう一度思い出していただきたい。実は、ウィトゲンシュタインはそこで周到にこの区別を立てているのである。

　このパラドクスが示していることは、解釈などによってではなく、規則の適用の場面場面に応じて、われわれが「規則に従う」と呼び、また「規則に違反する」と呼ぶ事柄の内に自ずと現われてくるような規則の把握があることなのである。

ウィトゲンシュタインは、適用の場面において規則の把握が現われてくるとは言っていない。適用の場面に応じて「規則に従う／違反する」と呼ぶことの内にそれは現われてくる、と言っている。ほとんど見逃されそうなところであるが、いまやこの区別は決定的である。規則に従っている場面において規則が示されるのではなく、「規則に従っている」と言うこと、すなわち、適用においてではなく適用の評価において、規則は示されるのである。

そこでさらに問われるべきはこうである。――われわれがあることを「規則に従っている」と言うのはどのような場合なのか。――ある人が規則に従っているとき？　いや、そうではない。われわれはけっして、その人が規則に従っているというだけで、それを「規則に従っている」と言うわけではない。

例えばチェスをしているとしよう。ある程度熟達したプレイヤーであれば、確かにつねに規則に従ってプレイする。しかしその場合にはむしろ「規則に従っている」と語りはせず、「その手はうまくなかった」とか「どうも形勢不利だ」といったようなことを語るのである。

一般的に言って、ゲームがなめらかに滞りなく進行しているかぎり、そこではゲームの規則は暗黙の前提となっており、規則について語るということは起こらない。同様に、会話においてもまた、なめらかな会話のさいには言葉の規則や意味についての議論は生じないのである。

言語をゲームになぞらえたウィトゲンシュタインにならって、「言語ゲーム」という言い方をしよう。言語ゲームのプレイにおいては、プレイヤーの意味理解は暗黙の前提なのであり、むしろそれを不問に付すことによってゲームが成立している。それゆえ、「意味」について語るということは、ゲームを中断することにほかならない。単純な話が、「それ、どういう意味？」と尋ねるとき、会話の流れはいったん中断されるのである。だとすれば、「意味」や「規則」といった概念の故郷は、実はなめらかな言語ゲームの流れの内にあるのではなく、言語ゲームのよどみ、コミュニケーションにおける流通不良という現象の内に存しているのではないだろうか。

　同じことを必然性ないし規範性に関して問うてみよう。

　いったい、「AからBが出てこなければならない」といった主張は、いつ、どのような場面で、何のために為されるのか。ある人が前提Aから帰結Bを導き出す。それを受けて私はBについて論じ、あるいはBからさらなる帰結Cを引き出す。こうした流れがなめらかに進行しているかぎり、少なくとも当事者たちの口からは「AからBが出てこなければならない」などという言葉の登場する余地はない。そしてまた、その主張には何の役割も見出されない。われわれがそのように主張するのは、あくまでも、Aを前にして帰結Bを出し渋っている人、Bという帰結を出せないでいる人、あるいはBが帰結することを拒否する人が現われたときだろう。

　そこで、ある人が「AかつB」からBを導くことを拒否したと考えてみよう。そのようなとき、われわれはこの者に対してどういう態度をとるだろうか。おそらく、まずはたんなる不注意ではないかと考え、そうではなさそうだと分かったならば、この人は「かつ」の意味を理解していないのだ、と結論するに違いない。そしてそう結論されたならば、彼は「かつ」という語を用いたさまざまなやりとり、例えば議論や論証などの場から、「話にならぬ」者として（一時的にせよ）排除されることになる。すなわち、「かつ」を用いた言語ゲームから放逐されるのである。われわれは、まさにこうした場面において、話にならぬ者を断罪するためにこそ、「「AかつB」からはBが出てこなければならないのだ」と主張するだろう。そしてもし断罪された者が——例の亀のように——「なぜBが出てこなければならないのか」と問うたとしたならば、われわれは「それがこのゲームの決まりなのだ」と答えるだろう。さらに、「そんなことをいつ決めたのか」と問われたならば、それに対しては「いま決めたのだ」と答えるほかはない。言語ゲームがよどんだとき、初めてわれわれはその規則をその場面でどう適用すべきかを取り決め、同時にゲームの成員たる〈われわれ〉と非成員たる〈他者〉とを取り決めるのである。

ここにおいて、根元的規約主義が言語使用の盲目性とどう折り合うかが明らかになる。われわれは適用の一歩ごとに意味の再説明、規則の再教育を為すわけではない。通常の言語実践がなめらかに進行していくかぎり、もはや意味や規則が主題化されることもなく、われわれは盲目的に何ごとかを為すだろう。そのかぎりにおいて、そこにはいかなる規範性もない。われわれはただ自然な反応としてそうしているにすぎない。それが「たんにそうした」というのではなく、「そうすべきだからそうした」ものとされるのは、規範を共有しない他者が現われ、一枚岩の〈われわれ〉が揺らぐことによってでしかない。ここにおいて、規範性が姿を現わすことと他者の登場とは表裏一体となっているのである。分裂した〈われわれ〉は、そこにおいて「どうすべきか」を新たに取り決めねばならない。

「言語ゲーム」という概念そのものについて、ウィトゲンシュタインはあるとき次のように問いを発している。

〔『哲学探究』〕第二節の言語ゲーム[51]についてここで多少述べておかねばならない。——いかなる状況のもとで、石大工の音声等々は実際に言語と呼ばれうるのか。あらゆる状況においてか。断じてそうではない！　では、言語の萌芽形態を孤立させ、それを言語と呼ぶことは誤っていたのか[52]。

孤立した言語に残されるのはたんに盲目的な行動でしかない。孤立化され、外部を見失うことによって、言語ゲームはかえってその輪郭を失う。言語とは、それ自体で単独に明確な輪郭をもつようなものではない。他者と出会い、よどみ、そこにおいてわれわれが新たに規範を作り出していくことにおいて、言語は初めて自らを「言語」として立てるのである。

17　アスペクト論

『哲学探究』第Ⅰ部の中心的議論が規則のパラドクスを巡る考察であるとすれば、第Ⅱ部において中心的となるのは、ウィトゲンシュタインが「アスペクト把握」と呼ぶものを巡る考察である。最初に彼がその用語を導入する箇所を見てみよう。

ある顔を観察していて、私はふいにそれが他の別の顔に似ていることに気づく。私は、その顔が変化したわけではないことを見ている。しかしそれをいまや別様に見ている。こうした経験を私は、「アスペクトに気づく」と呼ぶことにする。(53)

「アスペクト」という概念は、最初の近似としては、「……として見る」という表現で捉えられる。私は、初めて会ったその人に、私の友人の顔を見ているのではなく、それを「私の友人の顔に似ているものとして」見る。あるいはうさぎの頭ともあひるの頭とも反転して見ることのできる図形に対して、いま私はそれを「うさぎとして」見ている、というわけである。

ところが、この「……として見る」という表現を巡って、部分的にはウィトゲンシュタインの影響のもとに、「知覚の理論負荷性」と呼ばれる議論がかつて流行し、いまは哲学ないし科学論における常識にさえなっている。その火付け役であったハンソンは、ウィトゲンシュタインの議論を随所に織り込みながら「理論と解釈は見ることの内に初めから「ある」」[54]と主張した。すなわち、知覚は知識、理論、解釈に先立った無垢のものではありえず、まさにそれらを背負った形でのみ成立する、というのである。こうした議論そのものは健全であり、いまではもう陳腐な指摘とも言える。だが、知覚の理論負荷性を訴えるこうした主張が『哲学探究』第II部から読みとられるべきものであるとする解釈には、いささか当惑せざるをえない。もしそうした解釈が正しいものであるならば、『哲学探究』においてその第I部と第II部とは決定的に分裂してしまうだろう。

むしろアスペクトを巡るウィトゲンシュタインの議論を、規則のパラドクスを巡る考察と同じ精神のもとに読み解いてみたい。とはいえそれは、クリプキが私的言語批判を規則のパラドクスから派生する系として位置づけたのと同様のことをアスペクト論に対して行なおうというものではない。つまり、アスペクト論を規則のパラドクスの帰結として捉えようというわけではない。おそらく両者は単純な論理的関係をもつものではないだろう。ウィトゲンシュタインの為そうとしていたことは、それらを適切に配置し、その類似性に気づかせ、そうして問題になっていることがらに対するわれわれの見方を変えることであったに違いない。さまざまな議論を並べ、それらが呼応しあうその響きあいの中にこそ、ウィトゲンシュタインの思索が立ち現われるはずである。それゆえ、ひとつひとつの議論を単独で仔細に検討すること、あるいはそれらの間に論理的関係をつけ、論証の構造を組み立てること、こうしたことはむしろウィトゲンシュタインの精神に反するものであると思われる。そこで私は、彼のアスペクト論を、規則のパラドクスと最もよく共鳴するところに置いてみたいのである。

ハンソンは、「「……として見る」の論理は、一般的な知覚事例のあり方を明らかにしてくれるように思われる[55]」と述べる。だがこのような目で見るとき、彼にはウィトゲンシュタインの議論の大半が理解できないものとなるだろう。というのも、第一に、ハンソンの指摘に反して、「……を見る」と「……として見る」が異なった論理に従うものであることの方がむしろウィトゲンシュタインの基本的主張だからである。またそこにおいて、「……を見る」はけっして批判されているわけでもない。さらにウィトゲンシュタインはときに次のようにさえ言うのである。「「……として見る」は知覚に属するものではない[56]」。ハンソン流の解釈にとってはこのような主張はもはやいかんともしがたく思われるに違いない。

第二に、ウィトゲンシュタインが提起する「アスペクト盲」の問題がある。ウィトゲンシュタインは、何かを何かとして見ることのできない者を思考実験的に想定し「アスペクト盲」と呼ぶが、ハンソン的な解釈にとっては「……として見る」が成立しえないということはすなわち知覚一般の喪失であり、いっさいが無意味な混沌に帰すことにほかならない。だがそれに反して、ウィトゲンシュタインはいくつかの議論を経た後に、アスペクト盲はわれわれと比べてたいしたものを失っているわけではないと結論するのである。[57] このことも、ウィトゲンシュタインが知覚の理論負荷性のような議論を展開しているのではないことを明確に示していると思われる。

では、アスペクト論を読み解いていく第一歩として、ウィトゲンシュタインが「……を見る」と「……として見る」をどのように区別しているかを押さえていくことにしよう。

アスペクト論が集中的に論じられているのは『哲学探究』第II部xiであるが、それはこう始まっている。

「見る」という語の二つの用例。

その一、「そこに何が見えるのか」――「私はこれを見ている」（ある記述、ある素描、ある模写がそれに続く）。その二、「私はこの二つの顔に類似を見る」――このことを私が報告している相手が、これらの顔を私自身と同じようにはっきり見ていてもかまわない。

重要なのは、見えている二つの「対象」のカテゴリー上の区別である。

まず、ここで区別される二種類の表現を押さえておこう。日常われわれが用いる知覚の言葉は「……として見る」（猫として見る）ではなく、「……を見る」（猫を見る）の方である。あるいは、より日本語に即した言い方をするならば、「……が見える」（猫が見える）がふつうの知覚表現であり、ウィトゲンシュタインが問題にするアスペクト把握の表現は「……に見える」（猫に見える）であるだろう。まとめて確認しておくならばこうである。

⑴知覚表現――「……を見る」「……が見える」
⑵アスペクト把握表現――「……として見る」「……に見える」

両者の違いに関してまずきわめて興味深いことが指摘される。「何が見えるのか」は模写によって伝えることができるが、「何として見ているのか」あるいは「何に見えるのか」はそれでは伝わらない、という点である。

例えば私が窓の外の夕焼けの色や雲の形をあなたに伝えようとしたとする。ひとつのやり方として、私はその色や形を精確に写しとってあなたに見せる。そしてその写生は精確であればあるほど、私の見ているものを正しく伝えることができる。ところが他方、アスペクト把握の場合にはこのやり方が適用できないのである。典型的な事例として、あひる‐うさぎの反転図形を考えてみよう。

状況はこうである。私はその図形をうさぎとしてしか見ておらず、あひるの可能性には思い至っていない。それに対して、あなたは両方の可能性をすでに知っている。その上であなたは私に「君はいま何を見ているのか」と尋ねる。そこで私は先のやり方を適用する。精確な模写を示し、「これを見ている」と言うのである。だが、それは明らかに失敗に終わる。私がその反転図形を精確に写しとればとるほど、皮肉にも私の応答はポイントを失い、私の見ている「それ」がどれなのかが分からなくなっていくのである。

では私はどうすればよかったのだろうか。

私はむしろ、「説明のために、あらゆる種類のうさぎの像、そしておそらくは実物のうさぎを指し示し、その動物の生活について語り、あるいはその模倣をする」[58]といった応答をすべきであった。模写は与えられたものを精確に写しとるものである。だが、それを「何として」見ているのか、それが「何に」見えているのかは、たんにそこに与えられたものだけに留まっていては規定できない。例えばあひる‐うさぎの反転図形の場合、その図形を超えて、他のうさぎの絵、うさぎの実物、動き方、草原といったものたちとの連関性を捉えていかねばならない。

「うさぎとして見る」といった言い方で私は、その図形そのものについて何ごとかを報告しているというよりも、むしろそのときの私のそれに対する「見方」ないし「捉え方」を述べているのである。「……として見る」のこのような性格は、例えば「この木切れを飛車として使おう」といった言い方において如実に見てとられるものにほかならない。その木切れを飛車として使うということは、あたりまえのことだが、その木切れそれ自体をいくら精確に模写しても伝わることではない。「この木切れを飛車として使おう」という言い方でわれわれは、「この木切れを飛車の規則のもとに扱う」ということを伝えている。同様に、「うさぎとして見る」の場合にも、私はその図形を「うさぎ」の意味のもとに置くということを伝えているのである。ウィトゲンシュタインはこの点を次のように明確に述べている。

私がアスペクトの閃きにおいて知覚するのは対象のひとつの属性ではなく、その対象と他の諸対象との内的関係なのである(59)。

アスペクトの表現とは捉え方の表現にほかならない（したがって扱い方の表現であり、ある技術の表現なのである(60)）。

ここにおいて「アスペクト盲」の問題が生じる。われわれはなぜアスペクトの表現などを行なうのか。あるいは、われわれはどうして「見方」の表現などもつのだろうか。実際、われわれはふだん「見方」など意識せずにものごとを見ている。ほとんどの場合、知覚のあり方は「……を見る」ないしは「……が見える」と表現されるようなものであるだろう。だとすれば、アスペクト体験をもつことができない人間（アスペクト盲）がいたとして、そのような人は何を失うことになるのだろうか。

ハンソン的な解釈をするならば、アスペクト盲は知覚から意味が剝脱され、それゆえそのような人はたんなる混沌の戯れの内に放りこまれることになるだろう。だが、ウィトゲンシュタインの言うアスペクト盲は、「何かを何かとして見る」ことはできなくとも、たんに「何かを見る」ことはできるのである。アスペクト盲は「あの雲はなんだか猫に見える」とは言わない。そしてまた私が「この黒板消しをスリッパとして見てごらん」と促しても、何をしてよいのか分からない。タクアンを玉子焼きに見立てることもできない。それゆえ「長屋の花見」には参加できないのだが、ふつうの花見ならばできるのである。猫を見て「猫が見える」と言うことはできるし、「そこのタクアンをとって」と頼めばとってくれる。なんらかの見方のもとにものごとを見ることがまったくできないというのではなく、それをそのような見方で見ていることの自覚がまったくないのである。それゆえあえて言うならば、アスペクト盲とはわれわれ自身のごくふつうのあり方にほかならない。

私には、「……を見る」と「……として見る」はあたかも図－地反転の関係にあるように思われる。何かを見ているとき、私は必ずそれをある見方のもとで見ている。すなわち、それをある意味のもとで見ている。例えば机の上にコーヒーカップを見ているとき、私は、「机」という意味、「コーヒーカップ」という意味、そして「何かが何かの上にある」ということの意味、こうしたことの了解のもとにそれを見ている。しかし、「コーヒーカップ」という意味のもとにそれを見ているとしても、私はけっしてそれをコーヒーカップとして見ているわけではない。私はたんにコーヒーカップを見ているのである。意味をもたない知覚などありはしない。しかし、私は意味を見ているのではない。

他方、もしそれがアスペクト把握であるならば、私は意味を見ているのである。「意味を見る」がいかにも不用意な言い方であれば、むしろ「それが何を意味しているのかを問題にしている」と言ってもよい。すなわち、通常の知覚においてはある意味のもとに対象が主題化されている。私はコーヒーカップがどこにあるのかに関心をもち、それが机の上にあることを見出す。そのとき私の関心は自分の「見方」のようなものにはない。「コーヒーカップ」という意味はそこにおいてけっして主題化してはいない。しかし、例えば反転図形に対して「私はいまそれをうさぎとして見ている」のように言うとき、私は自分がそれを「うさぎ」という意味のもとに見ていることを、すなわち自分のその見方を、主題化している。

「意味」と「対象」という言い方で述べなおそう。対象は意味のもとにあり、意味もまた対象のもとにある。両者は不可分である。しかし、知覚のあり方に応じて両者の図－地関係は反転する。通常の知覚においては対象が意味という背景のもとに図化し、アスペクト知覚においては意味が対象という背景のもとに図化するのである。

いまやこれを「規則」と「言語使用」の関係として捉えることが許されるだろう。言語使用と規則は不可分である。そして通常の言語使用においてわれわれは規則を暗黙の了解としつつ、そこで何が語られ何が為されているのかに関心をもっている。他方、言語使用におけるアスペクト的体験においては、その言語使用における規則こそが主題化されるのである。

ここにおいて知覚と言語使用という二つの場面が出会う。そして、この出会いは実のところウィトゲンシュタインが当初から狙っていたことにほかならない。

この概念〔アスペクト盲〕の重要性は、「アスペクトを見る」という概念と「語の意味を体験する」という概念の関係の内にある。というのも、われわれは「語の意味を体験しない者〔ウィトゲンシュタインはそれを「意味盲」と呼ぶ〕には何が欠けていることになるのか」と問いたいからである。(61)

私が何ごとかを見、何ごとかを語っているとき、私はたんに自然な反応としてそうしているにすぎない。そこにおいて私は、自分が従っている意味や規則といった規範など意識してはいない。なめらかな行動と実践の中にあって、私はまさにアスペクト盲として、盲目的にそうしているのである。それゆえここに、先にも引用した次の主張がぴったり重なってくることになる。

規則に従っているとき、私は選択をしない。
私は規則に盲目的に従っている。(62)

だとすれば、ウィトゲンシュタインが次のように言うとき、それはある程度はうなずけるものであるだろう。

私が「意味盲」の場合を想定したのは、言語の使用において意味の体験はなんら重要性をもたないように見えたからであり、それゆえまた、意味盲はたいしたものを失わないように見えたからである。(63)

だがわれわれは、なるほど一時的にアスペクト盲的ではあるとしても、アスペクト盲ではない（それゆえ意味盲でもない）。アスペクト盲において、他の人々はたんにひとつの言語ゲームをともに盲目的に遂行するプレイヤー仲間というにすぎない。アスペクト盲には、自分の知覚と言語使用を揺るがす他者が決定的に欠けているのである。確かにそこにはクワス的可能性が排除され、均質化した共同体たる「われわれ」があり、実践における共同体の一致がある。だが、よどみを欠いた一枚岩の言語ゲームという非現実的な幻想は、他者性なき他者を現出させるにすぎない。同じ見方、同じ意味、同じ規範のもとに盲目的に生きる者たちは、かえってその規範の姿を見失うだろう。彼らは他の規範の可能性に対する感受性と想像力をまったく欠いているために、自分たちを特定の見方、特定の意味、特定の規範のもとに生きるものとして自覚することがない。たんに、自分にとって最も自然な反応、自然なふるまい方に従っているだけでしかない。

それゆえ、アスペクト盲の地平を「規範の独我論」と呼ぶこともできるだろう。独我論が徹底されることによって自我を消失させたように、規範の独我論もまた、徹底されることによって規範を消失させてしまうのである。

この最後の点において、ウィトゲンシュタインがどのような考えをもっていたのか、私にはもはや明らかではない。どちらかといえば、アスペクト盲はたいしたものを失わないと結論することによって、さらに規範の独我論へと引き込まれていきそうな方向を、私はウィトゲンシュタインに感じる。例えば、「意味体験（Bedeutungserlebnis）」という用語をウィトゲンシュタインが肯定的に自分の引き受けたい思索を表現する言葉として採用することなど、とてもありそうにないことである。少なくともこうした用語を用いるとき、ウィトゲンシュタインは言語使用からこうした要素を切り捨て、それゆえ甘んじて「意味盲」たらんとしているように思われる。つまり、ここにおいてウィトゲンシュタインは新たな局面の独我論に踏み込んでいるように私には思われるのである。

だとすれば私は、もうウィトゲンシュタインの辿った道から別れて進んでいかなければならないだろう。

18　反転する世界

「心」はどこにあるのだろうか。

再びこの問いに戻ろう。そして、アスペクト概念を「心」に結びつけることによって、この問いに答えるよう試みてみたい。

ある人の死を悲しむ。これに対して常識的には、他人の死は「外」のできごとであり、悲しみはそれに引き起こされた私の「心の内」の状態であるとされるだろう。しかし、ここに言われる「内」と「外」とは比喩でしかない。心臓は確かに皮膚の内側にあるが、「心が意識の皮膜の内側にある」というのは意味不明でしかない。

見渡してみよう。

目を開き、軽い頭痛を感じ、なんとなくやりきれない気分で、どうでもよいことをあれこれ考えている。どれが「外」で、どれが「内」なのか、その境目はどこにあるのか。コーヒーを飲もうと思って台所に行く。そのときの私の意志や意図はどこにあるのだろうか。「外」の世界を歩く私の「内」に意志や意図が隠されている？　だが、その「内」とはどこのことなのか。私はただこの世界の眺めに晒されているだけでしかない。世界から切り離された感覚も思考も意図も存在せず、逆に、感覚や感情や思考や意図から切り離された世界も存在しない。私がある人の死を悲しむとき、死という客観的事実が私の心に悲しみを生み出すというのではなく、その死が私にまさに悲しみの表情で現われてくる。あるいはまた、これから角を曲ろうというとき、向こうの曲がり角の風景にそこを曲ろうとする意図という心理状態が伴うのではなく、少しあとに曲るべき角としてその風景は私に現われるのである。世界はそもそも表情に満ちており、世界と表情とを切り離すことなどできはしない。[64]「相貌中立的な世界」という想定もまた、ある観点（例えば自然科学的観点）から見られたかぎりでの世界の一相貌にほかならない。

それゆえ、ひとはそれぞれさまざまな世界の眺めに晒されていることになる。では、ひとによって住んでいる世界が異なるということになるのだろうか。いや、この点は慎重に検討しなければならない。さまざまな世界の眺めがこの一つの世界の多様な眺めにほかならないことを言うために、眺めを超越した実在世界のごときものを引き合いに出したのでは、再び「内と外」の二元論的比喩に逆戻りである。そうではなく、そうしたさまざまな世界の眺望に晒された人々の間のコミュニケーションにおいて、ものごとへの指示が共有されること、そこにこそ一なる世界の基盤すべてがあると考えるべきだろう。

あひる‐うさぎの反転図形を例にとってみよう。私にはうさぎに見えているその図形が、ある人にはあひるに見えている。そのとき私は、「君にはこれがあひるに見えるのか」と言う。このやりとりにおいて、「これ」という指示が成立し、対話者の間で共有されることは決定的である。

もちろんそこに相貌中立的な何ものかがあるわけではない。指示された「これ」はおそらく「なんらかの図形」という相貌のもとに現われており、そのレベルにおいて対話者は指示を共有している。それゆえ、もしいっさいの相貌が共有されえない劇的に異なる人と出会ったならば、そこではいかなる指示も成立せず、ともにこの一つの世界に住んでいるとさえ言えなくなるに違いない。それゆえ、「一つの世界」が崩壊し、複数の世界が現出する可能性は否定しえない。

しかし、ことはもう少しやっかいである。いったい、他の世界に住んでいる人を、そもそも私はなんらかの世界に住んでいる人として認めうるだろうか。完全に私と異なる秩序のもとに住む人は、私には無秩序のもとに崩れ落ちた人と変わるところがない。それゆえ、完全に隔絶された異世界は、端的に視野の外の不可視のものとして、むしろ存在を抹消されるのである。だが、だからといって、私と他者とで隅々まで一つの世界が共有されることになるわけでもない。

こうした点において、他者とのコミュニケーションのあり方は次のような段階をもつと思われる。

第一に、指示が共有され、相貌も共有される場面。第二に、指示は共有されるが、それを異なる相貌のもとに捉えている場面。そして第三に、相貌はもちろん、指示すらも共有しえない場面。これが同一人物との対話において混在し、連続的につながっていきうるのが、われわれの実際であるだろう。とくに、素人と専門家の対話、あるいは信仰の外の者と内の者との対話等において、そうした構造は強調されてくると思われる。世界とは、単一のものでも多世界的並存でもなく、部分的共有と発散という柔らかな構造をもつものなのである。

とはいえ、他者とのズレの第三段階、すなわち、相貌も指示も共有しえない場面では、私はただ当惑するしかないだろう。われわれの言語はさまざまな仕方で人々の間の不一致を安定的に吸収しようとする仕掛けをもっている。私の考えでは「心」もまたそのような言語の仕組みにほかならない。しかし、指示も相貌も共有しえないのであれば、われわれの言語はもはやその不一致を吸収する仕掛けをもっていないのではないだろうか。その分裂が局地的であれば、せめて指示の一致だけでも回復しようとしてわれわれは何ごとかを為すだろう。しかし、この劇的な不一致が広範なものとなり、相手が何を指し示して語っているのかさえ分からない状況では、私はただその人が混沌に落ち込んでいるか妄想にはまりこんでいるとみなすしかない。そのとき、その人の「心」を忖度（そんたく）する余地は失われてしまうだろう。

日常的には、第二段階のズレ——指示を共有しつつ、それを異なる相貌のもとに捉えている場面——がごくふつうに観察される。そして私は、「心」と呼ばれうる現象はすぐれてこの段階のズレに関わることではないかと考えている。すなわち、何を指し示しているのかは一致するのだが、見てとっている相貌が異なる場合に、その差異を吸収しようとしてわれわれが言語の内に用意してきた仕掛けこそが、「心」という概念だと思うのである。

例えば、ある犬をかわいいと感じるかこわいと感じるか、それはその犬への指示を共有しつつ、なおその犬の相貌が発散している場面にほかならない。あるいは、ある芸術作品に対してひとそれぞれの感想を抱くのも、その作品への指示を共有しつつ、その相貌が発散しているということだろう。意図も同様である。私がやがてそこを曲るものとして見ている角を、意図を共有していないもう一人は、真直ぐ進むべきものとして見ている。それもまた、世界の相貌の発散にほかならない。これらは、比喩ではなく文字どおりの意味で、反転図形と同じ、相貌の反転現象ではないだろうか。世界は反転図形であり、他者が晒されている異なる世界相貌こそが、他者の「心」と呼ばれるものなのである。

ここにおいて相貌は「アスペクト」として捉えられ、そしてアスペクトにおいて顕在化してくる「意味」に対して、規則を巡る諸考察が接続される。われわれは規則のパラドクスの教訓を受け継ぎ、知覚における「意味」の脆さに気づかねばならない。知覚にこめられた意味はけっして一枚岩のものではなく、また「意味」なる何ものかとしてイデア的にそこに存在しているものでもない。以下、アスペクトの「多重性」「多相性」「不確定性」という三点に関してそのことを確認しておこう。

(1) 多重性

目の前の茶碗を私が捉える場合でさえ、それは単一のアスペクトではない。問われるならば、そこにさまざまなアスペクトが開けてくるだろう。お茶を飲む道具として、思い出のあるだいじなものとして、洗い場に出して洗わねばならぬ汚れ物として、落とせば割れるだろうものとして、……。問われねば顕在化することもないそうした諸々のアスペクトが、ひとつのもののもとに畳み込まれている。そしてまた、こうしたアスペクトの「多重性」は心に関わる他の場面にも現われる。例えば、失恋の悲しみも、たんに「失恋」というひとつの理由が切り出されて事足りるわけではない。自責、理不尽さ、恋敵への敗北等、さまざまな理由がそこに畳み込まれているだろう。あるいは意図も同様である。私は窓を開けて外を見ようと意図するが、そのとき同時に風を入れて換気しようと意図してもおり、また少し気分転換しようとも意図している。それはさらに書きあぐねている原稿の先を進める意図でもあり、風を味わうためでもある。ひとつの行為の内に複数の意味がこめられている。それは、複雑な社会的実践であればなおさらだろう。さらに、行為にみられる意図の多重性は、当然のように言語行為においても現われてくる。われわれはひとつの発話に複数の意味を織り込む。それがふつうの言語行為のあり方であるだろう。いわば、一つの発話によって複数の言語ゲームに関与するのである。

あるひとつの対象ないしできごとに織り込まれた意味ないし規範の複数性、それがアスペクトの多重性にほかならない。

(2)多相性

多重性に加えて、アスペクトは多相性をもつ。すなわち、あるものごとは、つねに私が関与していない他者の観点からの相をも有している。例えば、私のだいじな茶碗を灰皿とみなして無造作に煙草の灰を落とす人がいるかもしれない。私の悲しみを経済的損得勘定の観点から理解する人がいるかもしれない。あるいは私が窓を開けたことを外の誰かへの合図と捉える人がいるかもしれない。それは、私がうさぎと見ていた図形をあひると見る他者の登場と同じである。その意味で、世界相貌は私の思ってもいなかった相へと反転しうる反転図形にほかならない。そして、この世界相貌の多相性において、かつての他我問題がまったく見落としていた他者、「規範の他者」の次元が開かれてくるだろう。

(3)不確定性

多重性と多相性とをもった相貌世界のひとつひとつのアスペクトに関して、なおその意味の不確定性が指摘されねばならない。規則のパラドクスを巡る議論が示したように、意味はその適用たる行為の一歩ごとに対話者相互の場において作られるものにほかならない。極端な話、いま私がそれを「茶碗」として見ているとして、その「茶碗」の意味はなお不確定なのである。そのことは、例えば、ある作品を「よい」作品と見ていたとしてもその「よさ」の意味は必ずしも確定していないといった事例においてすなおに受け入れられるだろう。そして、同型の構造はあらゆる意味に及んでいる。「茶碗」であれ「よさ」であれ、あるいは「食事をしよう」という意図内容であれ「失恋の悲しみ」であれ、その意味内容はそのアスペクト把握が為された時点で確定するわけではない。さらなる行為、さらなる他者との交渉においてその意味の輪郭は再確認され、描き込まれ、また修正されうるのである。

多重であり、多相であり、不確定である相貌世界において、私とアスペクトを共有しない他者が姿を現わす。そのときこそ、私は世界の眺めに対する自分自身の意味相貌に気づき、そしてまた他者のアスペクトを理解しようとする。それこそが、「心」と呼ばれるものにほかならない。

そうだとすれば、ウィトゲンシュタインが想定したアスペクト盲に対して、われわれはここでひとつの帰結を引き出さねばならない。アスペクト盲には「心がない」のである。

もちろん、アスペクト盲といえども悲しみはする。だが、考えてみていただきたい。あるできごとに対して、もし誰もが同様の悲しみを覚えるとしたら、どうなるだろうか。そのとき、悲しみはたんに「できごとの性質」であるだろう。例えば、「夏の午後にビルの六階で起こったできごとである」といったことがいささかも「心」に関係づけられることがないように、アスペクト盲にとってそれが「悲しいできごと」であることもまた、「心」とは無関係なできごとの特徴にすぎないものとなる。われわれが「悲しみ」を心の中に引き込もうとするのは、悲しまない他者がいるからであり、また、同じできごとに対してさまざまな理由で悲しむ人たちがいるからである。それが反転の可能性をもたないならば、たとえ悲しみであってもそこにはもはや「心」の出る幕はない。逆に、反転の可能性があるところでは、それが「コーヒーカップである」ことでさえ、「心」に属することとされるに違いない。

19　自己知の謎

アスペクト論の視座のもとに、自己知の問題にアプローチしてみよう。

自分が自分自身について何ごとかを知るということは、例えば私が自分の部屋の状態について何ごとかを知る場合とは異なる独特の性格をもっている。私の部屋のようすであれば、誰であれ入り込んで仔細に調べることができる。かりにそれに対して私になんらかの優位性があるとしても、それはたんに私がその部屋の住人であり、誰よりも私がその部屋のことを熟知しているからにすぎない。だが、私が私について知るということには、そんなたまたまの優位性ではなく、どうしたって私でなければならない何かがあるように思われるのである。すなわち、哲学においてしばしば「一人称権威」と呼ばれるものがそこにはあるように思われる。問題は、この一人称権威と自己知のあり方を明確にすることにある。

　ただしここで、自己知の議論において心についての知と身体についての知とを区別しておくべきだろう。例えば私が自分の膝の関節の具合について知る場合、すでに論じたように、そこには二重の知り方がある。まず私は、自分の膝のようすを医者が観察するようにして観察することができる。それは部屋のようすを知る場合と同様の知り方であり、そこには素人と専門家の違いという偶然的な優位性こそあれ、一人称権威は見出せない。他方、私は膝に痛みを感じており、その痛みにおいて自分の膝に何か異常があることを知る。その場合には、それはけっして医者の観察のような知り方ではない。そしてその場面では、確かに一人称権威が見られることになる。私が痛みを訴え、それによって何か身体的な異常を訴えているにもかかわらず、他人がそれを否定することはできない。

　そこで、こうした知のあり方を次のように分類することができる。まず部屋のようすを調べたり、関節の具合を観察したりする場合のように、一人称権威が見出せない知識のあり方。それを「世界知」と呼ぼう。そしてそれに対して私が自分の膝に痛みを感じることにおいて身体の異常を知る場合や、私の心について何ごとかを知る場合のように、そこに一人称権威が見出せる知識のあり方。これを「自己知」と呼ぶことにする。そうすると、身体についての知は自己知と世界知の両面をもっているということになる。そして自己知は、そのような身体についての自己知と、心についての自己知とに区分される。ここで論じてみたいのは、心についての自己知とその一人称権威のあり方についてである。

「一人称権威」なる現象がいかなるものであるのかについては、けっして明確な理解が得られているわけではない。まず、問題となることがらを整理してみることから始めよう。

　第一の問題は、一人称権威とは――その見かけに反して――けっして私だけが接近しうる私秘的特権領域の存在を意味するものではない、という点である。一人称権威の存在は、内界‐外界の二元論的描像へとしばしばわれわれを導いてきた。世界＝外界に対しては、誰もが権利上平等に開かれている。だが、心たる内界に対しては、その内界の持ち主のみがそれに接近可能となる。「心の中」という私秘的領域があるゆえに、認識論的な一人称権威が生じる、というわけである。だが、私はもう内界と外界の二元論をとるつもりはない。それゆえ、自己知の一人称権威とは内界に対する認識論的特権ではありえないと考えている。

　他方、内界と外界の二元論への批判として、例えば行動主義のようにそもそも一人称権威を拒否するような議論もある。しかし、私はそのような議論も性急であると考える。一人称権威は事実として存在する。しかしそれは内界という一人称的特権領域を要請するものではない。では、それはいかなる特権性なのか。これがなによりも問題とされねばならない。

　第二に、一人称権威の「特権性」をどのように捉えるかが問題となる。それは絶対的な特権性ではないように思われる。確かに一人称と三人称の間の非対称性は認められるのだが、しかし、自分のことは自分がいちばんよく分かっているというほど単純なものではない。いわんや、自己知が絶対確実であるなどということもない。それは誤りうるものであり、他者によって訂正可能なのである。だが、そのことを認めつつ、なおいかなる特権を一人称に付与しうるのか。ここにおいてわれわれは、一人称権威のもつ「確実性」と「不確実性」とを適切に定位せねばならない。

第三に、自己知の一人称権威という問題状況の把握の内に、すでにしてある重要な偏向が隠されていることを見逃すべきではない。ここで言われた人称的非対称性とは一人称と三人称との間の非対称性にほかならない。ならば、問題設定の内に二人称がきれいに抜け落ちているのである。私にはこれは致命的な欠落であると思われる。それゆえ、われわれの問題は、「自己」と「心」について一人称‐三人称の非対称性を内界と外界の二元論に陥らずに適切に捉えるということだけではない。そこにおいて、二人称的あり方を正当に立ち上がらせること、これをわれわれは確かに押さえておかねばならない。これが、一人称権威を巡る第三の問題である。

そして私の答えの方向は、もうお分かりだろうが、自己知をアスペクト把握として捉え、自己知の一人称権威をアスペクト把握の一人称権威として説明する、というものとなる。では、アスペクト論のもとに、自己知の一人称権威を巡るいまの三つの問題に実際に答えるよう、試みてみよう。

まず第一に、アスペクト把握に一人称権威が見出されることが確認される。例えば、あひる‐うさぎの反転図形に対して、私が「私はこれをうさぎとして見ている」と発言したとする。そのとき、他人がこの発言を訂正するのは、まったく不可能ではないにしても、きわめて困難となる。なによりも注目すべきは、「私はうさぎとして見ている」という私の発言と他人の「私はあひるとして見ている」という発言は対立したままで安定しうる、という点である。これが「うさぎ〈が〉見える」と「あひる〈が〉見える」の対立であるならば、「本当はどちらなのか」ということを巡って対立し、その対立はさらなる観察によって、すなわち近づいてみたり回り込んでみたり、その視点位置をさまざまに変えてみることによって解消されねばならない。だが、私が「うさぎに見える」と言い、相手が「ぼくにはむしろあひるに見えるけどな」と言えば、それはどちらが本当ということもない。しかも、その対立は視力のような身体状態の差異に解消されるものでもない。アスペクトの差異は、視点位置の差異でも身体状態の差異でもない。すなわち、それは眺望点の位置の差異には解消されえず、それゆえアスペクトは世界の眺望ではないのである。

ここに、私がアスペクトの差異を「心」に属することと捉える理由がある。例えばそこに茶碗があるとする。「茶碗がある」とか「その茶碗は少し欠けている」のように言うとき、それは事実報告である。ふつうわれわれは事実報告のレベルでコミュニケーションを行なっている。だが、世界は反転する。その茶碗は私にとっては思い出のある貴重な茶碗であるが、他の人にとってはたんなる古いつまらない茶碗でしかない。あるいは人によっては灰皿に見えるかもしれない。その異なる見方が顕在化したとき、われわれはアスペクト報告を行なう。そしてそこに、心が開けるのである。「私の心」についての知とは、まさにこうした世界のアスペクトの知にほかならない。それは、外界に対する内界の知ではなく、あくまでも外界に関する知、ただし「何が見えているか」ではなく、むしろ「いかに見えているか」の知なのである。そして、自分が世界をどのような相貌のもとで見ているのかというアスペクト報告に見られる一人称権威が、心に関する自己知の一人称権威にほかならない。――これが、第一の問題に対する解答である。

次に、第二の問題はこう問いかける。なぜ自分のことなのに、分からなかったり、まちがえたり、さらには他人に教えられて初めて気づいたりすることがあるのだろう。私はときに、自分の感情を測りそこねたり、自分がどういうつもりでそうしているのか、その意図が分からなくなったりする。これはつまり、どういうことなのか。

これに対しては二つの点から答えよう。

第一に、アスペクトは多重であり、多相であり、かつ不確定であるという事情がここに効いてくる。例えば私が失恋の悲しみを感じているとき、その悲しみには複数の理由があり、また悲しみの理由となった彼女の行為のアスペクト（なぜ彼女はあのとき電話に出なかったのか）についても私は揺らいでいるかもしれない。こうした多重性と多相性は明らかに自己知を錯綜したものにするだろう。

そしてなによりも、自己知の不透明性に直接関わってくるのはアスペクトの不確定性である。規範の意味は行為に先立って確定しているわけではない。ある状況のもとで私がどのように行為を選びとるかこそが、規範の意味をそのたびごとに定めていくのである。それゆえ、自分が世界をどのようなアスペクトのもとに捉えているかということも、一瞥（いちべつ）してその全貌が明らかになるようなものではありえない。たんに失恋して悲しいというだけでなく、さらにそこから私がどう踏み出していくのかがその悲しみの相貌を描き込んでいくことになる。アスペクトは全貌をもたず、それゆえ自己知もまた全貌をもたない。自己知は完結しえないのである。

第二に、われわれが通常はアスペクト盲的でしかないという事情がある。例えば、まったく順調に行為しているとき、私はその行為における自分の意図を意識していない。私はただ台所に行き、コーヒーを入れる。そのとき私はけっして「コーヒーを入れよう」という意図を表立って意識しているわけではない。私が意識しているのはむしろどのくらい豆を入れようかといったことである。一般に私が世界の相貌のアスペクトを意識するのは、私とアスペクトを共有しない他者が現われ、アスペクト反転の可能性に気づいたときでしかない。それゆえ、アスペクトに関する自己知は、どのような他者が私の前に姿を現わすかということに依存しているのである。

アスペクト把握に他者の存在が不可欠であるということは、第三の問題に対する解答へとつながっていく。――二人称としての「あなた」が私の自己知において果たす役割は何か。――これに対して結論的に述べてしまうならば、アスペクト把握に不可欠な他者は、二人称的なあり方をするほかない、というものとなる。しかし、ここには立ち止まってもう少し検討しておきたいことがある。多少迂回しつつ進むことにしよう。

まず、「単相状態」と「複相状態」という概念を導入しておきたい。例えば、ふつうに「茶碗をもってきて下さい」と頼み、茶碗をもってきてもらうとき、そこでは指示も相貌も共有されている。そこで、そのような状況を「単相状態」と呼ぶことにする。それに対して、同じものを指示してはいるのだが、しかしその相貌が私と他者とで異なるとき、それを「複相状態」と呼ぶことにしよう。(65)

私と他者とが単相状態にあるかぎり、両者は同じ世界に住み、しかもアスペクトの発散が生じていないため、心に関わるコミュニケーションも開かれてはこない。心が問題になるのは、あくまでも複相状態においてである。複相状態において初めて、いかなる相で世界が見られているのかが問題になり、アスペクト報告が為される。それゆえ、アスペクト報告はあくまでも複相状態を前提にして為される。例えば、あひる‐うさぎの反転図形において「うさぎに見える」とか「うさぎとして見ている」という言い方が為されるのは、あひるにも見えるといった他の見え方の可能性が知られているからにほかならない。実際、木陰にうさぎが見えたときには、私はたんに「うさぎが見える」と言うのであり、眺望点が問題にならないのであれば、知覚報告の形式さえとらずたんに「うさぎがいる」と言うだろう。

そこで、複相状態におけるアスペクト報告の対立の現場を、より立ち入って調べてみよう。例えば、私が「かわいい」と言った犬をある人は「こわい」と言うとする。この対立は、ふつう、その人が「臆病」などと言われることでそのまま安定するだろう。臆病という性格をその人に帰属することは、こうしたアスペクト対立を対立したままで安定させるためのわれわれの言語実践のひとつのやり方である。だが、この平凡な事例においてさえ、なお追求すべきわれわれの言語のメカニズムがある。ある人に臆病さを帰属させることは、もっと全体的な考慮に基づいているのである。いったいその人はあらゆるものをこわがるのか、それとも何か特定のものだけをこわがるのか。もしその人がとくにその犬だけを恐れ、他のいかなるものも恐れなかったとしたら、例えば、多少誇張した例をとるならば、その人は実は勇猛な好戦家であり、猛獣をも恐れぬ人間であるのに、その犬（ポメラニアン！）だけを恐れるとしたら。その場合、私はその人の「こわい」という発言をなお不可解なものと感じざるをえない。その人は臆病以外の何ものかであるに違いない。「いったい君はあの犬に何かこわい目にあわされたのか」、例えば私はそう尋ねるだろう。そして私は、さらにその人の記憶や信念を探ろうとする。こうしてアスペクト理解のコミュニケーションが開かれるのである。

ここにはさらに問われていくべき重要な問題がある。いったいアスペクト理解のコミュニケーションはどのようにして為され、どうなったときに成功とされるのか。しかし、いまはその点は棚上げにしておくことにしよう。ともあれ、われわれは相手のアスペクト報告を理解しようとして、その人のアスペクト連関のあり方を浮き彫りにしようとする。そして、例えばある人の「こわい」という発言が私の「腑に落ちる」形で位置づけられるような連関性のネットワークが示されたならば、私はその人を理解することに成功したというわけである。

そこで、こうしたアスペクト理解のコミュニケーションにおいて、アスペクト報告の一人称権威にひとつの制約が課されることになる。すなわち、「アスペクト理解の試みが不首尾に終わったとき、一人称権威は棄却される」という制約である。例えば、「なぜ悲しいのか」と私が問い、それに対して「失恋したから」と答えられるとき、私はそれを理解し、その人のその捉え方を尊重する。これに対して、「なぜ悲しいのか」という問いに対して「今朝ウチの前を人が通ったから」と答えられたとしよう。私はそのままではそれを理解できない。そこでさらに「なぜ」と問うだろう。ひとつのつまらない答えは、「通らない方に賭けていたんだ」というものでもあるだろうが、つまらなくとも、それはそれで一応腑に落ちる形になる。だが、腑に落ちる説明がいつまでたっても与えられないとしたら、私はけっきょくその人が受け取っている悲しみの相貌を理解できず、その人のアスペクト報告にいかなる一人称権威も認めることはできない。

あるいは、ある人が一本のペンをかかげ、「これは神との交信装置なのだ」と主張したとする。これは私がいま受け取っているアスペクトとはまったく異なっている。もちろん、だからただちに理解不可能というのではない。私は自分と異なるアスペクトをも拒否せずにその人のアスペクトを理解しようと努力するだろう。それは、その人が立っている意味秩序、アスペクト連関をその人の観点から描きだそうとする試みである。だが、それがいつまでたってもうまくいかず、成功の見通しさえたたないのであれば、私はけっきょくその発言を理解することができない。そして理解できないものに対しては、意味付与の一人称権威を認めることもできないのである。

理解できなくとも、その人がそう言うのだからそこには何か意味があるのだろうと考えることはある程度は正しい。日常的な場面においては、それはおおむねその人を理解してつきあってきた私のその人に対する信頼である。しかし、アスペクト理解のコミュニケーションの可能性がもしまったく失われてしまったならば、それでもなお何か意味があるはずだと考えることは、「意味」という幻想への囚われにほかならない。意味とは、少なくとも対話者間で共有されねば、意味それ自体として存在することなど許されぬものである。一枚岩の公共言語が天下り的に与えられるというようなことはありはしないが、しかし、まったく私的なものでもありえない。それが「意味の公共性」あるいはむしろ「意味の相互性」にほかならない。意味とは、それゆえ、さしあたりは対話者である私とあなたとで作り上げるものなのである。ここにおいて、アスペクト報告の一人称権威が、意味の相互性という二人称的制約を受けることになる。私が私の特権性を発動するためには、なによりもまずあなたに理解してもらわねばならない。

それゆえ自己知は、私と異なるアスペクトに晒された他者を要求し、そしてそのアスペクト理解のコミュニケーションにおいて相互的に意味が作り出されていくことを必要とする。私と異なりつつなお理解しあおうとする他者の不在は、そのまま自己知の喪失を、それゆえ自己の喪失を意味するだろう。

最後に、統合失調というあり方についてコメントしてみたい[66]。「適応過剰」という現象がある。宮本忠雄によれば、「今日では適応不全ではなく適応過剰のほうが神経症にたいする病因的可能性をつよめてきている[67]」ということである。これはわれわれの議論の脈絡から見てもきわめて興味深い現象と言える。

例えば「適応」ということが、その土地の気象条件への適応といった意味であれば、おそらく「過剰な適応」という概念は生じなかったはずである。ある自然条件のもとでの生存において、適応は完全に望ましいものであり、「適応しすぎ」ということがあるとは思えない。それゆえここで問題になる適応とは、自然的なものではなく、規範的な適応にほかならない。人間の社会が生み出した規範に人間が「適応」する。そしてそこに、規範の病が忍び込むのである。

規範への過剰な適応は、言語ゲームのよどみを消失させる。規則に従ったコミュニケーションは為されるが、規則の意味を理解すべく為されるコミュニケーション、すなわちアスペクト理解のコミュニケーションはもはや為されない。これは、組織人となることによって個性を失うとか、外面的統御の強化によって内面的空虚が生じるといった捉え方よりももっと深い現象にほかならない。宮本はそれを「意味への意志」における緊張として捉えている。「人間の心にはつねに「意味への意志」が宿っているのだが、この意味志向性が充足されないままでいれば、やがて精神因性神経症を引き起こすほどの病因となる[68]」。われわれはもはやアスペクト盲に甘んじていることができない。適応過剰によってアスペクト盲たることを強いられ、そうして意味の消失の淵に立たされつつも、なお意味への意志は消えはしないのである。かくして、意味への意志に突き動かされたアスペクト盲は、意味の再編成へと向かう。

統合失調においては、通常の文法的意味秩序が解体して、なんらかの類似による意味の関係づけが増殖し、妄想の世界が展開する。だが、われわれは忘れてはならないだろう、そもそもわれわれの住む相貌世界とは多重、多相、不確定なものなのである。その中でわれわれの生きている意味に輪郭を与えるものは他者との出会いであり、他者と為されるアスペクト理解のコミュニケーションにほかならない。そこで他者が姿を消してしまったならば、もはや多重、多相、不確定の自覚もないままに、意味の輪郭は揺らぎ、ほしいままの形を求めるだろう。いわば、意味への意志を燃やしつつ、他者を失い、意味形成の場を失ってしまった者、それが統合失調患者のひとつの姿ではないだろうか。

実際、統合失調患者はきわめてアスペクト盲的であるように思われる。彼らは観点を自由に変換させることができない。すべてを自分との関係において理解し、他の観点を理解しない。もはや彼らはアスペクト理解のコミュニケーションに参加することができないのである。あるいは、統合失調的気質をもった芸術家たちと統合失調患者との差異はそこにあると言えるかもしれない。芸術家としてわれわれの共同体に留まっている者は、自らの生み出した新たな意味をアスペクト理解を求めるコミュニケーションの場に投げ出し、われわれに問いかける。逸脱しつつ、なお意味の相互性をつかもうとする、この綱渡りが芸術家に課されている。しかし、アスペクト盲たる統合失調患者にはもはやその力はない。

かくしてわれわれは、統合失調に陥った者の孤独がわれわれの凡庸な孤独とまったく異質であることを理解する。共同体と実践を共有しつつ、なおそこにおいて積極的な役割を果たしえていないがゆえの疎外感が平凡な意味での孤独であるならば、彼らは「意味の疎外」を被っている。それはもはや孤独というよりも「異邦人」である。いかなる共同体にも属さぬというのみならず、アスペクト理解のコミュニケーションから遮断され、他者に理解を求めることも、自らを理解することもかなわなくなった、真に寄る辺なき異邦人なのである。

III　行為の意味

20　行為のアポリア

他者を理解すること。それはなによりもまず他者の行為を理解し、他者の言葉を理解することにほかならない。それゆえ他者とは、言うまでもなく、自らの意志によって自由に行為する他者である。それはたんに梢が風のままにそよぐような運動でも、動物が目の前の獲物に条件反射的に飛びつくような本能レベルの行動でもない。

——だが、「自らの意志によって」「自由に」行為するとは、いったいどういうことなのだろうか。他者の行為を理解すること。われわれはここで思いもかけない錯綜した議論の中へと分け入っていかねばならない。まず、ひとつのアポリアを提示することから、その扉を開いていこう。

手を上げてみる。私が為したのである。しゃっくりが出る。私が為したことではない。しゃっくりは私の身体に起こったことではあるが、私が自分の意志で為したことではない。その違いは明白であるように思われる。だが、どこが違うのか。

さまざまに起こるできごとは「誰かが為したこと」と「誰が為したのでもないこと」に分類される。風が梢を鳴らすのはいまのわれわれの見方では誰が為したのでもないこととみなされるだろう。では、猫が伸びをするのはどうか。それは猫の行為なのだろうか。それともたんなる自然現象なのだろうか。

猫論争が起きたとしてみよう。ある人はミケが伸びをするのはミケの行為だと主張し、ある人はそうではないと言う。甘えてすりよってくるのは意志によるが、寝起きに伸びをするのはたんなる条件反射だ、と。またある人は猫にはそもそも意志などありはしない。すべては状況に引き起こされた自然現象にすぎないと主張する。あるいは、うちのタマには意志があるが、おたくのミケにはないと言う人さえいるかもしれない。

問題は、どれが正解かではない。この論争はどういう質（たち）のものなのか、それが問題なのである。例えば未知の惑星に降り立ったとする。そこで出会った一個の生物のごときものをとりあえずは「ポチ」と呼ぶとして、「ポチに意志はあるのか」と問う。問題は、どのような場合にこの問いにイエスと答えられ、どのような場合にノーと答えられるのかが分からないという点にある。というのも、たとえ解剖してみたところで意志なる何ものかが見つかるみこみはないからである。それゆえおそらくこの問いは自然科学的問いではない。惑星探査隊の科学者がどれほど詳しく調べても、それで決着のつく問題ではない。だが、だからといって無益無用の問いというわけではない。あるものに意志があるのかないのか、あるできごとは誰かが為したことなのかそうではないのか、これはきわめて重要な違いとなるだろう。だが、それはどういう違いなのだろうか。

私が扉を開けるとき、扉が開いたことの原因は私にある。これは率直な実感である。これに対して、何かの拍子に扉が開いてしまった場合、それは私が開けたのではない。「私が開けた」と言えるためには、扉が開いたことの原因は私であらねばならないだろう。もし原因が彼にあるならば「彼が開けた」のであり、風が原因で開いたならば、われわれの通念に従えば、それはそもそも誰の行為でもない。これは、とりたてて言うまでもないあたりまえのことに思える。しかし、このあたりまえのことが、もう一歩踏み込んでみると謎めいてくるのである。

なによりもまず、「私が原因となって扉が開いた」という言い方で何が言われようとしているのか、その意味が問われねばならない。例えば、私が突然意識を失い、倒れるときに扉を押して、それで扉が開いたとしよう。ある意味ではこれもまた、「私が原因で」扉が開いたことだと言われるかもしれない。しかし、これはけっして「私が扉を開けた」と言われうるような、私の行為ではない。だとすると、たとえ私に生じたできごとが原因でさらなる結果が生じたとしても、何か私のあずかり知らぬ形で生じてしまったできごと（失神、痙攣（けいれん）、あるいは催眠術にかかった状態等）が原因である場合には、それは私の行為と呼ぶにはふさわしくないということになる。

　では、私が扉を開ける場合、それはどのような意味で「私が原因」であり、それゆえそれを私の行為とみなせるのだろうか。

　答えはおそらく、私が腕をのばし、それによって扉が開いたから、というものだろう。それも、私の腕が痙攣を起こし、その運動で扉が開いたのではなく、私は私の行為として腕をのばし、その結果として扉が開いたのでなければならない。だが、もしこのように説明されるのであれば、たんに問題は先送りされただけでしかない。こんどは、「私が腕をのばす」という行為について同じ問題が問われねばならない。

　先の問いがまた繰り返される。

　私は腕をのばす。これに対して、痙攣などによって私の腕がまっすぐにのびてしまうこともありうる。その場合には私が腕をのばしたのではない。では、「私が腕をのばす」と言われるためにはさらに何が言われねばならないのか。そしてこれに対して、「痙攣などが原因なのではなく、まさに私が原因で私の腕がのびたのであれば、そのとき私は私の腕をのばしたのだ」と答えられるならば、われわれはそこで再び問わねばならない。「私が原因で私の腕がのびる」とはどういうことなのか。

　私の腕がまっすぐにのびたことが私の行為であるとされるために必要とされる原因、それこそが私の意志だ、そう言われるかもしれない。そうすると、私の腕がのびたことに先立って、私は私の腕をのばすよう意志し、それが原因で私の腕がのびるというできごとが引き起こされたのだ、ということになるのだろうか。

だが、「私の腕をのばすよう意志する」とはどういうことなのだろう。私にはなによりもまずその点がよく分からない。たんに腕をのばそうと意志するだけで、ほかに何もしないということを試みていただきたい。いったい何をすればよいのだろうか。「腕をのばそう」とつぶやくこと？　そうではないだろう。私はふだん腕をのばすときにそのようにつぶやきはしないし、つぶやいたところで、それだけではいささかも意志することではない。同様に、腕をのばすところを想像してみることもまた、意志することではない。いったい、「意志する」とは「何かをする」ことなのだろうか。「合図とともに一分間だけ腕をのばすよう意志してみよ」と言われたとしても、当惑するしかない。私には、「意志する」という心的な行為などありはしないとしか思えないのである。

さらに、こちらの方が深刻なのだが、かりに意志するという心的な行為があったとしても、事態はまったく進展しないのである。例えば、いま議論のために、「腕をのばすことを意志する」とはまっすぐにのびた腕をイメージすることだと仮定してみよう。そしてわれわれ人間は、そのようにイメージするとそれが原因で実際に腕がのびるという傾向をもっているとする。そのとき私は腕をのばそうと思って、まずのびた腕をイメージし、結果として腕が実際にのび、そして私はその結果に満足する。なるほど、いま想定しているような事情のもとであれば、これに対して「私は私の腕をのばした」と記述されもするだろう。しかし他方、腕がのびたところのイメージが私の思惑とは無関係に突然湧き起こって、それが原因で腕がのびたとする。なんだか知らないが唐突にイメージが湧き起こり、それが原因で私の腕がぐいとまっすぐにのびる。私は「なんだこりゃどうしたんだ」と思うかもしれない。そのような場合、私が腕をのばしたのだろうか。いや、「なんだこりゃ」と言わざるをえないようなものが自分の行為であるはずがない。私が腕をのばしたと言われうるためには、私はそのイメージをたんに受動的に受け取るのではなく、私自身の力で生じさせねばならないだろう。つまり、そのイメージもまた、「私が原因で」生じたのでなければならない。

ここにはいかんともしがたい構造的な欠陥がある。腕をのばしたことが私の行為であるとされるためには、それは私がそう意志したことが原因となって生じたのでなければならない。ここに、「意志する」とはなんらかの心的な行為である。しかるに、その心的な行為もまた私の行為であるとされるためには、それもやはり私の意志が原因となっていなければならない。というのも、もし意志なる心的状態が私にはどうしようもない他の原因によって引き起こされたものであったとしたならば、その結果引き起こされた私の腕ののびもまた、私にはどうしようもない私以外の原因によって引き起こされたものになるしかないからである。かくして、私は私の行為として意志するのでなければならず、そして私の行為として意志するためにはさらに先立つ意志が要求されねばならない。かくして、きりがないのである。[69]

少し違った角度から問題を述べ、別の解答の道を探ってみよう。

私が扉を開けるとき、そこに二つの側面を区別することができる。ひとつは、この行為の「達成点」[70]としての「扉が開いた」というできごとである。しかし、私のこの行為は失敗することもある。例えばそれが手前に引いて開ける扉であった場合、腕をのばして開けようとした私の行為は失敗し、期待した達成点に到達しない。しかし、失敗するにせよ成功するにせよ、私はある程度同じことをしている。いまの場合は「腕をのばす」という動作がそれである。そこでこれを「達成点」に対して「過程」と呼ぶことにしよう。しかるべき過程を経て「扉が開く」ことが達成されたから、これは「扉を開く」という行為とされる。もし同じ過程を経て異なるできごと「扉が閉まる」が達成されたならば、それは「扉を閉める」行為とみなされるだろう。

すべての行為はこうした過程と、それがめざす達成点をもっている。そして、行為の達成点はなんらかのできごととなる。「扉を開ける」という行為の達成点は「扉が開く」というできごとであり、「手をあげる」という行為の達成点は「手があがる」というできごとである。そして、扉が開くということ、手があがるということ、これら達成点となるできごとそれ自体は行為ではない。実際、扉が開くというできごとは風によっても引き起こされ、手があがるというできごとは痙攣によっても引き起こされうるだろう。

では、過程に関してはどうだろうか。私の行為を形作る過程は、それ自体なんらかの私の行為なのか、それとも行為ならざるたんなるできごとなのか。ここにディレンマが生じる。

例えば、扉を開けたことの過程もまた私の行為であるというのは、私が腕をのばすことによって扉が開くといった場合であり、その過程が私の行為ではないというのは、風が吹いたことによって扉が開くといった場合である。そのとき、「扉が開く」というできごとを達成した過程が私の行為ならざるできごとであるとすれば、その過程と達成点の全体はもはや「私が扉を開けた」という行為とはみなされないものとなるだろう。だが、他方、その過程もまた私の行為であるとするならば、その行為に対して繰り返し同じ問いが問われねばならない。つまり、こうである。

ある行為が過程 aと達成点αの対として分析される。
ここで過程 aもまた行為であるとされる。
それゆえ過程 aもまた過程bと達成点βの対として分析される。
ここで過程bもまた行為であるとされる。
それゆえ過程bもまた過程 cと達成点γの対として分析される。
ここで過程 cもまた……。

こうして、いつまでも続いていく。たとえその過程が「意志」と呼ばれたとしても、それはいささかもこの構図に対する免罪符とはならないのである。

この果てしなく続く問いの中で、どこかこの問いを断ち切れる地点を探そうと考えるのは当然の動きだろう。そしてその地点、私こそが原因であり外に原因をもたない行為、アリストテレスに倣って言うならば「第一原因」としての行為の地点を「裸一貫の私」に求めるのもまた、当然の動きと言えるだろう。手紙を書いているとき私はペンを動かしており、ペンを動かしているとき私は手を動かしている。そして手をそのように動かすことが原因でペンがそのように動き、それが原因でしかじかの手紙がしたためられる。ここにおいて「裸一貫の行為」は手を動かすことである。手を動かすことが第一原因となってペンが動き、ペンが動くことによって手紙が書かれた。しかし、さらに手を動かしたこととの原因を求めてはならない。原因の探求はそこで打ち止めにしなければならない。そう議論されるのである。

アーサー・ダントーは、このような行為を「基礎行為（basic action）」と呼び、それを裸一貫の行為、すなわち身体動作に重ねた[71]。そして彼はこのように論じる。もし原因の連鎖が無限に続くのであれば、ひとつの行為を為すにもそれを引き起こす行為が必要とされ、われわれは扉を開けるにも無限に行為の連鎖を遡らねばならないことになる。それゆえ、そもそも行為が可能であるためには基礎行為があるのでなければならない。そしてわれわれは直観的に基礎行為の存在を知っている。すなわち、手をあげること、かがむこと、口を開けたり閉じたりすること、等々の身体動作がそれである。これらは、もはやそれを引き起こした原因をもたぬ行為、基礎行為なのだ。

だが、これは問題の解決ではなく、問題の再確認にすぎない。「行為が可能であるためには原因の無限連鎖を断ち切らねばならない。すなわち基礎行為があらねばならない」、そう主張される。そうかもしれない。だが、無限連鎖を「断ち切らねばならない」と宣言することと「断ち切ることができる」と議論することは別である。実際、問題はいっこうに姿を消さず、なおも執拗に迫ってくる。

基礎行為論者は私が「手をあげる」ことにはもはや先立つ原因はないと言う。しかし、「手をあげる」ことは「手があがる」というできごとを達成点としてもっている。ではその達成点に至った過程は行為なのか、行為ではないのか。あいもかわらずこう問われるのである。手があがるというできごとは痙攣のような行為ならざる原因によっても引き起こされうる。そしてそのときにはたえず手があがったとしてもそれは私の行為とはみなされない。だとすれば、手をあげるという基礎行為においても、手があがるというできごとを引き起こした原因は私の行為でなければならない。だが、手をあげるという私の行為に先立つもうひとつの私の行為とは何なのか。ここでひとはどうしたって意志のようなものにすがろうとする。しかし、それはすでに見たように、いささかも解決にはならないのである。

「行為が可能であるためには基礎行為があらねばならない」、この一種の超越論的議論が「基礎行為がある」という結論へと換金されるためには、そもそも行為があることを認めねばならない。そしてダントーは、おそらく、行為があるのは直観的に自明だと言うのだろう。しかし、いまやこの自明な直観が挑戦を受けているのである。――行為が可能であるためには第一原因となる行為がなければならない。しかし、原因の探求は果てしがない。それゆえ、行為は実は不可能なのではないか。——現に行為しているという直観が自明であればあるほど、この挑戦はわれわれを苛立たせる。だが、「現実に行為はある、だから原因の探求には果てがあるはずだ」と応じるだけであれば、それはただ、苛立ちまぎれに問題に門前払いを食わせたに等しい。

例えば、しゃっくりはどうして基礎行為ではないのか、と問うてみよう。しゃっくりは先行する原因をもつからだ、と答えられるだろうか。では、その原因とは何かと問おう。それに対しては神経生理学的な知見をもって答えられるだろう。だが、そうであれば、腕があがったことにもまた同様の神経生理学的原因はあるだろう。その点に関して言うならば、しゃっくりも腕があがったことも、状況と身体状態に応じた身体反応というにすぎない。そこでもし、しゃっくりが行為でないのは直観的に明らかだと答えられるのであれば、私にはそれは力ないつぶやきにしか聞こえない。

さらに、ここにまた別の形のディレンマを基礎行為論者向けに作ることもできる。「手をあげる」という行為には「手があがる」というできごとが伴う。そこで手があがるというこのできごとには原因があるのかないのか、と問おう。あらかじめひとつの答えを排除しておくならば、「手があがる」というできごとの原因は「手をあげる」という私の行為ではない。「手をあげる」という行為は「手があがる」という達成点を含んだ全体である。もし手があがらなかったならば、手をあげるという私の行為は達成されなかったことになる。それゆえ、もし原因ありとされるならば、それは「手をあげる」という行為とは別の何かでなければならない。そして基礎行為論者はそのような何ものかを拒否する。とすれば、私の手は原因もなしにただあがったのである。これは私を当惑させる事態であるが、かりにそのようなことがあったとして、原因もなく手があがったときにそれをもって「私は手をあげた」と言うだろうか。私にはどうもそうは思えない。それはなんだか知らないが訳もなく手があがってしまったというにすぎない。だが他方、手があがったことに対してなんらかの原因を求めるならば、ここでまたあのうんざりするような問いかけが繰り返される。

その原因は、それもまた私の行為なのか、そうでないのか。

いったい、これに対してわれわれはうんざりする以外に手立てがないのだろうか。

21　身体と環境

行為することにおいて身体は独特の身分をもっている。そのことはおそらくまちがいないだろう。私は自分の身体を動かすことによって、何ごとかを為す。基礎行為論を背景で支えていた直観のひとつも、この点にあったに違いない。そして、べつだん基礎行為論者ならずとも、われわれもまたごくふつうに、漠然とながらも、腕をのばすことの方が扉を開けるよりも「基本的」だと考えているのではないだろうか。だが私は、ここに誤解が潜んでいることを示したい。

なるほど、「身体」はある基本的な身分をもっているだろう。しかし、「身体動作」はわれわれの行為のレパートリーの中で、いささかも基本的な身分をもつものではない、そう思うのである。例えば、手紙を書いているとしよう。そのとき、身体動作こそが基本的だと言う人は、手紙を書くことやペンを動かすことよりも、手を動かすことこそが基本的なのだと主張するだろう。だが私にはどうもそうは思えないのである。私の直観はいまやもう行為を巡る哲学的考察に汚染されてしまっているが、それでもその汚染された直観を信じるならば、むしろ手紙を書くことの方が「基本的」であるように思われる。

だが、ともあれ、「身体動作こそが基本的だ」という漠然とした直観がいったいどのようなことを言わんとしているのか、まずはその内実をより明確にしてみるよう試みてみなければならない。それがどのような意味で「基本的」と言われるのか、それがはっきりしなければ、反論も的のぼやけたものになってしまうだろう。以下しばらく、私自身の反論は棚上げにした上で、「身体動作こそが基本的だ」という主張をむしろ支持するような観点から考察を進めてみることにしたい。

身体動作を基本的とする直観の根は、われわれが身体を動かすことによってさらなる何ごとかを為す場面にあるだろう。私は腕をのばすことによって扉を開ける。あるいは、脚を振り上げることによってボールを蹴る。われわれはなによりもまず自分の身体を動かし、それによって身体の周囲に変化を引き起こし、さらなる結果を生み出すのである。そこで、こうした場面における「によって」の関係（by-relation）に注目してみよう。

第一に、「によって」という関係は一方向的である。すなわち、われわれはふつう「扉を開けることによって腕をのばす」のではないし、「ボールを蹴ることによって脚を振り上げる」のでもない。それゆえ、この関係に基づいて「より基本的」という関係を考えることができる。「Aすることによって B する」のであり逆ではないとき、それを「Aすることは Bすることよりも基本的」と呼ぶのである。

第二に、「腕をのばす」ことよりも基本的な何ごとかなどありはしないようにも思われる。とくに、意志のようなものを拒否するとすれば、身体動作よりも基本的なものとして何を取り出せばよいのか、これといった候補が見つからないように思える。

とすれば、「身体動作こそ基本的」という主張は、「あらゆる行為は身体動作を為すことによって何ごとかを為すものであり、その逆、身体動作でない何ごとかを為すことによって身体動作を為すことはない」という主張として捉えることができるだろう。そしてまた、これは確かにもっともらしい考え方に思われる。もう少し踏み込んで検討してみよう。

例えば先に私は「手紙を書く」ことの方が「手を動かす」ことよりも基本的ではないかという疑いを述べておいた。しかし、やはりふつうに考えるならば、この場合もまた私は手を動かすことによってペンを走らせ、それによって手紙を書くのであって、逆ではないだろう。一般に、あらゆる行為は身体動作から始まっていると言えるように思われる。どんなに身体が不自由であっても、せめて唇と咽喉を動かすことによって発話を為し、指をあげることで合図をし、そしてそうすることによってさらなるなにごとかを為すのである。いったい、いっさいの身体動作を伴わない行為などは考えられるだろうか。すべての行為は、ともかく身体を動かすことから始まっているのではないだろうか。

ひとつの反論を考えてみよう。――ある場合には、「によって」の関係よりも「すなわち」の関係の方がふさわしいのではないか。例えば私は手にペンをもち、その手をしかるべく動かすが、それ「によって」ペンを走らせるのではなく、そうしていることが「すなわち」ペンを走らせるということなのではないか。われわれはペンをもった手をある仕方で動かすことを「ペンを走らせる」と言うのである。そして、そうだとすれば、「ペンを走らせることよりも手を動かすことの方が基本的」とは言えないのではないだろうか。両者はむしろ対等の関係にあると言うべきだろう。

だが、この反論には単純な誤解が含まれている。「手にペンをもつ」ということがすでにしてたんなる身体動作ではないのである。純粋に身体動作だけを考えるならば、それはむしろ「指をしかじかに曲げる」ことでなければならない。そして私は、ペンをもたずにそのような指の形をとることもできる。それゆえそのような動作それ自体は、「すなわち」ペンをもつことではない。私はまず基本的な身体動作として指をしかるべき形に曲げ、そしてそこにペンが収まっている場合にのみ、それ「によって」ペンをもつことになるのである。

身体動作を基本的とする見解において、「身体動作」ということはかなり潔癖にとられねばならない。例えば「歩く」こと。常識的な感じからすればこれは身体動作である。しかし、目下の立場からすればそれは否定されねばならない。身体動作は「両脚を交互に前後に動かす」ことであり、そうすることによってわれわれは「歩く」のである。あるいは、この場面こそ「すなわち」の関係ではないかと言われるかもしれない。「両脚を交互に前後に動かす」ことが、すなわち「歩く」ことなのだ、と。だが、これに対してはいまの「ペンをもつ」場合と同じ議論が返される。例えば宙吊りになって両脚を交互に前後に動かす場合、それは歩いているのではない。われわれは歩くことなく両脚をそのように動かすことができる。それゆえ両者は「すなわち」の関係ではありえない。実は、歩くことはたんなる身体動作以上のもの、すなわち両脚を交互に前後に動かすことに伴う環境の変化を伴っているのである。いくら脚を動かしても、その脚が着地し、かつ着地点が脚の動きに連動してしかるべき仕方で変化していくのでなければ、歩いているとは言われない。それゆえ、まず両脚を交互に前後に動かし、それ「によって」しかるべき環境の変化が引き起こされたとき、われわれはそれを「歩く」と言うのである。

以上のような事情を考慮するならば、先の「によって」関係による「より基本的」ということの規定はより正確なものに修正されねばならないだろう。「AすることによってBするとき、AすることはBすることよりも基本的である」、そう規定した。つまり、「によって」の関係に立つものをともに行為としていた。しかし、「AすることによってBする」とは、正確に言えばむしろこうである。「Aすることによってなんらかの環境の変化βを引き起こし、そしてその全体が「Bする」ことと呼ばれる」。例えば、腕をのばすことによって扉が開くという環境の変化を引き起こし、その全体が「扉を開ける」と呼ばれるように。つまり、「によって」の関係に立つのは、むしろ行為とその結果たる環境の変化なのである。そこで以後、日常的な用法に従って「腕をのばすことによって扉を開ける」のように言うとき、それは省略的な語法であり、正確にはいまのようなことを意味するものとする。

このことは、前章における「行為の達成点と過程」の区別に対応している。すなわち、「Bする」という行為の達成点がβであり、そこに至った過程が「Aする」という行為にほかならない、と。だが、そうだとすれば、いま進めている考察は真正面から前章の懐疑に晒されることになる。——「扉を開ける」という行為の達成点は「扉が開く」ことであり、過程は「腕をのばす」ことであると君は言う。だが、「腕をのばす」ことにもその達成点「腕がのびる」というできごとがある。では、その達成点に至る過程は何なのか。

私としては、そろそろ「身体動作こそ基本的だ」という主張に対して本腰を入れて反論したくなってきた。だが、もう少しこの主張の内容を明確にすべく、この主張の側に立って検討を続けることにしよう。ともあれ、いまの考察から明確になってきたことはこうである。——身体動作を「によって」の関係においてより基本的と考える見方の内には、「身体動作によって環境の変化が引き起こされ、それゆえその身体動作がさらなる意味をもつようになる」という考え方が含まれている。すなわち、基本的とされる身体動作とは、いっさいの環境変化に先立つ、純粋に身体だけの動作として完結しているような動きにほかならない。

さらに一点、私自身の反論に先立って検討しておきたいことがある。純粋に身体だけの動作をどのように記述すればよいのか、という問題である。例えば靴紐を結ぶ場面を考えてみよう。私はしかるべく指を動かすこと「によって」靴紐を結ぶ。それゆえ、しかるべく指を動かすことの方が、靴紐を結ぶことよりも基本的であることになる。だが、これに対してこう反論されるかもしれない。「しかるべく指を動かす」とは、正確に言えばどのようなことなのか。その指の動きは、靴紐の結び方に依拠してしか記述できないのではないか。靴紐を結ぶときの指の動きはかなり微妙で複雑なものとなる。われわれはその動きを「靴紐を結ぶような指の動き」としてしか記述できないのではないだろうか。そしてこのことは、一見微妙でも複雑でもないように思われる（しかし実はかなり微妙で複雑な）「歩く」ことについても言える。たんに両脚を交互に前後に動かすのではなく、まさに「歩くようにして脚を動かす」としか言い表わせない動きによって、われわれは歩いている。だとすれば、かくかくに指を動かすことの方が靴紐を結ぶことよりも基本的だとか、しかじかに脚を動かすことの方が歩くことよりも基本的だなどとは言えないのではないだろうか。

いや、この反論もまだ核心にとどいてはいない。これに対して、いささか武骨だが強力な再反論は、そのような記述は確かに難しいが不可能ではない、というものである。適切な日本語は用意されていないかもしれない。しかし、指や脚の動きの軌跡を描き、その運動を物理学的に表現することはできる。そしてそれは純粋な身体動作の描写を与えるだろう。[72]

私自身は、われわれの行為の記述はあくまでも日常言語の範囲で為されるべきであり、物理学的記述に訴えるべきではないと考えている。だが、このような議論をする人にそう言ってもただ水掛け論でしかないだろう。それゆえ、さしあたりは、多少苦々しい思いでこの再反論を受け入れておくことにしたい。

物理学のような野暮なものを持ち出さない、さらに洗練された再反論はこうである。[73] それは、靴紐を結ぶ指の動きが「靴紐を結ぶような指の動き」としてしか記述しえないことを認める。だが、それでも、どう記述されようと指の動きそのものは靴紐のあり方と独立して取り出せるではないか、というのである。靴紐を結ぶような指の動きを為すことと、その結果として実際に靴紐が結ばれることとは別のできごとである。記述はなるほど融合しているかもしれない。しかし、世界の中で起こっているできごととして両者が融合しているわけではない。できごとそのものとして考えるならば、純粋に身体動作の部分だけをわれわれは取り出すことができる。そして、それが靴紐のあり方をどう変化させるかは、その身体動作の結果として生じたり生じなかったりする、また別のできごとなのである。それゆえ、「靴紐を結ぶように指を動かすことによって、靴紐を結ぶ」という言い方にはまったく問題がない。同様に、われわれは「歩くように脚を動かすことによって、歩く」。しかし、歩くように脚を動かしてはいるが歩いてはいないという場合もあるのであり、それゆえ、そのように脚を動かすことの方が基本的なのである。

かくして、「身体動作こそ基本的だ」という主張はこう述べ直される。——すべての行為（B）は次のような形で身体動作を含んでいる。まず身体動作Aが為され、それが環境の変化βを引き起こし、そしてβを結果とするような全体が行為Bとして記述される。しかも身体動作Aは、記述の上では環境の変化βの記述に依存していようとも、行為としてはあくまでもβというできごとの成立とは独立に為されうる。(74)——

だが、ここには根本的な誤解が含まれている。反論に移ることにしよう。

いま取り出された主張における行為の構図は、身体動作と環境の変化を独立に捉えるものになっている。われわれは身体を動かし、それによって環境に働きかける。だからこそ、身体動作がまずもって基本的なのだ、と。なるほどこれは強い実感として認められるようにも思われる。しかし、きわめて平凡な観察として訴えたいのだが、ごくふつうに、環境の側がわれわれの身体動作に働きかけるという側面も確かに見出される。いや、もっと実情に即した言い方をするならば、身体動作と環境とは不可分のものとして、たんに記述のレベルのみならず、あえて言えばできごとの成立の次元において、ひとつの行為の内に融け合っているのではないだろうか。

靴紐がゆるんでいる。そこで私は身をかがめ、靴紐を結び始める。まだゆるいようなのでもう少し強く締める。右の端が少し長めに出てしまったので輪を大きめにしてバランスをとる。こうした過程において、たんに私の行為の記述が靴紐の状態の記述に従属しているだけではなく、私の動きそのものが、靴紐の状態から独立ではありえない。私がしかるべき仕方で指を動かしそれによって靴紐が結ばれるというできごとが因果的に引き起こされる、などというのはまったく実情ではない。

もう少し実情に近づけたいならば、むしろ、私はちょっと指を動かし、それによって靴紐は少しもち上げられ、それに応じて私はまたちょっと指を動かし、こうしてだんだんと結び目ができ始め、なおもちょっと指を動かし、結び目のバランスに応じてまた指を動かす……、とでも描写した方がましだろう。ここにおいて、もしできごとの因果系列を辿るとするならば、きわめて微分的に、環境の微小な変化、その認知、それに応じた微小な身体動作、それによって引き起こされた環境の微小な変化……、というサイクルとして捉えねばならない。（ついでに述べておくならば、私は靴紐のちょっとした変化に応じて指を動かすだけではなく、ひじの角度を変え、ひざを曲げ、また眼球を動かしもする。まさに全身が靴紐の変化と呼応している。）

こうした事情において、なお身体動作を環境変化の原因として取り出そうというのであれば、時間切片にまで微分的に極限された全身の動作切片を切り出してくるしかないだろう。だが、私としては、そのように切片化されたできごとはもはやできごとではなく、極限的な動作の切れ端は動作ではない、と言いたくなる。少なくとも、基礎行為論者の主張していた行為は「腕をのばす」とか「脚をあげる」といったひとまとまりの身体動作であり、このような動作の切れ端ではなかったはずである。だが、指をある仕方で動かすという動作のひとまとまりがまず為され、それによって靴紐が結ばれるというできごとが引き起こされたというのは、まったく実情ではない。身体動作と環境変化の因果関係という観点を純化するならば、基礎行為論者の期待に反して、われわれは微分された動作の切れ端に行き着くしかないのである。

だとすれば、最初の差分を拒否すべきだろう。靴紐を結ぶことは、靴紐が結ばれるというできごととそれを引き起こした指の動きに分解されるべきではない。

　われわれはけっして、純粋な身体動作を基本的な行為のレパートリーとして学ぶのではない。むしろ環境との呼応の仕方を学んできたのである。腕ののばし方を学んでそれをさまざまな状況に応用するのではなく、扉の開け方を学び、握手の仕方を学び、目の前のものを取る仕方を学んできた。紐がなければ紐を結ぶような身体動作は行為のレパートリーにはなっていなかったであろうし、針と糸がなければ針に糸を通す仕事も存在しなかっただろう。新しい道具、新しい環境こそが、新しい身体動作を生み出すのである。

　ほとんどの身体動作は、それが埋め込まれるべき環境との呼応に結びつけられている。そして逆に、われわれの生活するこの環境は、それと呼応する行為によって意味づけられている。われわれは環境の中で行為するのではなく、環境とともに行為する。窓を開けるとき、私は窓とともに行為し、キャベツを刻むとき、私は包丁とともに、そしてキャベツとともに、行為する。たんなる身体動作が基本的な意味をもつのは、ただラジオ体操のような場合だけだろう(しかも空中遊泳中の!)。

　世界の中で身体をさまざまに動かすことによって行為する――この常識的な描像を捨て去らねばならない。これまでもしばしば、哲学の議論において、身体の拡張ということは言われてきた。例えば盲人にとってその白杖はもはや身体の一部とみなされるべきだろう。あるいは、コックにとっての鍋もまた、身体の一部とみなされうるかもしれない。しかし、行為はそのように拡張された身体をもさらに超えて広がっている。盲人が歩くとき、その人は杖はもちろん、道とともに行為する。コックは鍋の中の肉とともに行為し、運転手は車のみならず交差点とともに行為してもいる。そして、ラジコンの模型飛行機を操る少年は、空を舞う模型飛行機とともに行為する。行為とは、身体と環境とが呼応しあい一体となって作り出すできごとの姿にほかならない。われわれは世界の中で行為するのではなく、世界とともに行為するのである。

22　意図の在りか

　われわれは行為を「舟と舟乗り」の比喩で捉えがちになる。波立つ海を小舟が行く。そしてその小舟には、漕ぎ、舵をとる舟乗りがいる。ここに小舟は身体であり、舟乗りは身体を漕ぎその舵をとる心的な何ものかである。そうしてわれわれは、「意志」という名の動力と「意図」という名の司令室を心の中に求め始める。

　だが、この常識的な描像は実情に反している。私は、〈心（舟乗り）‐身体（舟）‐環境（海）〉という三分法を拒否したい。行為は世界とともにあり、意図もまた世界においてある。そこで、「舟と舟乗り」の比喩が実際のわれわれの行為にけっして当てはまるものではないことを確認し、この比喩からなるべく遠ざかったところで意図の在りかを見定めてみよう。

例えば、ある人が手をあげたとき、手を上げたことまでは見てとれるが、なぜ手をあげたのか、その意図が分からない場合がある。そして、そのような場面に対して、われわれは容易にこう考えてしまうだろう。——観察しても意図が分からないのは、意図が第三者の目からは隠された心の内にあるからだ。それゆえ、もし外からの観察に加えて心の内を覗き見ることができたならば、他人の意図について、そのすべてが明らかになるに違いない。

だが、自分の場合を少し反省してみれば分かることであるが、意図が意識内容として自覚されていることはきわめて稀にしかない。例えば、電車に乗っている間、われわれはふつう行き先を意識しておらず、むしろ読んでいる本の内容や窓の景色の方に気をとられている。あるいはまたテニスやサッカーのプレイの最中に、いちいち意図の内容が意識されるわけでもない。それはうまいプレイヤーがよどみなくプレイすればするほど、そうだろう。同様に、われわれが日常の生活においてよどみなく活動する場面でも、意図の内容はとくに意識されてはいない。その点において意図は痛みのような意識状態とは異なっている。痛みは、自覚されていないときにはそもそも痛みではないが、意図はしばしば意識されておらず、しかもなお、意図として成り立っているのである。

さらに、かりに意図がなんらかの意識状態として意識され、それが第三者の目から覗き見られえたとしても、意図の内容はなおその姿を明らかにしてはいないと言わねばならない。意識状態の記述は、「いまこめかみが痛い」「いまのどが渇いている」「いま高揚した気分だ」のように、「いましかじかの状態にある」という記述となる。ところが、意図の内容は未来に関わっている。そこで、現在形の意識状態の記述と未来との関わりが問題となるのである。いましかじかであることと未来とがどう関わっているのか。たとえ他人の心の中を覗き見ることができると仮定しても、そこで見られうるのはその人がいまどういう状態にあるのか、ということでしかない。だが、ある人の意図を知るとは、たんにその人がいまどういう状態にあるのかを知ることではなく、その人が未来とどう関わっているのかを知ることなのである。そして、ひとつの同じ状態はさまざまな形で未来と関わりうる。例えば、いまののどの渇きは「水を飲もう」「ビールを飲もう」「ここがこらえどころだ、頑張ろう」等々の、さまざまなアスペクトのもとに置かれうる。あるいは、コップ一杯の水をイメージして台所へ向かうとき、そこで私が意図していることは、「何でもいいから何か飲み物を飲もう」「冷たい水を飲もう」「あのコップで水を飲もう」「きっかりコップ八分目だけ水を飲もう」「水を飲むふりをしよう」等々、なおさまざまなものでありうる。意図の内容がかりになんらかの意識状態によって表現されているとしても、重要なのはその意識状態が何として、すなわちどのようなアスペクトのもとに読みとられるべきかという点なのである。

台所へ行き、コップに水を入れて飲む。この行動はなおさまざまなアスペクトのもとに置かれうる。そしてそのアスペクトの異なりに応じて、私の意図も異なったものとなる。私は何か飲み物を飲もうとしているのかもしれないし、冷たい水を飲もうとしているのかもしれない。そのとき、コップの中のそれもまた、それに応じて「たんなる飲み物」という相貌であったり、「冷たい水」という相貌であったりする。私の考えでは、この、行為に関連した世界の相貌こそが、意図にほかなことなのである。(補注4) すなわち、私が自分の意図を自覚するとは、私の行為を含みもった世界相貌を自覚するとなのである。

（※）

意図の自覚が世界相貌の自覚にほかならないということは、われわれが通常自分の行なっていることの意図を意識してはいないことも説明する。ちょうど反転図形のように、それが他の意味づけの可能性をもつことに気づいたとき、すなわち複相状態において初めて、われわれはいま見ているその図形に自分がどのような意味を与えているのかを自覚する。もし他の意味づけの可能性が念頭にない単相状態であれば、われわれはそこにただうさぎ「を」見るのであり、それをうさぎ「として」見るようなことはない。すなわち、ごくふつうにものを見、よどみなく活動しているとき、われわれはアスペクト盲的にそうしているのである。意図が自覚される典型的な場面は選択するときだろう。どこへ行こうか迷い、行き先を選択するとき、私はいま形成された自分の意図を確かに意識している。しかし、ひとたび行き先が定まったならば、私はもはやアスペクト盲のように、改札をとおり、来た電車に乗り、ぼんやり窓の外を眺めるのである。そして、繰り返すが、意識されていないとしても、うさぎから「うさぎ」という意味がなくなるわけではないように、私の行為から意図が消え失せてしまうわけではない。

意図を探して心の中を詮索することはやめにしよう。うさぎに「うさぎ」という意味を与えるものが、むしろそれが位置づけられる草原であり、食べる餌であり、また他の動物たちとの関連であるように、意図の在りかもまた、行為を取り巻く一連の脈絡と物語の内に求められねばならない。

　しかもそれは、現実に遂行されたひとつの物語だけではない。ある人が台所に立ち、コップに水を入れて飲む。現実にはこれが物語のすべてであるとしても、これはなおさまざまな意図＝アスペクトのもとに置かれうる。それゆえわれわれは、ひとつのアスペクトのもとに、無数の可能な物語をも了解することになる。その人が何か飲み物を飲もうとしていたのだとしよう。そのときには、もし断水していたとすれば、その人は冷蔵庫を開けて他の飲み物を探す。他方、水を飲もうと意図しており、しかもそれが決然たる意図（水じゃなけりゃだめだ）であったとするならば、その人にとって断水は決定的な挫折になるだろう。あるいは、とくにそのコップ（彼はそれを「花子」と呼んでいる）で水を飲もうとしていたのであれば、花子を落として割ってしまったときには、もう水を飲むことを諦めるかもしれない（花子じゃなけりゃだめだ）が、たんに水を飲もうとしていたのであれば、他のコップを使うだろう。

　それゆえ、行為を取り巻く物語とは、なによりもまず可能な障害と調整に関する物語となる。

　もう一例、講義をするという場合を挙げてみよう。私はそれなりの準備をし、時間がきたら教室に向かい、話をする。そのときそうした一連の活動に対して何が障害となりうるのか、そしてその障害に対して私はどのように対処し調整するのか、このことがそれらの活動における私の意図を定めていく。実際、私が「さあ、講義をしよう」と言っただけでは、私の意図内容はまだ明らかになってはいない。例えば、学生の私語が障害になるのかどうかによって、私の意図が学生に話を聞いてもらうことにあるのか、それともたんに学生の前で話をすることにあるのかが分かれてくる。授業中の学生の質問に触発されて話が脱線していくことが調整の失敗であるのかそうでないのかによって、用意したその話をすることを意図していたのか必ずしもそうでなかったのかが分かれてくるだろう。このように、可能な障害と調整の物語を明らかにしていくことによって行為の意図は特定される。逆に、行為の意図を特定するポイントは、こうした可能な物語を引き出すことにこそ存しているのである。

そこで、意図概念特有の物語を明らかにするため、意図と類似の、しかし決定的な点において異なる概念である「欲求」を取り上げ、対比しつつ考察を進めてみよう。

最初に確認しておかねばならないのは、欲求もまたたんなる意識状態ではありえない、という点である。例えば「大学に入りたい」という欲求は、数か月ないし数年にわたってもち続けることができるが、しかし、その間ずっとそれを意識しているわけではない。

あるいはこれに対して、「水を飲みたい」という欲求のような場合は意識状態であろうと反論されるかもしれない。しかし、それは誤解である。「のどの渇き」であればそれは意識状態（感覚）である。しかし、「のどの渇き」という感覚そのものは「水を飲みたい」という欲求とは異なる。のどの渇きを覚え、水を飲みたいと思うこともあるが、ビールを飲みたいと思うこともあるだろうし、みずみずしい果物を食べたいと思うこともある。事情によっては、のどの渇きを覚えつつ、でも何も飲みたくないと思うこともあるだろう。（空腹感が食欲を減退させ、満腹感が食欲を昂進させるという不幸な病気を考えることさえできる。）欲求は特有の感覚を伴うこともあれば伴わないこともあり、そして特有の感覚を伴う場合にも、その感覚それ自体は欲求ではなく、あくまでもそうした感覚に促された主体の未来への態度が欲求にほかならない。

こうした点において、意図と欲求は類似した概念となっている。だが、いまむしろ注目したいのは、両者の違いである。このように問題を立ててみよう。

「コーヒーを飲みたい」という発言（欲求の表明）と「コーヒーを飲もう」という発言（意図の表明）は、どう異なるのか。

ある人が「コーヒーを飲みたい」とつぶやき、台所に立ち、コーヒーを淹れて飲む。またある人が「コーヒーを飲もう」とつぶやき、台所に立ち、コーヒーを淹れて飲む。この場面だけを見るならば、そこにほとんど違いは見出されない。両者の違いが明確に現われてくるのは、むしろその発言の後にその人がコーヒーを飲まなかった場合である。

ある人が「コーヒーを飲みたい」とつぶやき、しかし飲まなかったとする。そこで私は「なぜ飲まないんだ」と尋ねる。その答えはさまざまでありうるだろう。「切らしてるんだ」「淹れるのがめんどくさい」「医者にとめられている」等々。いずれにせよ、私はその答えに（ときに呆れることはあるにせよ）一応納得する。だが、「コーヒーを飲もう」という発言の場合にはそうはいかない。

「コーヒーを飲もう」

「飲めばいいじゃないか、なぜ飲まないんだ」

「医者にとめられているんだ」

このやりとりはナンセンスである。

医者にとめられていようとコーヒーを切らしていようと、「コーヒーを飲みたい」と言うのは勝手である。しかし、そもそもコーヒーを飲めないことが分かっている状況では、「コーヒーを飲もう」と言う勝手は許されていない。「この身ひとつで空を飛びたい」と望むことはできるが、「この身ひとつで空を飛ぼう」と意図することは（少なくともいまの私には）できないのである。

ここには、意図の表明が行為の実行ないし実行への努力と概念的に結びついているという事情がある。意図の表明は行為への結実が要求されており、意図を表明しつつなんの努力もしない人は、ちょうど矛盾したことを言っている人のように、われわれには不可解な人でしかない。

それに対して、欲求の表明の場合に要求されていることは、実際にそう行為することないしそう努力することではなく、むしろなんらかのそぶりである。「酒を飲みたい」と発言する人に要求されることは酒を飲むことではなく、飲みたそうにすること、例えば酒を探すこと、酒を見てのどを鳴らすこと、人の酒を見てうらやましがること、等であろう。それに対して「酒を飲もう」と表明した人にはそのようなそぶりは要求されない。実際、「酒を飲みたい」という欲求のそぶりはあるが、「酒を飲もう」という意図のそぶりなどはないのである。（このことはまた、「がる」という接尾語が付けられるかどうかということとも関係している。「飲みたい」には「飲みたがる」という言い方があるが、「飲もう」には「がる」を付けることはできない。[75]）

これに関連して、もうひとつ重要な点が指摘できる。相反する欲求をもってしまうことはありうるが、相反する意図をもつことは許されない、ということである。「ケーキを食べたい」と思い、同時に「でも太りたくないから食べずにいたい」と思うとき、われわれは相反する欲求をもっている。しかし、「ケーキを食べよう」という意図と「ケーキを食べずにいよう」という意図を同時にもつことは許されない。相反する意図を同時に表明する人は端的に不可解でしかなく、そもそもなんの意図ももっていないものとみなされるしかないだろう。それゆえ「矛盾した意図をもつ」とは、意図概念からして論理的にありえないのである。そしてこのことは、意図は行為に結実することが要求されるが欲求はそうではないということと結びついている。行為に結実しなくてよいのであれば、相反する状態に立ちすくんでいてもいっこうにかまわないが、行為に結実せねばならないのであれば、相反する行為を同時に行なわねばならなくなるような意図はもちえないのである。

こうした点において、意図は心的状態よりもむしろ「約束」や「計画[76]」といった概念に類似している。いま論じた二つの点を次のような要請としてまとめてみよう。

意図は意図されている行為に対して規範的関係に立つ。（実現への要請）

意図は他の意図に対して整合的であらねばならない。（整合性の要請）

約束や計画もまた実現への要請と整合性の要請に服することは明らかだろう。そして、意図や約束や計画と同様、いわばこれから為される行為に対する「規範的枠組」をなすのである。[77]

意図がもっているこうした規範的性格は、行為主体の理解可能性（あるいはしばしば用いられる用語で言うならば「合理性」）に関わっている。

まず欲求の場合からもう一度確認しておこう。「コーヒーを飲みたい」と欲求の表明をした人がコーヒーを飲もうとしなかった場合、われわれはそれを不可解と思い、「なぜ飲まないんだ」と尋ねる。そして欲求の表明の場合であれば、その不可解さを解消する（合理性を回復する）説明がさまざまに可能である。例えば、「飲みたいけど、買い置きがもうないんだ」とでも答えればよい。

他方、意図の表明をした人がその実現に向けてなんの努力もしない場合、その不可解さを解消しうるいかなる説明も可能ではない。何を説明しようと、「それが分かっていてどうして「コーヒーを飲もう」などと言ったのだ」と問われるだろう。ここにおいていたずらな説明はただ不可解さを増すだけでしかない。この場面で不可解さを解消しうるのは、説明ではなく訂正である。――「「コーヒー」と言ってしまったのはまちがいで、「紅茶」と言うつもりだったのだ」。あるいはまた、「コーヒーを切らしていたのを忘れていたんだ」。――そうして、表明された意図が修正されたり、撤回されたりする。実行を伴わない欲求が無傷のまま説明によって補償されるのに対し、意図は不実行を前にして無傷ではいられないのである。

こうした規範的圧力は、ひとえにその行為主体がわれわれにとって不可解な存在であってほしくないという根本的な欲望にかかっている。「欲望」という語は適切でないかもしれない。しかし、こうした規範的力を支える「岩盤」を表現する言葉として私にはほかに思いつくものがない。われわれは他者を理解したいと思い、また、他者によって理解されたいと思う。それは衝動的な、やみくもな「欲望」なのである。

もし他人に理解されることを求めないならば、矛盾したことを言って恥じることのないように、表明した意図を実現すべく努力しなかったり、矛盾した意図を表明して平然としたりしていられるだろう。だが、それはつまり、他人に理解されることを求めない人にはそもそも意図なる概念が不要であるということにほかならない。その人は欲求のレベルにとどまるか、あるいは欲求のレベルにさえ到達することなく、たんに空腹感やのどの渇きに促されて行動するだけだろう。動物たちには失礼な言い方かもしれないが、いわば「(人間以外の)動物なみ」なのである。

こうした観点から、「意志」と「意図」の関係を述べておくことができる。ポイントは、「意志の強さ/弱さ」とは言うが、「意図の強さ/弱さ」とは言わないという点にある。意図は規範的枠組としてある。例えば「夏休みに論文を書こう」と意図する。そのとき、私はその実現に向けて努力せねばならず、また、論文を書くことを不可能にしてしまうような他の意図（夏休みは何もしないでのんびり過ごそう。夏休みはあの長大な小説に読みふけろう。夏休みは……）はまことに残念ながら放棄しなければならない。そこでそうした規範的圧力にどのくらい忠実であるかが問われることになる。それこそが、意志にほかならない。意志は、何か心的動力のごときものではなく、むしろ、約束における誠実さに類比的なものと言えるだろう。交わした約束を守ろうとしない人のように、意志の弱い人は意図した行為を遂行することができない。意志とは、なんらかの心的作用ではなく、「意志の強さ／弱さ」という形で行為に関わるその人の性格を表わしているのである。

それゆえ意志の弱さは望ましい性格ではないかもしれないが、けっして理解不可能なものではない。「禁煙しよう」と意図してすぐに挫折してしまう人を理解することはまったく難しいことではない。ただし、極端に意志の弱いケースだと「意志が弱い」とさえ言えなくなるだろうという点は押さえておかねばならない。例えば、「コーヒーを飲もう」と意図して立ち上がり、さしたる困難も見られないのに意志の弱さゆえに台所まで行き着かなかった人というのは理解しがたい。そのような人は、容易な努力さえ放棄しているため、意図がもっている実現への要請に違反しているのである。その場合には、そもそもその人の意図内容が理解できないことになる。そして、何を意図しているのかさえ分からない人の行動に対しては「意志の弱さ」を言うこともできないのである。「意志が弱い」と言われるからには、少なくとも何を意図しているのかは理解されていなくてはならない。それゆえ、理解可能性という観点からだけ言えば、排除されるのは極端な意志の弱さまでとなる。それ以上、ふつうに求められる意志の強さへの圧力は、理解可能性ということからは生じてこない。

では、意志が強くないと何が困るのだろうか。私の見るところでは、それは共同作業の必要性に由来している。共同作業を為すとき、私はそのパートナーと意図を共有する。すなわち、それらの作業における規範的枠組を共有する。そして自分のパートナーがその規範的圧力に忠実であることを期待するだろう。しかし意志の弱い人は容易にその期待を裏切る。一言で言えば、意志の弱い人は「あてにならない」のである。「意図」や「意志」は、「分かってもらいたい」「あてにされたい」という根元的な社会的欲望に根ざしていると言えるだろう。ここにこそ、規範の岩盤がある。もしそうした欲望から解脱してしまった人がいたとしたならば、その人は意図や意志とは無縁の生活を送ることになる。そしてそれゆえ、その人はまた「行為」からも解脱することになるだろう。

23　行為の構造

ある人がある時ある場所で行なった行為はさまざまな仕方で記述されうる。例えばそれは「腕をのばした」「扉を開けた」「風を入れた」のように記述される。場合によっては、さらに「書類を飛ばした」や「外にいた人を驚かした」と記述されるかもしれない。では、こうしたさまざまな行為記述の間の関係はどうなっているのだろうか。まず、これに対して「アンスコム‐デイヴィドソン的」と称されうるような、現代の行為論において主流をなしている見解を素描し、続けてそれとの対比によって私自身の見解を示すよう試みてみよう。

アンスコム‐デイヴィドソン的見解は、さまざまな行為記述の中で身体動作の記述を基本的なものとみなす。すでに論じたように、私自身はこの点ですでにこの見解とは袂を分かつことになる。だが、しばらくは私自身の見解は棚上げにしておこう。いまの例で言うならば、まず「腕をのばす」と身体動作が記述される。そして腕をのばしたことによって扉が開く。その結果を反映して、この行為はまた「扉を開く」とも記述されることになる。こうして最初の記述に重ね塗りされた記述は「再記述」と呼ばれる。さらに、扉が開いたことが原因で部屋に風が入り、それを反映して、この行為は「部屋に風を入れる」と再記述される。さらに、それによって書類が飛んでしまったならば、その結果をも反映して「書類を飛ばした」とも再記述される。あるいは、扉を開けたことによって外の人がびっくりしてしまったならば、それは「外の人を驚かした」と再記述されることにもなるだろう。

こうして、ある行為が引き起こした結果は、その行為の記述に反映され、その観点からの再記述を生み出すことになる。これを「行為記述の生成」と呼ぼう。いまの例では、ある行為が因果的に引き起こした結果を反映して再記述が為されていた。そこで、このような生成をアルヴィン・ゴールドマンからその用語を借りて「因果的生成（causal generation）」と呼ぶことにする。[78]

行為記述の生成は因果的生成ばかりではない。もうひとつの重要なタイプとして、手を上げてタクシーに合図をするような場合が挙げられる。腕をのばすことによって扉を開けたように、この場合もまた手をあげることによってタクシーに合図をしている。すなわち、まず「手をあげる」と記述され、さらにそれが「タクシーに合図する」と再記述される。しかし、先の例と異なり、ここにおける「によって」という関係は因果的なものではない。あるいは、「所定の場所に印鑑を押し、それによって書類の内容を認めたことを示す」という事例でもよいだろう。こうした場合には、因果的な帰結を反映して再記述されるのではなく、ある行為が取り決めや社会的慣習に基づいて特定の意味を帯び、それによって再記述が為されることになる。そこでこうした関係を、再びゴールドマンの用語を借りて、「規約的生成（conventional generation）」と呼ぶことにする。[79]

この脈絡で、「いくつの行為が為されたのか」という、いささか奇妙な問題がたてられることがある。腕をのばし、それによって扉を開け、それによって部屋に風を入れた。私は三つの異なる行為を為したのか、それとも異なる記述をもつ一つの行為を為しただけなのか、というわけである。そしてゴールドマンは、それらは異なる性質をもっているのだから異なる行為であると主張し、アンスコムおよびデイヴィドソンはそこにあるのは時空的に同一の一つのできごとであるから、一つの行為であると主張する。だが、いまはそうした立場の差は無視して、公約数的な見解を取り出しておくにとどめたい。[80] すなわち、まず身体動作の記述が為され、そこから因果的生成ないし規約的生成という仕方で新たな再記述が生み出されていく。これが、ここで批判的に検討したい見解である。以下、これを「アンスコム‐デイヴィドソン的」というよりはむしろ、「標準的見解」と呼ぶことにしよう。

最初に論じたいのは、すでに明らかだろうが、標準的見解が行為記述の生成の起点を身体動作に置いている点である。「腕をのばすことによって扉を開ける」、このように身体動作からの因果的生成として行為が捉えられる。だが、この因果的分析は誤っていると私は考える。より正確に言えば、この分析は腕をのばすことが意図されている場合以外は、誤っている。たんに腕をのばすことが意図されているのであれば、その場合には、扉の開き具合と呼応関係をもたずともその身体動作が調整され、成立している。そしてその結果、たまたま扉が開いてしまったということになる。それゆえ、それは扉の開放を引き起こす原因として自立した行為となりうるだろう。だが、ごくふつうに扉を開けようとして扉を開ける場合はそうではない。ふつうの場合には、扉の開き具合との呼応によって腕をのばすことが成立している。すなわち、それは「扉を開ける」という意図をもった行為として初めて成立しうるものなのであり、それゆえ、腕をのばすという身体動作との因果関係という観点からは分析されえないのである。

同様のことは規約的生成についても言える。私はただ手をあげることによってタクシーに合図したのではない。タクシーの運転手に見えるように、しかも、わざとそうしていることが分かるように、手をあげた。つまりは、「タクシーに合図した」のである。さらに分かりやすい事例は言葉を話すことだろう。私は「おはよう」と挨拶する。われわれはけっしてそれを身体動作やそれによって発せられた音の集積として捉えはしない。私のこの行為は、あくまでも「おはよう」というまとまり、その挨拶としての意味のもとに統御されることによって成立しているのである。ここでもまた、挨拶という行為を身体動作と規約との合体として捉えることは誤っている。

とすれば、行為記述の生成の起点は必ずしも身体動作ではなく、私が意図的に為した行為、すなわち「意図的行為」であるということになる。それは、ごくふつうの場合には「扉を開く」であったり、「タクシーに合図をする」であるだろう。

では、「腕をのばす」という記述と「扉を開ける」という記述の関係、あるいは「手をあげる」と「タクシーに合図をする」との関係はどのようなものになるのだろうか。

これに対して私は、「腕をのばすこと〈によって〉扉を開ける」という関係を逆転させ、「扉を開けること〈において〉腕をのばす」、あるいは「タクシーに合図すること〈において〉手をあげる」という関係を提案したい。標準的見解では、因果的生成であれ規約的生成であれ、その関係は「AすることによってBする」という形式で捉えられていた。この「によって」の関係（by-relation）に加えて、新たに「において」の関係（in-relation）を提案したいのである。私は扉を開けようと意図したのであり、たんに腕をのばそうとしたのではない。しかし、確かに私は「扉を開けることにおいて腕をのばしてもいる」のであり、それゆえ腕をのばすことは意図したことではないにせよ、なお私の為したことにほかならない。そこで、このような再記述のあり方を新たに「分析的生成（analytical generation）」と呼ぶことにしよう。

分析的生成とは、とりあえず大摑みにいえば、全体として成立している行為の記述を部分的エピソードに分解することである。例えば、次のような事例が分析的生成の典型と考えられる。

講義をすることにおいて私はチョークをもっている
会話をすることにおいて私は口を動かしている
腕をあげることにおいて私は手の指も上げている
投げ渡されたものを受け取ることにおいて私は眼球も動かしている

これらの事例はまさに〈において〉の関係として捉えられるにふさわしいものであり、これらを〈によって〉の関係として捉えようという人はいないだろう。

「部分的エピソードに分解する」ということを、もう少し精確に規定するよう試みてみよう。分析的生成ということの規定がまだ曖昧であるため、多少意地悪くこう問われるかもしれない。講義をしているときに君の心臓は動いている。では、君は講義をすることにおいて君の心臓を動かしているのか。

もちろんそうではない。そしてそのおかしさは、私は心臓を「動かして」などいない、という点にある。それゆえ、部分的エピソードに分解するさいにひとつの制限が課されねばならない。私の提案する制限は次のようなものである。

(1)「AすることにおいてBする」と言われるとき、Bは、ある脈絡においてそれ自体が意図的に為しうるものでなければならない。

分析的生成に現われる部分的エピソードは、（意図せざるものであるかもしれないが、なお）私の行為である。とすれば、「行為」として記述されるための必要条件として「それは意図的にも為されうる」という条件を課すことはもっともなことだろう。非意図的にしか為しえない行為などというものは存在しないのである。この観点から、心臓の動きは分析的生成から排除される。それに対して、チョークをもったり、口を動かしたりすることは、それ自体として意図的に為そうとすれば為しうることである。（ついでに言えば、心臓の鼓動は意図的には為しえないが、心臓を私の身体ごと上下に揺さ振ったり、部屋の中を移動させることであれば意図的にも為しうる。それゆえ、「講義することにおいて私は自分の心臓も移動させている」という分析的生成ならば、成立するだろう。）

部分的エピソードに分解するさいの制限として、もうひとつ付け加えておかねばならない。講義中に私は講義と無関係なこと、例えば頬を掻く。では、私は講義することにおいて頬を掻いたのだろうか。これもまた、そうではない。直感的な言い方をすれば、これは講義と無関係なエピソードでしかないからである。そこで次の制限が設けられる。

(2)「AすることにおいてBする」と言われるとき、Bは、それを妨害することがAすることの妨害にもなるようなものでなければならない。

意図的行為において為されている何ごとかは、その意図的行為に対して有機的に関連していなければならない。そして、それはつまり、意図が開く障害と調整の物語の一部としてそのエピソードが語られうるということにほかならない。私が頬を掻くのを妨げられたとしても、私はそれにはかまわずに講義を続けることができる。しかし、チョークをもつことを妨げられたならば、私はそれに対処し、なんらかの策を講じなければならないのである。

かくして、意図的行為の記述を起点とし、そこから因果的生成と規約的生成という「によって」の関係と分析的生成という「において」の関係で、新たな行為記述がさらに生成されていくという構図が新たに提案される。

ここで、生成の起点となる意図的行為が必ずしも一つとはかぎらないことを注意しておきたい。例えば、扉の外で猫が鳴いているので、私は扉を開けて猫を中に入れる。このとき、私は「猫を中に入れる」という意図的行為を為しているわけだが、そのさい「扉を開けてあげよう」とも意図している。すなわち、このような場合には、意図的に扉を開け、それ〈によって〉意図的に猫を中に入れたのである。ここでは、二つの意図的行為が「によって」の関係で結ばれている。さらに、そこには同時に「において」の関係も成立しているだろう。私は「猫を中に入れること〈において〉

扉を開けた」のでもある。そこで、行為記述の起点となるような一群の意図的行為の記述を、「生成の核」と呼ぶことにすれば、行為記述の生成の核にある複数の意図的行為は、ある順序でそれぞれ「によって」の関係と「において」の関係の両方をもつことになる。

これは別にめずらしいことではなく、複数の行為が手段‐目的の関係にあり、しかも手段が完全に目的に従属しておらず、それ自体がある程度目的ともされるような場合に見られることである。例えば、ある山頂をめざし、そのルートとしていくつかの登山口から一本の尾根道を行くものを選んだとしよう。そのとき、その山頂に登ることが意図的であることは言うまでもないが、その尾根道を歩くこともまた意図的行為である。ここにおいて私は、手段となる行為をそれ自体としてさまざまに調整し、めざしながら、それによってさらなる目的を達成しようとする。それゆえここでは、「その山頂に登る」という意図的行為の記述と「その尾根を歩く」という意図的行為の記述がそれぞれ「によって」と「において」の関係で双方向的に結ばれているのである。[81]

以上のような構図のもとに、われわれはいまや先に提出した行為のアポリアに答えることができる。まず、問題をもう一度確認しておこう。

私が扉を開けるとき、その達成点として扉が開くというできごとも起こっている。しかし、扉が開くというこのできごと自体は、私が開けたのでなくとも起こりうるものである。では、たんに扉が開いたのではなく、私が扉を開けたとされるのはなぜか。これに対して、「私が原因で扉が開いたからだ」と答えられるならば、「私が原因で」とはどういうことなのか、とさらに問われねばならない。そして、「それは私が腕をのばしたことが原因で扉が開いたということだ」と答えられるとすれば、ここに無限後退が開かれる。私が腕をのばすとき、その達成点として私の腕がのびるというできごとも起こっている。では、たんに腕がのびたのではなく、私が腕をのばしたとされるのはなぜなのか。私が原因で腕がのびたからだ。だが、「私が原因で腕がのびた」とはどういうことなのか。……もはや、どう答えようとも、この問いかけが果てしなく繰り返されることになる。

しかし、すでに論じたように、「扉を開ける」が私の意図的行為の記述とされるのは、このようななんらかの「第一原因」が私のもとに存在するからではない。それは、行為者とそれに関わる者たちがそこに可能な障害と調整の物語を読み込むかどうかにかかっている。そして、その物語が意図という規範的枠組のもとに成立しているかどうかにかかっているのである。

たんに扉が開いたのではなく、私が扉を開けたのだということを成り立たせているものは何か、そう問われる。それに対して私はこう答えよう。たんに扉が開いただけならば、そこにはいかなる協力ないし妨害の余地もない。他方、私が意図的に扉を開けようとしたのであれば、そこにはさまざまな協力や妨害の可能性が生じる。そして私はそうした助けや障害に応じてさまざまな調整を施すだろう。「扉が開いた」という記述と「扉を開けた」という記述とでは、その記述が生きる物語の場がまったく異なっているのである。

次に、分析的生成という関係を導入することによって、原因の無限後退の問題に答えることができる。私は扉を開けることにおいて腕をのばす。さらに、腕をのばすことにおいてもさまざまなことをしているかもしれない。腕の筋肉を収縮させている（これはリハビリテーションなどの場合には意図的にも為されうることであろう）。あるいは、のばされた腕をイメージしているかもしれない。そして、この「において」の系列は、どこかで終わるかもしれないし、あるいは無限に続くものなのかもしれない。だが、そのことはいささかもディレンマを形成するものではない。分析的生成がどのように続こうと、われわれはそれに頓着することなく、意図的行為の障害と調整の物語を語るだろうからである。それゆえ、たとえそれに対する分析が無限に続こうとも、それはわれわれを困らせはしない。この無限系列は、意図的に為されたひとつの行為に対して「好きなだけ分析を続けてかまわない」ということにほかならず、それは分析する者の関心に応じて開かれる可能的な無限だからである。いつまでも分析を続けてかまわないということは、けっして私が一挙に無限の行為を意図し為し遂げたということを意味しはしない。私の為した意図的行為は扉を開けること、これひとつである。そのひとつの行為を振り返って分析的に見ていくときに、それは果てしない作業になるかもしれない、ただそれだけのことにすぎない。

この観点から興味深いのはゼノンのパラドクスである。アキレスは亀を追い抜こうと意図し、そして追い抜く。ここで成立しているアキレスの意図は「亀を追い抜く」ことにほかならない。アキレスはけっして「とりあえず自分が出発したときに亀のいた地点まで行こう。そしてその次はそのときに亀が進んでいるだろう地点まで行こう。そしてその次は……」などという無限の意図を形成しているのではない。それゆえ、行為記述の生成の起点は「アキレスは亀を追い抜いた」という意図的行為である。そして、それを分析してみたときに、「アキレスは亀を追い抜くことにおいて、とりあえず出発時に亀のいた地点まで到着した」ということが言われる。それゆえ、ひとつの意図的行為が無限の要素に分析される。さらに言えば、「出発時に亀のいた地点まで到着することにおいて、アキレスはまずその中間点に到達した」とも分析されうるだろう。そしてこの分析系列はこの後無限に続くことになる。しかし、こうしたことはすべて成立した意図的行為に対する事後的な分析にほかならない。そして、分析はいつまで続けてもかまいはしない。終わらないのは分析であり、分析されている意図的行為はもう終わっているからである。[82]

24　理解と裁き

「意図せざる行為」というものがある。私はそう意図してはいなかった、しかし、それでもやはりそれは私の為したことだ。そう言うしかないような行為である。例えば、私は他人からこのように言われるかもしれない。「君にはそのつもりはなかったかもしれないが、君は彼女を傷つけたのだ」。私は彼女を傷つけようとしたわけではない。しかし、結果として彼女が私の言動に傷ついたならば、それは私がやってしまった何ごとか、私の意図せざる行為であるだろう。

まず、こうした意図せざる行為について検討しよう。そして、その検討をとおして、行為を見るさいの二つの観点――一人称的観点と三人称的観点――をあぶりだし、論じてみたい。

意図せざる行為は、因果的生成のみではなく、規約的生成や分析的生成によっても生じる。とくに分析的生成を考えるならば、それはまったくありふれたものとなる。例えば、私が意図的に扉を開けるとき、私はそこにおいて腕をのばしてもいる。しかし、私は「腕をのばそう」と意図したわけではない。それゆえ、「腕をのばす」ことはそのときの私の意図的行為ではなく、扉を開けるという意図的行為において為された意図せざる行為にほかならない。

あるいは、もう少し複雑な例を考えてみよう。私は道の向こうに友人を見かけ、手をあげて挨拶する。ところがそれを見てタクシーが停まってしまうのである。ここで、「友人に挨拶する」という意図的行為が生成の起点となる。そしてそこから「手をあげる」という記述が分析的に生成され、さらにその身体動作から「タクシーに合図する」という記述が規約的に生成される。かくして、私にはタクシーを停めようという意図などなかったにもかかわらず、それは私の意図せざる行為となる。このように、意図的行為を起点としてさまざまな形で生成される行為記述のすべてが、意図せざる行為の記述とみなされる。

意図的行為と意図せざる行為を区別するひとつの重要なポイントは、例えば、「君は知らないようだが、実は君は彼女を傷つけてしまったのだ」という言い方における「君は知らないようだが」という表現である。私は、私の知らないところでもなお、私の為したこととして何ごとかを引き受けねばならない。そして、無知とともに引き受けるものは、一般に意図的行為ではなく、意図せざる行為である。意図的行為の場合であれば、意図的にある人を傷つけつつ、なお私は自分のその意図に気づいていないということはありえない。オイディプスは行きずりの男を殺し、王妃と結婚した。それは彼の意図的行為だった。だが、それはまた父殺しでもあり、母親との結婚でもあった。そしてそれは、オイディプスの無知とともになおオイディプスが為したこととされる、彼の意図せざる行為なのである。

とはいえ、意図せざる行為であっても、自分が何をしたことになっているのかを知っているときはある。例えば、私は車を運転することでその燃料が減るだろうことを知っている。それゆえ、車を運転しているとき、私は燃料を減らすということも同時に行なっており、かつ自分がそうしていることも知っている。だが、私は別に車の燃料を減らすことを意図しているわけではない。それゆえこれは、知りつつ為されている意図せざるを行為にほかならない。あるいは、私はいま部屋の明かりをつければ家の者を起こしてしまうだろうことを知っている。しかし、私は探し物のためにしばし部屋を明るくしなければならず、それゆえ心ならずも彼女を起こしてしまう。これもまた、知りつつ為された意図せざる行為であるだろう。

だが、「自分が何をしたことになっているのか」を知る知り方と、「自分が何をするつもりでいるのか」を知る知り方はまったく異なっている。車を運転しているとき、私はそれで自分が帰宅しようとしていることを知っている。しかし、自分の運転を観察してそのことを知ったわけではない。「いま私は右折した、そしてその道は私の家に続いている。してみると私は家に帰ろうとしているのだ」――他人の場合であればこのようにして行き先を知ることもあるだろうが、自分の場合にはありえないことである。アンスコムの言葉を用いるならば[83]、私は自分の意図内容を「観察によらずに知る」のである。

それに対して、「自分が何をしたことになっているのか」を知るとき、ふつうの場合であればそうした独特の知り方は現われてこない。私が車の燃料を減らしているということは、燃料計を見て初めて分かることである。あるいはまた、オイディプスが自分の為した父殺しを知ったのは、テバイの王を殺害した犯人をひとごととして調べ上げた結果であった。自分が何をしたことになっているのかは自分の為したことの結果を反映して記述される。そして、為したことの結果は一般に観察によって知られるしかないだろう。

ここに、意図的行為と意図せざる行為に対するわれわれの観点の違いが現われる。自分に対して、「何をするつもりでいるのか」は一人称的な観点から知られる。他方、「何をしたことになっているのか」は三人称的な観点から知られるのである。そして意図的行為は、「何をするつもりでいるのか」と「何をしたことになっているのか」という両方の知識に基づいて記述される。すなわち、一人称的観点と三人称的観点の双方から捉えられねばならない。それに対して意図せざる行為は、もっぱら「何をしたことになっているのか」という三人称的観点から記述されるのである。

この点に関して、「意図的行為とは観察に基づかないで知られるできごとの一種にほかならない」という、行為論においてはもはや教科書的ともなったアンスコムの主張[84]はいささかミスリーディングである。この主張そのものは単純に誤りだろう。興味深い事例として、鏡を見ながら髭を剃るような行為を考えてみてもよい。[85]鏡に映った姿を観察せずには、髭を剃ることは難しい。もちろん、別にこんな凝った設定にする必要はない。目玉焼きを作るときだって、フライパンの位置や火加減や卵の焼け具合を観察して行なわなければならない。それゆえアンスコムは、観察に基づかずに知られるのは、意図的行為ではなく意図であると言わねばならなかった。[補注5] 実際、彼女が言いたかったことは「私がどういうつもりでそうしたのかを、私は観察に基づかないで知る」ということであったと思われる。しかし、そうだとするならば、先のアンスコムの主張には別種の誤りが含まれることになる。意図はできごとではなく、それゆえ観察に基づかないで知られる「できごと」の一種でもありえないからである。

さらに言えば、無知の内に意図的行為を遂行することさえ、ありうる。例えばAがBを毒殺しようとして毒を盛り、そしてBが死んだときにはまだAはそのことを知らなかったとする。そのとき、「Bを毒殺する」というAの意図的行為はBが死んだ時点で達成されるのであり、Aが毒を盛ったときでもAがBの死亡を確認したときでもない。とすれば、Aは自分がその意図的行為を遂行しえたことを知ることなく、遂行したのである。

一人称的観点と三人称的観点の違いに由来するのが、意図的行為と意図せざる行為における成功・失敗に対する関心の有無である。意図的行為には成功ないし失敗ということがある。しかし、意図せざる行為の場合には成功も失敗もない。私が扉を開けたことが扉の向こうにいた人を驚かせてしまったとする。それが私の意図せざる行為であるならば、私がその人を驚かせたことそれ自体は成功でも失敗でもない。成功・失敗は、本人が何をめざしているかによる。すなわち、一人称の観点を忖度（そんたく）することによって初めて、めざされたことの成就と挫折が評価されうるのである。他方、意図せざる行為にはそうした一人称的観点への興味はない。本人の思惑とは別に、第三者的に見てその人が何を為したことになっているのかこそが、関心の的なのである。

行為を捉えるさいに、こうした観点の分化が生じてくるのはなぜだろうか。これはかなり複雑な問題であり、われわれが行為に対してもつさまざまな関心と、それを位置づける現在のわれわれの慣習についての立ち入った記述を必要とする。だが、かいなでに一瞥しただけでも、その中核となる部分を確認することはできるだろう。

意図が問題になるのは、典型的には、何かを共同で為そうとする場面である。そうした場面でこそ、意図が開く障害と調整の物語もその本領を発揮する。意図を明確にし、可能な調整の物語を示すことによって、何が妨害となり何が協力となるのかが明確になり、そうして共同作業の計画も可能になる。意図を共有するということは将来の行為や計画に対する規範的枠組を共有することにほかならず、それゆえ、共有された意図は共同実践における一定の規則のような働きをするのである。もしただひとり孤立して生活しているのであれば、意図がもつ規範的力もその実質を失うだろう。われわれは、共同の実践に参与するメンバーとして、相手の意図を、その規範的関与のあり方を、理解しなければならない。そして、その場面では、第三者的に見て何が為されたことになっているのかよりも、その人が何をしようとしているのか、その人はどういうつもりでそうしているのか、その人の「心づもり」をわれわれは理解しなければならないのである。

それに対して、意図せざる行為が問題になるのは、その人がけっきょく何をしたことになっているのかを見積もり、それに対して責任を負わせようとする場面にほかならない。たとえ私にはそのつもりはなかったとしても、私が扉を開けたことで外にいた人を驚かせてしまったならば、私はその人に詫びねばならない。あるいはまた、オイディプスはそうして自らの眼を貫き、テバイを去らねばならなかったのである。

それゆえ、きわめて単純に言い切ってしまうならば、行為に対する一人称的観点の眼目は「理解」にあり、三人称的観点の眼目は「裁き」にあると言えるだろう。もちろん、これは過度の単純化であり、裁きの場面においてもしばしば意図が論じられる。だがそれは、実際問題として人を裁くということが他者理解と無縁に為されるわけではないからである。とくに、裁きが更生をめざすものであるならば、相手を理解した上で裁かねばならず、それゆえそこにおいて相手の観点に立って意図を忖度することが不可欠となる。しかし、償いをもっぱらにめざすのであれば、評価はただ三人称的観点から為されるのではないだろうか。たとえそのつもりはなかったとしても、私は私のやってしまったことを償わねばならないのである。

この観点から、ひとつ問題を出してみたい。ひとはなぜひとをほめるのか。責めは意図せざる行為にも及ぶのに、ほめるときにはただ意図的行為のみをほめるように思われる。それはなぜだろうか。解答はおまかせしよう。

25　殺害時刻問題

洗濯機で洗濯することについて考えてみたい。あるいは、殺人について。

私は洗濯物を放りこみ、スイッチを入れる。洗濯機が動き始め、私は居間に戻り、新聞を読む。さてそうして新聞を読んでいる間、私は洗濯をしているのだろうか。

私は、「そうだ、洗濯している」と答えたくなる。では、もし私が突然死んでしまったとしたらどうか。それでも洗濯機は動き続けている。しかし、死んだ私が洗濯できるはずもない。では、だんだん馬鹿馬鹿しい状況になってきて申し訳ないが、洗濯物を放りこんだ直後に私の具合が悪くなり、十分後に動けなくなり、どんどん悪化して二十分後に死んでしまう。それでも洗濯機は動き続けている。私はいったい、いつ、洗濯をしているのではなくなったのだろうか。

この一見馬鹿げたパズルは、しかし見た目ほど馬鹿げてはいない。私の見通しが正しいならば、この問題の検討において重要な論点が浮かび上がってくるだろう。「洗濯問題」に密接な関連をもったもうひとつのパズルは、殺害時刻問題である。問題はこう述べられる。

笠原が撃った一発の弾丸が正一少年に命中し、そのため正一は三時間後に死亡する。さて、笠原はいつ正一を殺したのか。(86)

この問題は、とくに私が「標準的見解」と呼んだアンスコム－デイヴィドソン的見解にとって重要な問題となる。標準的見解に従えば、行為者が為す行為は基本的にまず身体動作である。われわれは自分の身体を動かし、それがなんらかの結果を引き起こす。そこで、その結果を反映して身体動作がさらなる再記述を受ける、というわけである。いまの場面で言うならば、笠原はまず指を動かし、それが引き金を動かし、それによって銃弾が発射され、銃弾が正一に命中し、正一は三時間後に死亡する。そこでその結果を反映して、笠原が指を動かしたその身体動作が、「笠原は正一を殺害した」と再記述されることになる。ここで、再記述されている対象はあくまでも笠原の身体動作であるから、その行為は身体動作の終了とともに終わっている。つまり、指を動かした時点で、笠原は彼の行為を終えているのである。しかも、その行為は「正一を殺害した」と再記述される。となれば、標準的見解に忠実に従うならば、こうなるしかないだろう。

　正一が死ぬ三時間前に笠原は正一を殺害し終えている。

　しかし、これはいかにも奇妙である。それゆえ、ここにおいて標準的見解は修正をせまられているように思われるのである。

　では、笠原が正一を殺害したのは、狙撃から三時間後、正一が死亡したときだろうか。ところが、これに対しても奇妙な事態が生じる。銃を撃った一時間後、笠原は部屋で酒を飲んでいるとしよう。笠原の殺害行為はすでにスタートしている。しかし正一はまだ死んでいないから、その殺害行為は終了してはいない。とすれば、いま部屋で酒を飲んでいる笠原は「正一を殺害しつつある」ということになるのだろうか(87)。

　あるいは、狙撃から二時間後に笠原が死んだとしよう。そして三時間後に正一が死ぬ。そのとき、死んだ笠原が正一殺害という行為を完了させたことになるのだろうか。これもまた、奇妙である(88)。

　他方、洗濯機で洗濯をする場合、なるほど途中で死んでしまってはいささか困りはするが、少なくともピンピンして新聞を読んでいるのであれば、私は「いま洗濯しているんだ」と言うだろう。あるいは、大豆を蒸して納豆菌をかけて置いておく。この場合も、ただ待っているにもかかわらず、「いま納豆を作っている」と言ってよいだろう。

いったい、この錯綜した事態をどう捉えればよいのだろうか。

笠原による正一の殺害が意図的であるのか意図せざるものであるのかを区別しなければならない。これがまず私の提案である。実際、殺害が意図的なものである場合には、笠原が「正一を殺すのに三時間かかった」と言うことには不自然なところはないが、意図的でなかった場合にそのように言うことは不自然だろう。ここには、意図的な場合と意図せざる場合とで違いが見られるのである。

では、意図的な殺害であった場合から考えよう。

笠原は殺そうとして正一を撃った。そのとき、笠原は狙撃の後も正一の生死に関心をもち、正一がもし生き返りそうであれば、なおも殺害しようと試みるだろう。場合によっては誰かが来たらその人をじゃますべくそこで見張っているかもしれない。たとえ部屋で正一の死をただ待っていただけであったとしても、それを意図的行為とみなす記述者は、それを意図的行為とみなすことにおいて、笠原にそのような特定の行為への構えを見るのである。

このことは納豆の場合にも同様だろう。私はただ納豆菌を振りかけた蒸し大豆を置いて待っている。だが、そこにおいて私は無数の可能な障害に対する調整への構えをもっている。妻がそれを生ゴミとして捨てようとしたら私はそれを制止するだろう。温度が足りなくて発酵が進まないようならばなんとか工夫するだろう。私は現実にはただ待っているだけなのだが、可能的には忙しいのである。この可能的な忙しさこそ、「いま納豆を作っているのだ」と私が胸をはって言えるゆえんである。関連する身体動作をとくにしていなくとも自然な進行形が言える理由は、こうした可能的行為への構え、可能な障害と調整の物語の内にある。

そしてまた、こうした可能な障害と調整の物語が意図的行為にとって本質的であるからこそ、われわれは一度に二つのことを為すこともできるのである。例えば私は、鍋でお湯を沸かしつつ、野菜を切ることができる。逆に、標準的見解の立場からは一度にひとつのことしかできないという帰結が生じるだろう。一度に為せる身体動作はひとつでしかないからである[89]。

かくして、正一の死というできごとが笠原の意図の内にあるのならば、正一を殺害するという意図的行為は正一の死が実現されるべく正一が死亡するまで調整・制御され、正一が死亡した時点で完了するということになる。すなわち、殺害時刻は正一の死亡した時点である。

次に、正一の死が笠原の意図せざることだったとしよう。

例えば笠原はたんに威嚇のつもりで正一を撃ったとする。その場合には笠原は正一の狙撃の後、もはや正一を死に至らしめることに対して何の構えももたない。この事例に対しては、標準的見解と同様、殺害時刻は銃撃の瞬間、すなわち正一の死の三時間前であると言いたい。笠原は確かに正一を殺害した。正一は死んでしまったからであり、そうなったのも笠原の銃撃が原因だからである。しかし、その殺害行為はけっして三時間かけて行なわれたのではない。実際、意図せずして正一を殺してしまった笠原は、「正一を殺すのに三時間かかった」とは言わないだろう。結果として「殺害」とも記述される行為は、あくまでも一瞬の銃撃にほかならない。

　だが、それでも、「正一の死の三時間前に笠原による正一の殺害があった」とするのは、やはり奇妙に感じられる。私の見るところでは、その奇妙さは、「笠原による正一の殺害」という言い方がどうしても笠原による意図的な殺害を読みとらせてしまうからにほかならない。そして、意図的な殺害に対しては、私の見解からすれば、それを三時間前に限定することは確かにおかしいのである。

　それゆえ、この奇妙さを取りのぞくひとつのやり方は、それが意図的ではないことを明確に分からせるようなエピソードを用意し、その脈絡でしかるべき発言を考えてみることだろう。次のようなエピソードを考えてみよう。

　タダシは、泳げないタツヤに泳ぎを覚えさせようとしてむりやり海に放りこんだ。だがタツヤは溺れ、タダシの必死の救助活動にもかかわらず、一時間後に死んでしまう。そこでタダシは、「けっきょく私のしたことは「殺人」と言われてもしかたのないことだったのだ」とつぶやく。

　ここにおいてタダシは、嫌がるタツヤを海に放りこんだ自らの行為を振り返って再記述しているのである。そのとき、タダシはけっして自分の救助活動までをも「殺害行為」とはみなさないだろうし、また、「タツヤを殺すのに一時間かかった」とも言わないだろう。

　意図的でない行為の場合、その結果を反映して再記述される行為は、あくまでもその結果をもたらすことになった最初の意図的行為なのである。

では、正一を狙撃した二時間後に笠原が死んでしまった場合はどうだろうか。とくに問題となるのは、笠原が正一を意図的に殺そうとして狙撃し、その二時間後に笠原自身が死んだという場合である。

われわれは死者を可能な障害と調整の物語の内に登場させようとは思わない。もちろん、それは死生観にもよるだろうが、「死者が行為をその死後に完了させる」という言い方にわれわれが違和感を覚えるのであれば、それはわれわれがもはや死者に対して可能な行為への構えを見てとらないという死生観をもっているからにほかならない。そうであるとすれば、死者にはもはや意図的行為を遂行する能力はないと言わねばならない。

しかし、正一は笠原の意図したとおり、笠原の襲撃が原因で死亡したのである。それゆえ、笠原による正一の殺害をたんに「意図せざる行為」と呼ぶこともできないように思われる。

典型的な意図的行為には二つの側面が含まれている。すなわち、(1)しかるべき調整・制御を経て、(2)意図した結果が実現する、この二点である。この内、(2)が欠けている場合は「失敗した意図的行為」にほかならない。問題は(1)が欠けている場合であるが、こうした調整・制御が完全に欠けている場合には、たとえ意図した結果が実現したとしても、それはたまたまの幸運であり、「意図的行為」とは呼べないだろう。そこで、いま問題になっているのは途中で死亡したりしてその調整・制御の可能性が失われた場合である。とりあえず私はそれを「不完全な意図的行為」と呼んでおくことにしたい。

不完全な意図的行為は、私が洗濯したり納豆を作ったりする場合とは異なる。洗濯機のスイッチを入れ、新聞を読んでいるとき、すでに述べたように、私は可能的には忙しいのである。それゆえ、現実には何も調整を為していなくとも、可能的な調整の場にいることによって、私の意図的行為は完全なものとみなされねばならない。

では、洗濯機が作動している間に私の具合が悪くなり、だんだん衰弱していくという場合にはどうだろうか。私はいつ洗濯中ではなくなったのか。私は、救急車の中でもなお洗濯中なのだろうか。おそらく、いっさいの理論的関心なしにこの問題に向かうならば、われわれはどう答えてよいか当惑するだろう。そして、苦しまぎれに「徐々に洗濯中ではなくなったのではないか」とでも答えるに違いない。そして私は、この常識的曖昧さは正しいと考える。ここにおいて私の意図性は徐々に、蠟燭の火が消えるように、失われていったのである。新聞を読んでいるとき、私は洗濯機と洗濯物に生じうる可能な事態に十分対処できる能力をもっていた。しかしだんだん具合が悪くなり、やがてその可能性は失われる。死へと向かいつつある私の衰弱は、たんに現実に為される行為を減少させるだけでなく、行為への可能性をも減少させていく。それゆえ、それに応じて「いま洗濯中」という進行形を使うこともはばかられるようになるだろう。

これは、どこからどこまでが意図的行為と区切れるような性格なものではない。「いま洗濯中」と堂々と言える場合から、ちょっと首を傾げる場合、そしてさすがにそうは言えなくなる場合へと、連続的に推移しうる。つまり、ここにおいて、意図性とは1か0かで表わされるようなものではなく、「濃厚」であったり「希薄」であったりする段階的なものなのである。

あるいは次のような事例を考えよう。洗濯機の操作をほとんど知らない子どもが母親に頼まれて洗濯機に洗濯物を入れ、スイッチを押す。その子はスイッチを入れるところまでは分かるが、後は何がどうなってもまったく分からない。私ならば、例えば脱水のときに洗濯物が偏ってしまって洗濯機がとてつもない音を立て始めたときに、蓋を開け、洗濯物を均一に整え、スイッチを入れなおすだろう。しかし、その子どもはそんなこともできない。もはや洗濯機のことは無視してテレビゲームか何かに夢中になっている。この場合、われわれはその子どもに対して「あの子はいま洗濯をしている」とはあまり言いたくないだろう。待機するにも技術が必要なのであり、そして技術とは、行為の可能性の拡大にほかならない。技術を発揮しなくともよい。技術があればよい。そして、この子どもには待機しうるだけの技術と関心が決定的に欠けているのである。

ここに、意図的行為に対する三つの評価軸が与えられる。

(1)意図した結果が実現したか否かに応じて「成功／失敗」が言われる。
(2)可能的行為への構えの幅に応じて、意図性の「濃淡」が言われる。
(3)途中で意図性がゼロになった場合、すなわち関連する可能な行為への構えが途中で失われた場合、その意図的行為は「不完全」であり、たとえ希薄ではあれ最後まで意図性が保持されたならば、それは「完全」とされる。

そして、もし最初から意図性がゼロであるならば、それは「意図せざる行為」となるだろう。例えば私は弓を放つ。放った後は見守ることとしかできない。私の為しうる可能的行為はゼロではないが、きわめてわずかでしかない。しかし、そのどうしようもない意図性の希薄さにもかかわらず、私は最後まで可能な調整への構えをもっている。それゆえ、「的に当てる」という私の意図的行為は完全なものとして的のところまで、また、的に命中したりはずれたりする時点まで、時間空間的に延長されている。それは、意図性の希薄ではあるが完全な（そしておそらくは失敗に終わるであろう）、私の意図的行為なのである。

26　行為における身体

行為において身体動作はけっして基本的身分をもってはいない。これは私の基本的主張である。しかし、身体が独自の身分をもつことは疑えないだろう。では、身体のもつその独自性とはなにか。それを基礎行為のような考えに訴えることなく明らかにするよう試みてみよう。

身体の独自性について不用意に答えるならば、次のような答えが返ってくるかもしれない。――私の身体は私の意志に従う。しかし自分の身体以外の物体はそうではない。私は自由に手を動かすことができる。しかし、目の前の机や本はそうではない。

だが、「私の身体は私の意志に従う」とは意味不明でしかない。いったい、身体が何に従うというのだろうか。アンスコムは、こうした常識的見解を次のようにきわめて鋭く批判している。

意志の作用によって腕を動かすことはできるがマッチ箱を動かすことはできない、と言われることがある。だが、もしその発言で「マッチ箱を動かそうと意志しても、マッチ箱は動かない」ということを意味しているのならば、答えはこうだ。「マッチ箱を動かそうと意志したのと同じように、腕を動かそうと意志しても、腕もやはり動きはしない」。あるいはその発言で「私は腕を動かすことはできるが、マッチ箱を動かすことはできない」ということを意味しているのならば、答えはこうなる。「私はマッチ箱を動かすこともできる。――こんな簡単なことはない」(90)

意志することが何かを念じることだとするならば、もちろん、念力でもないかぎり「マッチ箱を動かそう」と念じただけでマッチ箱は動きはしない。しかし、まったく同様に、腕を見つめて「腕よ動け！」といくら念じても、私の腕はぴくりとも動かないのである。他方、実際に腕を動かしてみせるというのならば、私はマッチ箱も動かしてみせる。机の右？　よろしい。左？　造作もない。マッチ箱はまさに私の「意のままに」動くのである。

もちろん、私の意のままに動かないものも多くある。例えば私は東京タワーを動かすことはできない。しかし、私は自分の耳を動かすこともできはしない。身体の多くの部分もまた、私の意のままにはならないだろう。

「意のままになる」という観点から見たときに、いったい私の身体と身体ならざるものたちとはどう違うのか。それは一見してそう思われるのに反して、実はいささかも違いはしないのである。アンスコムのこの指摘は、「意志作用」なるものの空虚さをみごとに示している。だが、それでもなお、身体とマッチ箱がまったく同等に扱われてしまうならば、それもまた誤りと言わざるをえない。身体とマッチ箱とはどこか異なる身分をもっているはずである。

では、それは何か。

われわれがアンスコムの議論に感じる最大の「ずるさ」は、彼女がマッチ箱を動かしてみせるところにある。アンスコムは目の前のマッチ箱を無造作につまんでひょいと動かす。そして彼女は言う、“nothing easier!” ——しかし、「つまんで動かす」というのはインチキではないだろうか。いや、別にインチキではないが、まさにここにポイントがある。

私はマッチ箱を動かすこと〈において〉私の腕や指を動かしている。すべての意図的行為は、そこにおいてなんらかの身体動作を含んでいる。私は、この点に身体動作の独自性を見出す。

私が何かを意図し、その意図の実現について考慮し、調整・制御している場面では、むしろ身体動作は意識されないだろう。私はけっしてまず身体動作を制御し、それによって歩いたり自転車に乗ったりするのではない。私は周囲のようすに意識を向けながら、歩調を変えたりハンドルを切ったりする。そこではむしろ身体動作は「透明化」している。

これに関連して興味深いのが「熟達」ということである。例えば「変化球を投げる」という事例を考えてみよう。初心者は、まずボールの握り方、手首のひねり方、投球のフォーム等々を分解して教わり、それらをいちいち意図的になぞりながら、全体として変化球の投球を試みるだろう。そのような場合には、その人はかくかくかくにボールを握り、しかじかに手首をひねり等々を為すことによって、変化球を投げる。しかし、この「によって」関係は初心者を記述する仕方であり、熟達者はもはやそのように記述されるべきではない。熟達者は端的に「変化球を投げる」のであり、そのとき自分がどのようにボールを握り、どのようにひねっているのかはむしろ自覚されないだろう。しかしもちろん、彼は変化球を投げることにおいて、特定の仕方でボールを握り、手首をひねっているのである。このように、初心者を記述する場合と熟達者を記述する場合とでは、その記述の仕方は異なり、その最も大きな違いは、「によって」の関係から「において」の関係へと移行する点にある。

そして、「において」の関係に移行するということは、広い意味においてそれが身体性を帯びることであると言えるだろう。それゆえ、熟達の度合いが増せば増すほど、一般に身体は延長されていくのである。逆に、熟達の度合いが減少すれば、身体はふだんのこの五体よりも縮小されることになる。リハビリテーションの場面などはそうしたケースにほかならない。

身体の独自性は、なによりもまずそれが意図的行為において透明であるという点に存している。

身体動作そのものが意図的に為される場合、例えばリハビリテーションにおいて意図的に腕をあげるような場合には、なるほど身体動作が意識的に為され、ふだん透明なその姿が不透明に現われてくるだろう。しかし、身体はそうして姿を現わすことによって、かえってマッチ箱と同じ身分になる。リハビリテーションにおいて私は、マッチ箱を動かすようにして、いや、マッチ箱よりも意のままにならないものとして、この腕をもちあげるのである。

だが、透明なものとして控えているというだけでは、行為における身体の重要性はまだ浮かび上がってこない。ここで、行為における身体のあり方に重要な光を当てるもうひとつのポイントが、「責任」という観点である。「責任」の名のもとに、透明であった身体はその姿を浮上させるのである。

私が友人に挨拶しようとしてタクシーを停めてしまったという場面を考えよう。私は友人に挨拶すること〈において〉手をあげた。そして手をあげること〈によって〉タクシーに合図をした。ここにおいて、「タクシーに合図をした」という記述は私の意図的行為から分析的生成と因果的生成の複合として生成されている。そしてその結果、私は意図せずして停めてしまったタクシーの運転手に詫びる。ということは、すべての意図的行為には身体動作が含まれているのであるから、さらにその身体動作から生成される行為はすべて私の責任の範囲ということになる。虫を追い払おうとして私は腕を振る。そして腕を振ったことによって隣の人をぶってしまったならば、私はそれに責任をとらなければならない。意図的行為において身体動作が為され、その身体動作によって意図せぬ結果が引き起こされるとき、この「において」の関係と「によって」の関係の折り返し点として、身体は不透明化するだろう。しかも、この不透明化の仕方は初心者やリハビリテーションの場合の不透明化とまったく異なっている。こうして、多くの責任が身体動作を経由して発生し、「において」の行為生成の方向が「によって」の方向へと折り返す独特な地点として、透明化していた身体が立ち現われる。われわれは、まさに「身体を張って」行為するのである。

27　行為する他者

行為と行為ならざるできごととの違いは何かという問題に向かおう。

例えば干潟でシオマネキの雄がそのハサミを上下させている。われわれはそれを行為とみなすだろうか。答えは微妙なところだと思われるが、問題はその一匹の蟹に行為者としてのあり方を認めることが、あるいは認めないことが、何を意味するのかである。

その甲羅の内側に行為者としての何者か（小さなカニ！）が潜んでいるというわけではない。ハサミを上下させる動力源としての意志があるというのでもなく、また、司令室としての意図があるというわけでもない。

劇的なのは未知の惑星を探査するときである。そこで遭遇するものたちの動きをたんなる自然現象とみなすべきなのか、それとも行為とみなすべきなのか。そのものははたして行為者としての主体性をもっているのだろうか。あるいは、ロボットについて。自動ドアに主体性を認める人はいないだろうが、未来に出会うだろう複雑な動きをするロボットに対して、われわれは主体性を認めるようになるのだろうか。ひるがえって、いま私が日常的に接しているいわゆる「人間」型のこのものたちを、私の妻や同僚や街を行くものたちを、私はもちろん行為主体であるとみなして疑わないが、それはどういうことなのだろうか。そして、私自身について。

行為と行為ならざるできごとの区別という問題に対する、現段階での私の答えはこうである。行為とは、意図的行為を三人称的観点のみから記述しなおしたものにほかならない。それゆえ、行為の記述はその生成関係を遡ることによって必ず意図的行為の記述に行き着くことになる。逆に、いかなる意図的行為にも辿り着かないならば、それは行為ならざるできごととされる。[91]

ひとつのエピソードを考えてみよう。隣に座っていた人の手がふいに動いて私の肩に当たったとする。それはその人の行為なのかどうか。

第一に、その人はまさに私の肩をぶとうとしてぶったという場合が考えられる。そのときにはそれはその人の意図的行為であり、それゆえ行為である。

第二に、その人は実は虫を追い払おうとした勢いで私の肩にぶつかってしまったのかもしれない。その場合には「私の肩をぶつ」というのは意図的行為ではない。しかし、「虫を追い払う」という意図的行為において手を動かし、それによって私をぶってしまったのであるから、私の肩をぶったというのは意図せざることとはいえ、なお彼の行為である。

第三に、その手の動きがなんらかの意図的行為において為されたものではなく、例えば痙攣によって引き起こされたものであったとしたならば、そこには行為記述の生成の起点となる意図的行為がそもそも存在しないということになる。それゆえそれは彼の行為とはもはやみなされない。

具体的に意図の内容が分からない場合でも、あるできごとに対して「何か意図があるに違いない」と考えるのであれば、私はそれを行為とみなしていることになる。ある人が小さく咳をしたとしよう。私にはまだそれがどういう意図であるのかは分からない。しかし、何か意図があると考えるのであれば、私はその咳をその人の行為とみなしている。あるいは、山道に木切れがバッ印に重なっていたとする。もし私がそれを見て、これには何か意図があるに違いないと考えるのであれば、すなわち、私はそれを誰かの行為の結果とみなしているのである。

行為と行為ならざるできごととの違いは、当然、そこに行為者の存在を読み込むかどうかの違いともなる。例えば、われわれが台風に対して行為者の存在を読み込まないのは、そこに何の意図も読みとろうとしないということを意味しているだろう。

このことは、行為者の数という問題に対しても手がかりを与える。

例えば未知の惑星に降り立ったとしてみよう。そこでほとんどの場合に二体並んで運動している物体があったとする。もしわれわれがそれらになんらかの意図を読み込むようになったとして、それらを一つの行為者とみなすか、それとも二つの行為者とみなすのか、という問題である。これは、われわれが集団で行動する蟻たちを見るときにも生じるかもしれない疑問であり、あるいは、将来ロボットに意図を認めるようになったとして、つねにパートナー（すなわち彼の「右腕」）とともに作業するロボットに対して、パートナーこみで一つと数えるのか、それともあくまでも二つと数えるのかという問題としても問われうる。あるいは、現在でも切実な問題としては、多重人格の問題を挙げることができるだろう。

これに対して私は、意図の整合性が行為者の数に対する重要な規準になるだろうことを指摘したい。すなわち、整合的にまとめあげられる意図の全体をもちうる者だけが、一つの行為者なのである。それゆえ、未知の惑星におけるその二体の運動物体に全体として整合的な意図を読み込むことができるならば、それらを一つの行為者とみなすことも可能だろう。それに対して、そこに矛盾した意図が読みとれ、しかもそれがその二体を別々の行為者とみなしたときに解消されうるようなものであったならば、それらは二つの行為者とみなされる。われわれ自身もまた、矛盾した意図を形成してしまったときには、そのどちらかを解消するまでは、その矛盾の緊張のもとに同一性の危機に晒されることになる。逆に、たとえ複数の人間であったとしても、もし彼らが完璧に統制され意図の整合性に関する足並みの乱れをけっして見せないというのであれば、それは単一の行為者とみなされうるだろう。

行為者としてのあり方を「なんらかの意図の存在」と捉えることによって、行為における他者理解のあり方についてひとつの照明を当てることができる。或る人が小さく咳をしたという事例を考えよう。そのとき、できるならば、それがまず行為であることを確かめ、その上で、それがどういう意図のもとに為された行為なのかを調べたいと思うかもしれない。しかしそれは不可能なのである。それが行為であるかどうかは、けっきょくのところそれがいかなる意図的行為であるのかが確定されて初めて決まる。それゆえ、意図の把握に先立ってそれが行為であることがまず確認されるという順序ではありえない。認識の順序としては、意図の認識の方が、行為であることの、それゆえそこに行為者が介在することの認識に先立つのである。それゆえわれわれは、他者の意図の探求において、まずそれが行為であるという独断から出発しなければならない。

このことは、宇宙人とのコンタクトのような、相手についての情報がゼロである地点から出発しなければならないラディカルな場面を考えてみるといっそう際立つだろう。未知の星に降り立ち、なんらかの運動をするものたちに出会う。それらが行為者であることはどうすれば分かるのか。それに対して科学的探求を行ない、動力系統や司令系統の生物学的あり方を調べることはポイントをはずしている。ここにおいていっさいは独断から始まらねばならない。まずそれらが行為者であることを独断的に前提する。それはすなわち、彼らのふるまいには何か意図があるに違いないと考えることである。そして、そうした意図理解が成功するようであれば、それらを行為者とみなしていた独断も強化される。逆に、どうやっても意図理解がかなわないのであれば、そしてそれゆえわれわれがそれらの意図を理解しようという努力を放棄するのであれば、そのとき、それらが行為者であるとした独断もまた、放棄されるのである。

これは、言語理解における状況と平行的である。例えば、未知の共同体に入り込んだとき、ある音声が言語であることはまず独断的に前提される。それが言語であることは、すなわち、それがなんらかの意味をもつことにほかならない。それゆえ、理解の試みが軌道にのり、意味の探求が安定してきたならば、それに応じて、それが言語であるという独断も強化されることになるのである。

行為や行為者としてのあり方を「なんらかの意図の存在」へと帰着させる私の議論は、問題のほとんどを意図的行為と意図の理解の場面に皺寄せしたものとなっている。では、他者の意図を理解するとは、つまりどういうことなのだろうか。そしてそれはいかにして為されるのだろうか。行為を巡る論考の最後として、この問題に対して不十分ながらも答えておくことにしたい。

例えばシオマネキがハサミを上下させているという事例を考えよう。私はともあれそこになんらかの意図があると独断するところから始める。それは「遊んでいる」のかもしれないし、「海を呼び寄せようとしている」のかもしれないし、あるいは「雌に求愛している」のかもしれない。

ここで、ひとつ検討してみたい問題がある。シオマネキがハサミを上下させるという身体動作（基礎行為）しか為しえないという想定は可能か、という問題である。何か別の意図をもってハサミを上下させるのではなく、ただたんに、しかも意図的に、ハサミを上下させるのであり、それしかない。一般的に言うならば、基礎行為しか為しえない者たる「純粋基礎行為者」は可能か、と問うてみたい。

一見可能にも思われる。だが実は不可能だと言いたい。

ハサミが上下していることは私にも見れば分かる。それを「シオマネキのハサミが上下している」とみなすのではなく、「シオマネキがハサミを上下させている」のだとみなすことのポイントは何だろうか。一般に、基礎行為はそれが意図的であることさえ決まれば、それがどういう意図的行為であるかは見れば分かるものとなる。「腕があがっている」ならば「腕をあげた」のであり、「脚が曲がっている」ならば「脚を曲げた」のである。いったいこのあまりにも単純な表現上の交換は何を意味しているのだろうか。その行為が位置する脈絡と環境を抜きにして、その身体動作だけを取り出して見つめたとき、そこに意図を読み込むことのポイントは失われると私には思われる。「ハサミを上下させる」という動作が「海を呼び寄せようとしている」のか「雌に求愛している」のかという複数のアスペクトをもつときにのみ、われわれは「なぜハサミを上下させているのだろう」と問い、意図を読みとろうとする。そしてそうした問いに対する答えの特殊なものとして、「いや、なぜということもなく、ただハサミを上下させているのさ」という解答の選択肢が与えられる。それゆえ、基礎行為しか為しえないと分かっているものに対して、われわれはもはやそれを「なぜ」と問いはしない。それはつねに見たままでしかない。だとすれば、基礎行為しか為しえないものは、実は意図的行為を為しえないものであり、それゆえ基礎行為さえも為しえないものとされねばならないだろう。「基礎行為しか為しえないもの」という「純粋基礎行為者」の想定は矛盾した想定なのである。

それゆえ、意図の探求とは、第一次近似として言うならば、そこに見てとられる身体動作がその脈絡においてその環境に対してもつ意味を探求することにほかならない。そしてわれわれがこれまで指摘してきた「行為の意味」とは、なによりもまずそれが位置づけられる「可能な障害と調整の物語」であった。

シオマネキが「海を呼び寄せようとしている」と考えるのであれば、われわれはそこにそれなりの物語を語り出すだろう。そうしてわれわれはシオマネキを海に近いところに連れていってやったり（協力の物語）、あるいは海に背を向けさせてじゃましようとするかもしれない（妨害の物語）。こうした物語がわれわれの内に定着するかどうかは、われわれが他にどのような物語の内に生きているかという全体的な考慮に基づくことがらである。それゆえそうした物語は子どもたちには定着するかもしれないが、大人たちには落ち着きの悪いものであるかもしれない。そうしてもしその物語を語るのを止めるならば、シオマネキに「海を呼び寄せようとしている」という意図を見てとることを止めるのである。だが、「可能な障害と調整の物語」を語るというのは、まだ意図概念の半分の側面にすぎない。もうひとつの、意図を例えば欲求と区別する重要なポイントは、意図が整合性の要請に服するという点である。例えばある人が「司法試験に合格しよう」という意図をもち、同時に、「夏休みは毎日アルバイトに精出そう」と意図したとする。そこで教師はそれが両立不可能であることを説得する。「この両方を同時に実現することは君の力ではとても無理だ」。そして彼はそれに納得し、自分もまたこの意図が両立不可能であると考えるようになったとする。しかし、それにもかかわらず、「司法試験に合格しよう」という意図と「アルバイトに精出そう」という意図をあいかわらずともにもち続けたとすれば、それは「不合理」と言われざるをえないだろう。両立不可能性を本気で信じてはいないか、あるいは二つの意図の内のどちらかが口先だけのものなのだと考えるしかない。もし、本気で両立不可能性を信じ、なおかつ本気で二つの意図を同時にもっているのであれば、それはもはやわれわれには理解不可能である。そしてまた、「大人は分かってくれない」と不平を言うこともできない。われわれにだけでなく、これは彼自身にも理解できない状況でしかない。

そうするとわれわれは、シオマネキに意図を認めようとするときに、ただどうすれば彼らに協力し、妨害したことになるのかを了解するだけではない。もしシオマネキに意図を認めるのであれば、われわれはシオマネキとの間に矛盾した意図形成を巡るさまざまなやりとりを想定しうるのでなければならない。

「意図の整合性に関するやりとり」とは、意図が形成する規範的枠組への違反を咎め、なんらかの修正を施すことにほかならない。すなわち、多少逆説的な言い方をするならば、われわれは矛盾しうるものにのみ、意図を認めるのである。

では、シオマネキは矛盾しうるだろうか。一般に、単なる自然現象は矛盾しえない。台風がどれほど不思議な進路をとろうとも、そこに矛盾が見てとられることはない。もちろん、台風の動きを説明するわれわれの理論は矛盾しうる。しかし、台風の動きそのものは矛盾しえないのである。

われわれはただ言葉においてのみ矛盾しうる。意図の整合性に関するやりとりは、ある程度以上複雑な言語的コミュニケーションを前提にする。「おはよう」「こんばんは」といったやりとりだけでは矛盾は生じない。例えば「扉が開いている」という文と「扉が閉まっている」という文をともに使用しうる者であれば、両者を結び合わせることによって矛盾は生じうる。それゆえ、そのような者であれば、「扉を開けよう」と意図することができるだろう。

想定上矛盾しえないものは「完全に合理的」なのではなく、むしろ合理性とは無縁のものなのである。そしてまた、矛盾したままそこから身動きとれないものもまた、「不合理」ではなく合理性と無縁のものにほかならない。合理的存在者とは、ただ、矛盾の危険のもとにその危険を回避するすべを知っている者を意味する。

そして、矛盾の危険とそれを回避する手段はある程度複雑な言語的コミュニケーションにおいてのみ見出される。それゆえ合理的存在者はまた言葉を用いるものでもなければならない。意図がもつ整合性の要請とは、合理的に言葉を使えという要請のひとつなのである。

さてシオマネキがハサミを上下させるのは行為なのだろうか。私自身は、そこに「可能な障害と調整の物語」をうまく語り出せないように思われるため、あまり行為であるような気がしていない。

それに対して、猫であれば、私は猫が遊んだり餌を食べたりするのに協力したり、それをじゃましたりすることを想定できるし、実際にそういうことをしてもいる。それゆえ、私としては猫に対してであればほとんどそこに意図を認めたくもなる。しかし、それでも私は猫との間に整合性に関するやりとりを想定することができない。その決定的な点は、かりに私と猫の間になんらかの言語的コミュニケーションが成立しているとしても、それは矛盾を生み出すほどの構造を備えていないということにある。猫は矛盾しえない。それゆえ、私は意図概念の正当な使用のもとに、猫に意図を認めることを拒否する。自動ドアもそうである。「ありがとうございました」と言われる程度では、私はそれに意図を認めることはできない。せめて「あなたを中に入れましょう」と言い、同時に「でもこのドアは閉めたままでいましょう」と言い、私が「それじゃあ入れないじゃないか」と言うと、「そうですね、失礼しました」と言ってドアを開けてくれるくらいのことはしなければならない。もちろん、もっと複雑なロボットが登場したならば、そこに意図を認めることに私はやぶさかではない。われわれが将来そのようなロボットとある程度複雑な言語的コミュニケーションを為し、その上で何か共同実践を形成するのであれば、そのときわれわれは事実上ロボットに意図を認めているのである。

未知の星に降り立ったとしよう。そこにいるものたちの動きにわれわれは意図を認めるだろうか。それともそれはたんなる自然現象に過ぎないのか。それは、われわれがそれらとどのようにつきあっていくかということにかかっている。なによりもまず、われわれにそのものたちとなんらかの共同実践を形成するつもりがあるのかどうか。その一歩は、何か科学的な発見によるのではなく、われわれの態度決定にゆだねられている。それゆえ、行為、意図、意志、こうしたことがらは、発見されるものではなく、そのものとわれわれとで作り上げていくものなのである。そしておそらく、自由もまた。

Ⅳ　他者の言葉

28 コミュニケーションという行為

コミュニケーションに対する最も素朴な描像は、言葉を「内なる思いを伝える記号」として捉えるものだろう。だが、「思い」もまた言語にほかならない。しかも、「思い」として捉えられるそれは、コミュニケーション以前に自分自身の内で成立している私的な言語ではありえない。私の思いを成り立たせているものもまた、私が他者とやりとりしているコミュニケーションの言語以外ではありえない。

だが、逆に、われわれが一枚岩の公共的な言語を用いる一様な言語共同体の成員であると考えることもまちがっている。言語は、公共的な言語として、個人のもとに発散し、コミュニケーションにおいて収斂(しゅうれん)を求める。私はここで、そうした発散と収束の運動としてのコミュニケーションの姿を、少しでも浮き彫りにしてみたい。

言葉を用いるということは、意図的行為の一種——言語行為——である。そこで、「言語行為と言語行為でない行為との違いは何か」という問いを立てることができるだろう。

まず注意しておかねばならないが、言語（例えば日本語）として認められる語や文を用いた行為が、すなわち言語行為であるというわけではない。日本語の語や文として認められる音や文字を用いて為しうることはさまざまである。「バス、ガス爆発」という句を早口言葉として言う場合も、ある意味では日本語を用いて何ごとかを為していると言えるだろう。あるいは、墨痕鮮やかに書き記し、掛け軸としてもよい。だが、それは明らかに「言語行為」ではない。では、「言葉を、言葉として用いる」とはどういうことなのだろうか。

逆に、日本語や英語といった言語を用いない行為であっても、言語行為と重要な点で共通する特質を備えているような行為も見られる。例えば、「おはよう」と声に出して挨拶するのは言語行為であるが、たんに手をあげたり会釈したりすることでも挨拶になる。あるいは、「塩をとってくれない？」と口に出して頼む代わりに、ある仕方で塩を指差して見せることでも、多少横柄で不作法ではあろうが、ときにそれで十分依頼になるだろう。あるいはまた、ことさらに時計を見てみせることで、「時間がない」ということを伝える場合もある。

こうした行為を文字どおりに「言語行為」と呼ぶことはできないかもしれないが、かといって「言語行為でない行為」としてひとくくりにしてしまうことは、かえって言葉がもっている基本的な特性を見逃してしまうことになる。こうした行為は、少なくともコミュニケーションとして成立しているからである。そこで、コミュニケーションとして成立している行為を、一般に「コミュニケーション行為」と呼ぶことにしたい。

そのとき言語行為は、日本語や英語といった特定の言語を用いたコミュニケーション行為の一種として、コミュニケーション行為の下位に分類されることになるだろう。すなわち、意図的行為一般は非コミュニケーション行為とコミュニケーション行為に分類され、コミュニケーション行為はさらに、言語的コミュニケーション行為（言語行為）と非言語的コミュニケーション行為に分類される。

このように整理した上で、最初に、問題をコミュニケーション行為と非コミュニケーション行為の違いに絞ることにしよう。言語行為と非言語的コミュニケーション行為の違いに関する問題は、章を改めて議論することにする。

まず、似てはいるが、まったく異なった二つのエピソードから検討しよう。

(1)私はゆで卵をむいている。むき終わった私は、塩を目で探すがなかなか見つからない。それを察知した彼女が、気をきかせてティーポットの陰にあった塩をとってくれる。

⑵私はゆで卵をむいている。むき終わった私は、彼女の方を見て、彼女の目の前にある塩を指差す。

　彼女は塩をとってくれる。


　分かっていただけたと思うのだが、前者の「塩を目で探す」という行為は非コミュニケーション行為であり、後者の「相手を見て、塩を指差す」という行為はコミュニケーション行為である。そしてこの場合には、この違いを形作っている要因を指摘することもたやすいように思われる。「塩を目で探す」場合には、私の意図は塩を探すことにあり、彼女に塩をとってもらうことにはなかった。他方、「塩を指差す」場合には、私の意図はまさに彼女に塩をとってもらうことにあったのである。

　言うまでもなく、コミュニケーションとは相手あってのものである。それは相手の反応を求めている。四角張った言い方をすれば、私は、相手からしかるべき反応を引き出すことを意図してそう行為しているのである。他のことを意図して行為した結果、たまたま相手がなんらかの反応をしてきたというのでは、コミュニケーション行為とは言えないだろう。

　そこで、次のように問題を立てることができる。

　問題――相手からしかるべき反応を引き出すことを意図して行為するとき、それは必ずコミュニケーション行為になるのだろうか。

答えは否である。そこで、第三のエピソードを取り上げよう。多少ややこしくなるが、このくらいのことは日常でもやらないわけではない。

(3)私はゆで卵をむき終わった。そして私は塩がティーポットの陰にあることを知っているが、それを彼女にとってもらいたい。しかし、訳あって彼女にそれを頼むことはしたくない。そこで、なるべく自然に見えるように塩を目で探すふりをし、彼女が気をきかせてくれるのを待つ。ほどなくして彼女は私が塩を探していると思い、塩をとってくれる。

この場合には、私は実際は塩を探しているのではなく、塩を探すふりをし、それによって彼女に塩をとってもらおうと意図しているのである。ついでに言えば、ここで私は「ボクが塩を探していれば、彼女は気をきかせてそれをとってくれるはずだ」と考えている。もし私が彼女に対してそれと正反対のたいへん悲観的な予想をもっていたのだとしたら、塩を探すふりをすることで彼女に塩をとってもらおうという意図を形成することは不合理なことであっただろう。ともあれ、第三のエピソードは、先の問題「相手からしかるべき反応を引き出すことを意図して行為するとき、それは必ずコミュニケーション行為になるのだろうか」に対して「否」と答える理由を与えてくれる。私は、彼女に塩をとってもらおうと意図して塩を探すふりをしている。しかし、それはコミュニケーションではない。ただの甘ったれである。

あるいは、上司に認められようとして見られているときだけ必死になって仕事をしてみせる、といったエピソードでもよいだろう。この場合もまた、「あいつは仕事をしている」と相手に思ってもらおうという意図をもって行為しているわけだが、それはコミュニケーションではない。

こうした第三のタイプのエピソードと第二のエピソードの違いを考察することは、きわめて重要な課題となる。そこで比較のために、第二のエピソードと同類のエピソードを、第三のエピソードにより近い形で考えてみよう。

(4)私はゆで卵をむき終わった。そして私は塩がティーポットの陰にあることを知っているが、それを彼女にとってもらいたい。そこで、い、か、に、も、わざとらしく塩を目で探すふりをする。彼女は「ここにあるの知ってるくせに」とうんざりしながらも、塩をとってくれる。

このエピソードにおける「塩を探すふり」はコミュニケーションだろう。ここで、(3)と(4)の違いは「なるべく自然に見えるように」と「いかにもわざとらしく」というところにある。この違いが、コミュニケーション行為と非コミュニケーション行為を分ける決定的な点となっている。上司の見ているところでことさらに仕事をしてみせる場合でも、なるべく自然に、演技に見えないようにそうする場合と、わざとらしく、演技であることをむしろ誇示しながらそうする場合とでは、意味あいがまったく異なってくる。わざとらしくやる場合には、おどけているとか、「私はこんなにあなたに認めてもらいたがっているのです。かわいいもんでしょう」とメッセージを送っているとか、脈絡によって内容は異なるだろうが、ともかくなんらかのコミュニケーションとみなせるだろう。

　では、これはつまり、どういうことなのだろうか。

　とりあえずこんなふうに捉えることができるだろう。(3)も(4)も、彼女に塩をとってもらう意図で私は塩を探すふりをしている。しかし、(3)の場合には私はあくまでもその意図を隠している。それゆえ私はなるべく自然に見えるように塩を探すふりをする。他方、(4)の場合には私は塩をとってもらおうという私の意図をあからさまにしている。そのため、私はいささか芝居がかった演技をしなければならなかった。

　私は相手の反応を引き出すよう意図する。だがそれだけではなく、私は、私の意図が相手に認知されることもまた意図するのである。そして、相手が私の意図を正しく認知したことに基づいてしかるべく反応してくれることを期待する。この観点から見るならば、(2)はまさにこの構図に従っている。とくに、ただ塩を指差すのではなく、われわれはふつうそうするときに相手の方を見たり、ちょっと顎を引いてみたり、少しだけ目を見開いたりするだろうことは、重要である。こうしたことは、塩を指差したことの意図を読みとってほしいというサインにほかならない。それは、(4)において「いかにもわざとらしく」ふるまったことに対応している。

　もうひとつ事例を付け加えていま明らかになってきた構図を確認しておこう。

⑸私は帰宅し、彼女に「雨が降ってきたよ」と伝える。彼女は「夕方まで晴れてたのに」と応じる。

これは言語的コミュニケーション行為である。ここにおいて私は、彼女にも、そうか雨が降ってきたのか、と思ってもらおうとしている。しかもそれは、私の濡れた肩を見てそう思うのではなく、私の発話をとおして、より正確に言えば私の発話の意図を正しく捉えることによって、そう思ってもらおうとしている。それゆえ、この場面でも先の構図はそのまま当てはまっている。

いささか細かいコメントであるが、ここにおいて私の意図を彼女が正しく捉えることが不可欠であることをきちんと押さえておこう。たんに「私の発話をとおして」彼女が私の期待する信念をもつようになるだけでは、コミュニケーション行為のためには不十分なのである。例えば、この場面ではいささか不自然だが、こんなエピソードを考えることもできる。彼女は「雨が降ってきたよ」という私の発話を、何か短詩を口ずさんだものと解釈する。そして、彼女の信じるところによれば、この男は雨にあたるといささか頭のネジがゆるんで雨に関するつまらぬ短詩を口走る癖がある。いまもそうだ。だから、雨が降ってきたに違いない。と、まあ、こういうわけである。明らかだが、これはコミュニケーションではない。それゆえ、彼女は私の発言の意図を正しく捉えた上で、しかるべき信念をもってくれるのでなければならない。

以上の構図を一般的に次のように述べておくことができる。

コミュニケーション行為において、送り手は受け手からある反応を引き出そうと意図し、しかも、送り手の意図を受け手が正しく認知し、それに基づいて受け手がそのように反応することを意図する。

こうして、けっきょくのところ私は、ポール・グライスが切り開いた道[92]、すなわち「非自然的意味（nonnatural meaning）」とグライスが呼ぶものに対して与えた彼の特徴づけと同じ地点に行き着いたことになる。私が「コミュニケーション行為」と呼んだものは、グライスの用語を用いるならば、「非自然的に何ごとかを意味する行為」にほかならない。

グライスは、「この発疹はハシカを意味する」や「あの黒雲は夕立を意味する」のような事例を捉えるものとして「自然的意味」という用語を用い、言葉ないしその萌芽形態と言えるような事例を捉えるものとして「非自然的意味」という用語を用いる。そして、非自然的意味に対する厳密な定義を求めるのである。私が先に示した特徴づけは、その核心ではあるが、グライスにとっては出発点にすぎない。

何ごとかを定義しようとするほとんどの場合に起こることであるが、ひとつの定義を与えると、それに対する反例が示され、それを取り込むべく定義を改訂してもまた、反例が現われる。この定義と反例のいたちごっこが、グライスの場合にも生じた。グライスを取り巻く俊英たちがこれでもかとばかりに反例をひねり出し、グライスがそれに応じていくさまは、ある意味で壮観ではあるが、へきえきするものでもある。私はここでその長くねじれた道を辿ろうとは思わないし、またグライスが最終的に到達した規定をここに示そうとも思わない（それはほぼ一ページにわたる規定に膨れあがっている）[93]。めんどうくさいから、というのは確かにひとつの理由ではあるが、もっと本質的な理由がある。非自然的意味に対して、グライスのように厳密な特徴づけを求めることはまちがいなのではないかと私には思われるからである。厳密な特徴づけは困難だとか不可能だというのではなく、してはならないことだと思うのである。

そのことに関連して、次章では、グライスが辿った道のうち、最も重要な話題を取り上げて論じてみよう。無限後退の問題である。

29　グライスのパラドクス

前章で取り上げた第二のエピソードを考えよう。——ゆで卵をむき終わった私は、彼女の方を見て、彼女の目の前にある塩を指差す。彼女は塩をとってくれる。——ここにおいて、「彼女の目を見る」という行為はコミュニケーションにとって決定的に重要であり、この目配せによって、私は私が塩を指差した意図を分かってほしいというサインを彼女に送っている。さてここで、グライスの問題の立て方とは異なるが、こう問うことができる。

この目配せもまたコミュニケーション行為なのだろうか。

おそらくそうだろう。

だが、だとすれば、これに対しても先の図式が適用されねばならない。私は私が指差した意図I_1を分かってほしいとう意図I_2（ほかに適切な呼び名も思いつかないのでかりに「メタ意図」と呼ぶことにする）をもって目配せをする。そのとき、その目配せもまたコミュニケーション行為（メタ・コミュニケーション）であるならば、私は、受け手が私の目配せの意図I_2を正しく捉えることによってその目配せに反応してもらいたいと意図してもいることになる。ここに、さらなる意図I_3（メタメタ意図）が登場する。だんだん非現実的になってきたので抽象的に議論を進めることにするが、要するに、意図I_1を分かってもらおうとするメタ意図I_2についても、それを分かってもらおうとするメタメタ意図I_3が伴う、というわけである。では、メタメタ意図I_3は分かってもらわなくともよいのだろうか。おそらく、それもまた分かってもらわねばならないだろう。とすれば、ここにメタメタメタ意図I_3を分かってもらおうというメタメタメタ意図I_4が登場する。以下同様、無限後退が生じる。(94)

老婆心からの忠告であるが、「メタメタメタ……意図」なるものが実際には何を意味しているのかなど考えない方がよい（とくにメタ×3以上について）。恐るべきことに、こうした図式を反映させるべく事例を案出する人たちもいる。しかし、その人工的で入り組んだエピソードはかえって読むものをうんざりさせるだけだろう。少なくとも、私のような読者はそうである。関心のある人は、グライスの論文にスティーブン・シッファーの労作が紹介されてあるので、参照していただきたい。(95)

だが、もしこのように無限の意図形成が要求されるのであれば、コミュニケーション行為は不可能と言わざるをえないだろう。無限の意図形成は完結しえない。理由は単純で、無限だからである。われわれはこのことをけっして安く見積もってはならない。繰り返すが、われわれには無限個の意図を形成するようなことはできない。それは、われわれがいっぺんに無限個のオムレツを作ることができないのと同様である。この無限後退は、むしろコミュニケーションがもつ奇妙な性質として積極的に容認され、パラドクスと捉えられることがなかったようにも思われる。だが、もしその無限後退が無限の意図形成を要求するのであれば、それはまさにパラドクスであると言うべきだろう。

グライスは、迷いつつ、けっきょくこのパラドクスに屈した。彼は、それゆえわれわれのコミュニケーションはつねに不完全でしかありえない、と結論したのである。そして、自分が与えることになった図式は、ただ理想状態に対するものであり、現実には近似的にのみ適用されるべきものである、と。[96]

グライスほどこの問題を考えぬいた人がこう結論するのであるから、それは尊重されるべきなのだろう。だが私は、なおこのパラドクスに屈したくはないと考えている。私の哲学的好みからすれば、グライスのこの答弁は敗北宣言以外の何ものでもない。おぼつかない足取りながらも、私は私自身の答えを試みてみたい。

ここで、規則のパラドクスをこの問題に呼応させる形で問いなおすことができる。それは、もちろんまったく平行的ではなく、重要な相違も見られるが、しかし、この比較をとおして目下の問題にきわめて有益な呼応を生み出すことができるだろう。

例えば、私は「2から始めて順に2を足していこう」と意図する。さて、私はいまいくつの意図を形成したのだろうか。ひとつだろうか。それとも、無限個なのだろうか。ひとつだとすれば、そのひとつの意図とはどのようなものだったのか。規則のパラドクスの教訓を引き受けるならば、将来の適用のすべてがそこにこめられてあるような水源地のごときひとつの意図を想定することは幻想でしかない。だとすれば私は、数列を始めるときに、その適用のひとつひとつを具体的に意図したことになるのだろうか。明らかにこれも不可能である。われわれには、無限個の意図を形成することはできない。

こうして、次の三つのことが衝突する。

(1)われわれはときに無限個の適用をもつような一般的なことを意図する。
(2)われわれには無限個の意図を形成することはできない。
(3)無限個の適用がそこから導かれる水源地のごときひとつの意図など存在しない。

けっきょく、意図を形成することはオムレツを作るようなこととは決定的に異なっているのである。私はまず「2から始めて順に2を足していこう」と意図する。この時点で確かに私は一定の方向をもった何ごとかを意図した。だが、それはけっして全貌と細部をもった何ものかを作成したということではない。オムレツならば木の葉型の全貌も外がパリッとして中がグシュッとなった細部ももつだろう。しかし、そのようなオムレツめいた何かを心の内や脳状態に探そうとしても無駄でしかない。

事実はただ、まず「2から始めて順に2を足していこう」と表明し、その後、あくまでも自分に自然と思われるやり方で数列を展開していくということである。そうして数列を続けていくうち、私は何かの拍子に、例えば「1000, 1004」と書きまちがえるかもしれない。そのとき私は、「いけない。こうするつもりじゃなかったんだ」と思うだろう。私はもちろん「1000, 1002」と続けるつもりだった。しかし、そうするつもりだったことは、数列を始めた時点では具体的に考えてなどいなかったのである。私はいま、「1000, 1004」を「誤り」と評価し、「1000, 1002」を「正しい」と評価する。こう評価すべきことは、すでに決められていたわけではない。私は、いま、そのように評価することを決めた。そして、そうすることによって私は、数列を始めた時点で自分が形成した意図の細部をさらに仕上げたのである。

こうしたことが劇的に現われるのが、「クワス」的な反応をする人との出会いだろう。その人は、「2から始めて順に2を足していこう」という意図をともに表明する。しかし彼は、「1000, 1004」を「正しい」と評価し、「1000, 1002」を「誤り」と評価するのである。もし私が一対一でそのような「クワス人」と対峙したならば、もはやどちらの「正しさ」が本当に正しいのかという問いには決着はつかない。「正しさ」とは、けっきょくのところ「正しさ」の正しさを問うことができないようなところで成立している。だが、「正しさ」とは、まさにこのような「正しさ」の正しさを問いたくなるような場面においてこそ、その輪郭をあらわにする。私はこうしてクワス人との出会いによって私自身の意図を確認するのである。私は、こうするつもりだったのだ。あの人とは一緒にはやっていけない。こうして自らの意図の確認が、「再」確認ではないことは決定的に重要である。私はこれまで一度も「1000, 1002」と続けるつもりだなどということを確認したことはなかった。それは、いま、初めて確認されたのである。

それゆえ、私はむしろそれをいま「作った」と言いたい。私は、先に私が形成した意図の細部をいま作り、そしていま作ったその細部を過去へと放り返した。あえて言えば、私は、過去の意図をいま作ったのである。

ここにおいて私は、意図を「行為を引き起こす原因となる心的状態」としてではなく、むしろ「行為の評価の枠組」と捉えている。そして、評価の枠組は、評価が問題になるそのたびごとに取り決められるという根元的規約主義の立場を採っている。それゆえ、「意図は作られ続ける」と言いたいのである。おそらくウィトゲンシュタイン的（ウィトゲンシュタインそのものではないにしても）と呼ばれうるだろうこの主張を、「意図の構成テーゼ」と呼ぶことにしよう。

グライスは意図について何も分析を加えてはいない。そしてまた、コミュニケーションに対して与えたグライスの図式は、意図概念をどう捉えるかには中立なものとなっている。だが、そうだとしても、おそらく私が意図や意図的行為に対してとっている立場はグライスの気に入るようなものではないだろう。なによりも、私は、「何ごとかを意図する」ということが「何ごとかを意味する」ということよりも原初的な概念だとは考えていない。両者は依存しあった概念であり、私の分析の目的はその依存関係を明確にすることにある。他方、グライスの試みは多かれ少なかれ還元主義的であり、「意味する」ということを意図概念を基礎として解明しようとしており、しかもそのさい意味論的な概念を用いずに分析を遂行しようとしている。それゆえにこそ、ある人たちにとってはグライスの試みがいささかドン・キホーテ的なものと映ったのである。だが、グライスの乗った馬が本当にロシナンテだったのかどうかはともかく、私は彼と同じ馬にまたがるつもりはない。

私は、塩をとってもらおうという私の意図を彼女に分かってもらおうと意図している。しかも、そうして分かってもらおうとしている私の意図もまた、分かってもらおうと意図している。以下同様。かくしてわれわれはパラドクスにはまる。だが、グライスの思惑を離れ、意図の構成テーゼに訴えるならば、このパラドクスを解きほぐすことができるのではないだろうか。

私が何ごとかを意図するとき、私はそのことを考えている必要はないし、また、その他のなんらかの心的状態にある必要もない。意図はその後に展開するしかるべきエピソードとともに、回顧的に作られていくのである。例えば、次のようなエピソードを考えてみよう。前半は前章の(5)と同じであるが、議論のため、そこまでをエピソードAとし、新たに付け加えられた後半部分をBとしよう。

(6)私は帰宅し、彼女に「雨が降ってきたよ」と伝える。彼女は「夕方まで晴れてたのに」と応じる。　……A
ところがその後で彼女は、「だけどいま戸口で何て言ったの？」と私に尋ねる。私は少し驚いて言う。

「えっ？　だって君、いま雨のこと言ったじゃないか。そう言ったんだよ。雨が降ってきたって」

「あらやだ、そうじゃなくって、服が濡れてるから」　……B

エピソードAは、雨が降ってきたことを分かってもらおうという私の意図を示している。そして、エピソードBによって初めて、そのことを私の発話をとおして分かってもらおうとしていたのだという私のメタ意図が示された。もちろん、さらにメタ意図を分かってもらおうとするメタメタ意図を示すようなエピソードを考えることも（シッファーのような人ならば）できるに違いない。そしておそらく、それは果てしなく続けることもできるだろう。

雨が降ってきたことを分かってもらおうという私の意図が、私のコミュニケーション行為を介さずに実現されてしまうこのような場合を、「逸脱的実現」と呼ぶことにしよう。なるほど、あらゆるコミュニケーション行為は逸脱的に実現されうる。それゆえ、それを阻止すべくメタ・コミュニケーションが必要となることもある。そして、メタ・コミュニケーションもまた逸脱的に実現されうる。となれば、メタメタ・コミュニケーションが必要とされもするだろう。どれほどメタメタ……と進んでもこうした逸脱の可能性は開かれている。だが、こうした可能性にあらかじめ対処しようとすることは、クワス的逸脱を恐れるあまり無限のステップをあらかじめ意図しなければならないと考えるに等しいものである。

だがもちろん、そのようなことをあらかじめ意図することは不可能であるし、そうする必要もない。私はとりあえず、彼女に雨が降ってきたことを分からせようと意図する。その後は、思わぬ反応が返ってくることもあるだろう。そしてそれは、「思わぬ」反応であるから、あたりまえだが、思っていなかったものである。私はそのたびに、それを誤解であるとか逸脱であると評価し、そう評価することにおいて自分の行為の枠組、すなわち意図を確認する。それはあらかじめ作られていたものではなく、そこで初めて確認され、作られた意図——奇妙な言い方をするならば、「すでに行為の始めにおいてあったものとして、いま作られた」意図にほかならない。私はそうして、過去を作りつつ、コミュニケーションを開いていくのである。

では、エピソードAだけの場合、すなわち、ふつうそうであるように、その後のちぐはぐな会話は現われず、そのまま他の話題へと会話が転じていった場合、それは不完全なコミュニケーションとされねばならないのだろうか。

これが不完全と考えられてしまう理由はこうである。この場合、私は雨が降ってきたことを彼女に分かってもらおうとする意図はもっていたが、私がそういう意図をもっていることを分かってもらおうとするメタ意図に関しては、Bのようなエピソードが欠けている以上、私はそうしたメタ意図を形成するチャンスを逸している。しかし、そのようなメタ意図なしのコミュニケーションは逸脱的実現の可能性をも許容してしまうがゆえに、不完全である。

これは、グライスの議論に対してではなく、私のように考えたならばこのようになってしまうのではないかという、私自身に対するありうる反論にほかならない。そして、一見自分の首を絞めるような主張をしたいのだが、実はこのケースにおいて、私の考えに従えば、私はメタ意図のみならず、雨が降ってきたことを彼女に分かってもらおうという意図さえ形成しそこねている可能性が濃厚なのである。

意図的行為一般について言えることであるが、私は日常なめらかに何ごとかを為しているほとんどの場面において、私は意図形成のようなことをいっさいしてはいない。お好みならば、私は機械的に動いていると言ってもよい。私はのどの渇きを覚え、椅子を立ち、台所へ行き、コップをとり、水を入れて飲む。「事実」だけを見てとろう。ここにおいて私はただ、いま述べたことを為しただけである。私はこの場面で「アスペクト盲的」にふるまっている。私が自分の行為の意味を自覚するのは、私自身が何ごとかを選択するとき、あるいは人から「何をしているんだ」とか「なぜそんなことをするのか」と尋ねられたときである。それゆえ、いかなる選択肢も念頭になく、いかなる問いにも晒されていない場面では、いかなる意図も形成されてはいない。

では、それでもそれは「意図的行為」なのだろうか。そう問われたならば、「もちろん、意図的行為だ」と答えよう。なぜなら、そう問われたからである。問われる前、なるほど私はいかなる問いにも晒されてはいなかった。しかし、問われたいま、私はまさにその問いに晒されている。ここには哲学の問いの皮肉がある。「問われる前でも、それはなお意図的行為だったのか」と問う人は、そう問うことによってもはや私を「問われる前」の無邪気な状態から引きずり出してしまっているのである。

やっていることは、たとえ「心の中」と称されるようなものを洗いざらいひっくりかえしたとしても、ただ、玄関の扉を開けて「雨が降ってきたよ」と言うこと、それだけでしかない。それに対して彼女が「夕方まで晴れてたのに」と応じ、そのまま他の話題に進んでいくならば、それはつまり、それだけのことである。ここには、メタ意図どころか、ふつうの意図形成さえ見出されない。そこでもし私の留守中に上がり込んでいた哲学者がしゃしゃり出てきて、「君はしかじかの意図をもっていたのか」と問うならば、私は「然り」と答えよう。「君はしかじかのメタ意図をもっていたのか」と問うならば、それにも「然り」と答えよう。「君はしかじかのメタメタ意図をもっていたのか」と問うならば、なんべんでも答えよう、「然り」である。問われるたびに私はそれに対応する意図を作り、最初の発話の時点へと投げ返すだろう。それゆえその哲学者が、君のさっきのコミュニケーションは不完全ではないのか、と問うならば、私はその問いの意味を尋ね返し、ひとつひとつ、メタ意図についても、メタメタ意図についても、メタメタメタ意図についても、答えていくだろう。私の答えはいつまでも「然り」であり、その意味で、私のコミュニケーションが「不完全」とされるいわれはない。問われなければ私は答えることもなかったが、問われたならば答えるだろう。そしてその問答は、すべて問題のコミュニケーション行為が終わった後のことであり、そこに潜む無限性は、けっしてコミュニケーション行為そのものを不可能たらしめるようなものではない。不都合があるとすれば、おせっかいな哲学者のおかげで私が永遠に食事にありつけないということだろう。

30　根元的解釈

行為を巡る考察においてもしばしばデイヴィドソンの名が現われたが、彼はまた、コミュニケーションに対してひとつの徹底的な思索を貫いた哲学者でもあった。（そしてもちろんその二つの話題は密接な関係をもっている。）

デイヴィドソンは最初、「真理条件意味論」というプログラムの提示者としてわれわれの前に登場した。それはある言語に対する体系的意味理論を構築するひとつの有力な観点を与えるものと思われた。例えば、日本語のもつ体系的構造をこの観点から明らかにしうるのではないかと思わせる力をもっていたのである。私の個人的な感想を述べるならば、この時点では私はあまりデイヴィドソンのこうした議論に関心を抱いていなかった。どちらかと言えばデイヴィドソンと対立するダメットの反実在論的意味論の方に関心をもち、あるいはむしろ、体系的意味理論の不可能性を論じる立場の方により共感していたのである。もっと本音を言えば、例えば日本語に対して体系的意味理論を作るというような仕事にあまり興味をそそられなかったのである。

だが、一九八六年の奇妙な題名をもった論文「墓碑銘のすてきな乱れ」（“A Nice Derangement of Epitaphs”）によってデイヴィドソンに対する私の見方は一八〇度ひっくりかえることになった。ある言語に対する体系的意味理論の構築を先陣をきって訴えていたと思われていた人物が、その論文において、「哲学者や言語学者が言うような意味では、言語なるものなど存在しない[97]」と結論したのである。しかも、そう結論することにおいてかつての議論を撤回したというわけでもない。真理条件意味論という当初からのアイデアが、「言語」の存在をそもそも否定する議論の中に独特の仕方で位置づけられたのである。

私の勝手な憶測では、これはデイヴィドソンが最初から予定していた筋書きではない。真理条件意味論を携えて登場したとき、おそらくデイヴィドソンは「言語」なるものの存在を信じていたに違いない。そしてその後の長い考察の展開を経て、その信念を棄却するに至った。だが、そこにおいて彼は自らのかつての議論を撤回することなく、真理条件意味論をもっていたその意味を「反転」させてそこに位置づけたのである。

そうして私にとってデイヴィドソンはきわめて重要な哲学者となった。私はそれ以後、最近まで「隠れデイヴィドソニアン」だった。なぜ「隠れ」ていたかというと、公然とウィトゲンシュタイニアンだった（つもりの）私にとって、ウィトゲンシュタインとその姿勢において相反する方向を感じさせるディヴィドソンに加担することは、耐えがたい緊張をもたらすものと思われたからである。だが、いま私はそんなディヴィドソンからもなんとかして脱け出そうとしている。これから私は、また煮え切らない私の現在を語り出すよう試みてみたい。

ともあれ、まずは本章と次章において、「墓碑銘」に至るディヴィドソンの考察の大枠を示しておかねばならない。

(1) 真理条件意味論[98]

発端となる問題はこうである。

まったく新しい文を、どうして聞き手は理解できるのか。

会話において、われわれはほとんどつねに新しい文を作り出し、用いる。「クリスマスにテディ・ベアをプレゼントされた。四十過ぎてこんなものをもらうとは思わなかった」と私が言ったとするならば、私はその言葉を生まれて初めて、いや、おそらくは世界で初めて口にしたのである。あるいはいま私がここに書いているこの言葉もまた、人類史上初のものだろう。そして、初めて出会うにもかかわらず、聞き手ないし読み手はそれをいともたやすく理解する。いわば、言語には「無限の産出可能性」が見られるのである。

この無限の可能性はどのようにして可能なのだろうか。

これに対して、「語彙が有限だからだ」と答えるのはおそらく正しい。どんなに記憶力のよい人であっても、無限個の語彙を丸暗記する力はない。われわれはあくまでも既知の語を結び合わせて未知の文を作る。そしてひとつの文の長さに原理的な上限がない以上、有限の語彙を組み合わせて無限に多様な文を作ることができる。

さらに、そこには既知の語の組み立てから未知の文の意味を読みとらせるような規則が何かあるのだろうと考えることもまた、きわめてもっともらしい想定となる。その規則もまた、有限個に収まっているに違いない。すなわち、そこには何か体系的な意味理論――有限の語彙に対する辞書とそれらを組み合わせるための有限個の規則――があると思われるのである。

体系的意味理論に素朴に期待される役割は、「自動解釈装置」としてのそれだろう。分からない文に出会ったときに、その装置にそれを入れると、その文の意味するところが出されてくる。便利な装置である。だが、この期待は虚しい。われわれはそこで自動翻訳機のようなことを考えるかもしれないが、いまめざされているのは翻訳ではなく、日本語しか知らない人が未知の日本語に出会ったときにそれでもその文をただちに理解するという現象をどう捉えるかという問題だからである。初めて出会う日本語を入力したとして、その意味として出力されてくるものは何だというのだろうか。もっと分かりやすい日本語？　いや、それでは目下の目的には無力である。その分かりやすくなったとされる日本語でさえ、新しく出会う文であるに違いない。次にそれを入力したとすると、こんどは何が出力されてくるというのだろう。

「意味」なる何ものかを出力してくれる便利な装置、そのようなものを期待することはできない。理由は根本的で、「意味」なる何ものかなどありはしないからである。では、どうすればよいのか。

言葉を言葉で説明するのではなく、意味なる何ものかを想定することもできないというのであれば、世界を持ち出すことによってなんとかしようとするのは一本道であるように思われる。先のように入力‐出力の自動販売機型の装置ではなく、むしろもの言わぬロボットをイメージしてみよう。それは、「ポチ」という語を入力すると、黙って私をある犬のところにつれていき、それを、そしてそれのみを指差す。「犬」という語を入力すると、また黙って私をつれていき、「ポチ」のときに指差したそれを指差す。だが、こんどはそれだけではなく、「ジョン」や「チョビ」のときに指差したものも指差す。そしてそれらのみを指差すのである。さて、そこで文「ポチは犬だ」を入力してみよう。そうすると、どうなるかと言えば、首をゆっくりと縦に振る。そして「ポチは猫だ」を入力すると、こんどは首を横に振る。それだけである。首を縦に振ることはその文が肯定されたことであり、横に振ることは否定されたことにほかならない。つまり、「ポチは犬だ」という文はこの世界において真だ、というのである。そこで私は考える。この世界の何がどうだからこの文が真になるのだろう。私は思い出す。「ポチ」はこいつだった。「犬」はこれらだった。そしてこれらの中にポチも含まれていた。そのことが、「ポチは犬だ」を真たらしめているのだろう、と。そのロボットは、「ポチは犬だ」だけではなく、「ポチは白い」にも「ポチは四つ脚だ」にも首を縦に振る。そのかぎりにおいてそのロボットはただ文を真と偽の二通りに分けることしかしない。しかしそこで私は「ポチ」という語の理解と「犬」という語の理解、あるいは「白い」や「四つ脚」という語の理解から、この世界において「ポチは犬だ」を真たらしめている要因を切り出してくるのである。そうして私はしかるべき状況で真な文を発話できるようになり、また未知の文に対しても、それが真であれば世界はどうあらねばならないかを理解するようになる。これが、すなわち「ポチは犬だ」等々の文の「意味」を理解したということにほかならない。デイヴィドソンはそう考えるのである。

よりデイヴィドソンに即した言い方をするならば、彼の構想する意味理論は、語の意味をそれに結びつけられる対象によって規定する意味論的公理と、それに基づいて文の真理条件（その文が真であるのはどのような場合か）を決定する構成規則からなっている。これが、彼の真理条件意味論の大枠にほかならない。

ときにデイヴィドソンの意味理論が翻訳規則しか与えないかのように言われることがある。だが、それは誤解である。確かに、デイヴィドソンが真理条件を表わしたものとして「文「雪は白い」が真であるのは雪が白い場合、そしてその場合にかぎる」といった例を出すとき、われわれはその空虚さに戸惑いを覚える。そして、空虚でないような事例を考えようとして、「文“Snow is white.”が真であるのは雪が白い場合、そしてその場合にかぎる」といった事例に訴えるとき、こんどはそれはたんなる英語から日本語への翻訳でしかないように思えてしまうのである。しかし、ある文の真理条件は世界のあり方にほかならない。真理条件として「雪が白い場合、そしてその場合にかぎる」と言われている「雪が白い」とは、たまたま日本語で言い表わされてはいるが、そこに入ってくるものはそのような世界のあり方なのである。それゆえ、真理条件意味論はけっして、日本語に基づいて英語を理解するといった翻訳作業ではなく、世界のあり方に基づいてある言語を理解するようなものにほかならない。それは、日本語しか知らない人に対しても適用されるべきものなのである。

あるいは、真理条件を表わした文それ自体が単独で文の意味を与えていると考えることもまた、誤解である。ある文を単独で考えるならば、それはたんに「この世界でその文は真だ」と言われるか、あるいは「この世界でその文は偽だ」と言われるだけでしかない。この世界の何がどうなっているからその文が真なのかという理解に進まねば、いわゆる意味理解にはほど遠いのである。そしてそのためには、その真理条件の理解が、少なくともその文を構成する語の理解に基づいているのでなければならない。それによって初めて、「ポチは犬だ」を真たらしめている世界の側の要因には「ポチ」で名指される対象と「犬」と言われる対象たちとが関わっていることが理解される。

それだけではない。さらに言えば、「ポチ」で名指される対象が正確に何であるかを特定するためには、それが「ポチは走る」や「ポチは尻尾を振る」といった諸々の文において果たす役目をも理解せねばならず、そのためには当然、「走る」や「尻尾を振る」という語が理解されねばならない。そして「走る」という語を理解するためには、こんどは「ミケは走る」や「マラソンランナーは走る」を引き合いに出してこなくてはならず、以下同様、ひとつの真理条件がたんに「この世界」といったのっぺりしたものではなく、十分な細部をもったものとして理解されるにはこうして言語の全領域が捉えられねばならなくなるのである。

ここにはデイヴィドソンの真理条件意味論がもっている二つの際立った特徴が現われている。ひとつは、言語をあくまでも世界との関係で捉えようとする立場（外延的立場と呼ばれる）、そしてもうひとつは全体論的言語観である。

真理条件意味論に対する説明が長くなってしまったが、以上は真理条件意味論というプログラムのほんの出発点にすぎない。この精神のもとに、さらに複雑な文をどう捉えていくのか。そしてそこにおいて外延的立場を貫くことはできるのかどうか。課題はわれわれを呆然とさせるほど残されており、そしてまた悲観的にならざるをえないようなケース（副詞の処理、間接話法や信念文の問題、等々）も多い。

さらに、デイヴィドソンの真理条件意味論のもうひとつの特徴である全体論もまた、問題をはらんでいる。デイヴィドソンはきわめて健全に、「有限の出発点から無限の文を理解するのはいかにしてか」という問題を出発点に立てた。しかし、全体論に従えば、われわれはその出発点からしてすでに無限の全体を理解することを要求されているように思えるのである。それゆえ、「言語は有限の存在たるわれわれにも習得可能でなければならない」として議論を開いていったデイヴィドソンは、自ら習得不可能な言語観へと踏み込んでしまったのではないか。この点を最も強力に攻撃したのは、分析哲学においてはよく知られているように、ダメットであった。

しかし、いまはそうした議論へと入っていくべきときではない。とりあえず、真理条件意味論のプログラムがどのようなものであったのかだけを確認して、次の議論へと進むことにしよう。

(2)根元的解釈[99]

実際に意味理論を作り、その正しさを評価するとしたら、それはどのような手順となるだろうか。そこで、デイヴィドソンとともに、まったく未知の言語を解釈する場面を考えてみよう。いわゆる「根元的解釈（radical interpretation）」である。

想定されるのは、彼らにとってわれわれが初めて接する外部の人間であるような共同体であり、それは地球上のどこかでもよいし、あるいは将来起こるかもしれない宇宙人との遭遇であってもよい。

せっかくだからあなたを主人公の理論家にしよう。さて、あなたはまったく未知の彼らの言語を理解できるようになりたい。どうすればよいのか。

まず、観察することだろう。それは何か月も、あるいは何年もかかるかもしれない。ともかく、あなたはその共同体のメンバーが発話した文とその発話状況をデータとして集める。すなわち、ある文に関してそれが発話された場面、そこにおける発話者のふるまいや聞き手の反応といったことがらを観察し、データとしてファイルする。データがある程度集まったところで、それをもとに意味理論を作るわけだが、その過程はあらゆる経験的理論の場合と同様、発見的過程であり、理論家たるあなたの創意工夫にゆだねられる。最初のうちは文もなんだかひとまとまりの音楽のようなもので、どこまでが語やら句やら分からないだろうが、慣れてくるにしたがって、複数の文に現われる共通の単位が区別できるようになってくる。そこで、ファイルされた文データから語を切り出す作業が始まる。同時に、発話状況の中でも共通に現われてくる対象ないし対象たちを切り出し、それをさしあたり語に結びつけてみることにする。こうして、不完全ながらも最初の辞書ができてくるだろう。それは語と世界との対照表であると同時に、その語が文の中でどのような位置づけと役割をもっているのかについての手探りの理論化も含んでいるだろうから、最初の文法書でもある。あなたはこうして研究の第一歩を踏み出したことになる。

次は、さらに観察を続けデータを増やすとともに、最初の辞書と文法書（つまり、最初の意味理論）の正しさをチェックし、修正していかねばならない。ここでもまた、自然科学のような経験理論と同様に、予想し、その予想が当たったかはずれたかが重要なチェックポイントとなる。では、辞書と文法書をもとに、何か文を作ってみよう。そして、ここが真理条件意味論の特徴なのだが、そのときその文がいかなる状況で真とされ、いかなる状況で偽とされるだろうかが押さえられる。すなわち、あなたはある文とその真理条件の組を、ひとつの予想としてもつことになる。（ただし、このときまでにその共同体における典型的な肯定的ふるまいと否定的ふるまい——首を縦に振ると肯定で、横に振ると否定である、等——を調べておかねばならない。もちろん、これもまだ仮説にすぎず、それは意味理論に付随した解釈理論の一部として、今後のチェックの対象とされねばならない。）ともあれ、こうしてある場合にはあなた自身がその文を彼らの前で発話してみせ、ある場合には彼らの発話を耳にすることによって、あなたの引き出した真理条件がそれに整合するかどうかを試していくのである。以下、あなたはときに満足の笑みを浮かべ、ときに徒労にうちひしがれながら、作業を続けていく。そしていつか、きっといつの日か、あなたの理論は信頼するに値する成熟した姿を見せるだろう。

先に、真理条件意味論において真理条件はそれ自体単独で文の意味を与えるようなものではないとコメントしておいたが、真理条件の真価はむしろいま辿ったような理論のチェックの場面に見られるのである。意味は意味理論全体によって与えられ、そしてその意味理論が観察とすり合わされるときの触手となるのが、個々の文に与えられる真理条件にほかならない。

以上の考察は、きわめて大まかなプログラム的なものにすぎず、さらに詰められるべき細部がいくつも棚上げにされている。そして私はここでそれを追いかけ仕上げていこうとは思わない。ただ二つの点をコメントしておこう。

第一は、行為論の議論において行き掛けに述べておいたことであるが、未知の言語がそもそも「言語」であることはどのようにして知られるか、という問題である。デイヴィドソンはこれに対して、いわば「観念論的」立場を採る。ともかく、根元的解釈においてそれが「言語」であることは独断的に前提されるのである。そして、その独断のもとに調査を進め、意味理論を作ろうとしていく。そこでもしその作業が順調であれば、それが「言語」であるという独断は強化されるだろうし、その試みが挫折し、いかなる試みの見通しも立たなくなるようであれば、そのときそれは「言語」ではなかったということになる。それは「理解できない言語」ではなく、そもそも「言語」ではないのである。それゆえ、「理解できない言語」などは存在しないことになる。少なくとも、いつか理解できるだろうという希望のもとでのみそれは言語なのであり「理解を断念された言語」とは矛盾概念でしかない。

　第二は、「世界のあり方」と発話者がそれを捉えるさいの「状況把握」とのギャップの問題である。あるいは、より正確に言うならば、あなたの状況把握と相手の状況把握とのギャップの問題である。

　あなたの仮説をチェックする場面に戻ろう。この状況でこの文は肯定されるだろうとあなたは予想し、その予想を確かめるべくその共同体のメンバーに話しかける。そして案の定、相手はそれを「肯定」してくれたとする。だが、それでほっとしてはならない。「この状況」などという中立の何ものかなどありはしないからである。あるのはただ、「しかじかの状況」と捉えているあなたの状況把握と、さしあたり定かではない相手の状況把握だけでしかない。あなたはこの状況をPと捉え、その場面でsという文が肯定されたことによって、文sの真理条件がpであることが確かめられたと考える。だが、もし相手の状況把握があなたと異なりqであったならば、文sの真理条件としてはむしろ相手に従ってqと捉える方が正確なものとなるだろう。

こうした判断のギャップはさまざまな形で忍び込む。単純に、あなたか相手のどちらかが見まちがい思いちがいをしているのかもしれない。あるいは、あなたが気づいていない側面を相手は捉えているのかもしれない。あるいは、何か信仰の違いによって、例えばあなたが「魚が腐った」と捉えている状況を悪魔の仕業と捉えているかもしれない。

どうすればよいのだろうか。

とりあえず、相手の状況把握をあなたと同じものと決めてかかるしかない。そうしないと意味理解に関する研究は始まらないからである。これは、探求を成り立たせるために呑み込まざるをえないア・プリオリな方法論的制約にほかならない。この制約をデイヴィドソンはネイル・ウィルソンに従って“the Principle of Charity”と呼ぶ。[100] “charity”は訳に困るところであり、定訳もないが、私としては「寛容の原則」と訳しておくことにしたい。さしあたりは、相手が誤った状況把握をしていないと仮定するのであり、それゆえそれは「寛容」と称されるのである。もちろんここにいささか押しつけがましい響きを感じる人もいるだろう。魚が腐ったことを悪魔の仕業とみることは彼らにしてみれば別に誤ったことではないと言いたくもなるからである。しかし、その点を問題にするのは後まわしにしよう。

ともあれ相手の状況把握があなたと同じものであることを前提にして探求は始まる。そうしてある程度意味理論ができあがってくると、そこで初めて、相手の状況把握や信念を問題にすることができる。以後は天秤を操るようなサジ加減で研究が進むことになる。

ある人がある状況で「アペポペー」（現地語）と発話したとしよう。そこで少なくとも二つのことが忖度されねばならない。ひとつは、その人はその文にどういう意味を与えているのか。そしてもうひとつはその人はその状況をどう捉えているのか。ここでは意味理解と状況把握という二つの項が揺らいでいる。それゆえ、その人の意味理解を探ろうとするならば、その人の状況把握を固定しなければならない。逆に、その人の状況把握を探ろうとするならば、その人の意味理解のあり方を固定しなければならない。ここに、シーソーのようなサジ加減が要求されるのである。状況把握の方がより明らかであるならば、それを固定して意味理論の方を改善していく。意味理論がある程度成熟し、この場面にそれを適用することが信頼できそうであれば、それをもとに相手の状況把握や信念を探るのである。もし、その人がそれをどういう意味で言っているのかも、そしてまたその人がその状況をどのようなものとして捉えているのかも、まったく不明であったとしたなら、それはデータとしては使いものにならないということになるだろう。

根元的解釈の手順はおおむね以上のような過程で進められることになる。ここで、いま述べた「サジ加減」についてもう少し立ち入って検討してみることによって、さらに重要な論点が浮上してくる。

意味理論がある程度使いものになるようになってきたとしよう。そのとき、へたをしたらその意味理論は反駁不可能なものとなる。というのも、不都合はすべて相手の状況把握の奇妙さに皺寄せしてしまえばよいからである。例えば、目下の意味理論に従えば「アペポペー」は日本語の「雨が降ってきた」におおむね対応する意味になるとしよう。ところが、ある人が雲ひとつない状況で「アペポペー」と言うのである。これは意味理論の不備を示唆するのに十分な状況だろう。ところが、頑迷かつ不寛容な理論家は、「あの人は状況把握をまちがえている。この晴天を雨降りと見まちがえたのだ」と考えて自分の意味理論に固執するかもしれない。しかし、雲ひとつない晴天を、誰が雨降りと見まちがえるだろう。「確かに変だが。まあ、変な人なんだ」、その頑迷かつ不寛容な理論家は言う。かくして、すべては意味理論の不備ではなく、相手の状況把握のおかしさで説明されてしまうことになるのである。

ここに、再び寛容の原則が適用されねばならない。すなわち、寛容の原則は、「探求の出発点においては相手の信念を自分と同じものとみなさねばならない」という方法論的制約であるのみならず、意味理論がある程度成熟した段階にあっても、もう少し緩やかな形で探求に制約をかけてくるのである。意味理論が成熟した段階では、ときに自分と異なる状況把握を相手がもっていることは認められるようになる。しかし、それは理不尽なものであってはならない。相手を妙ちきりんな存在に貶（おとし）めてまで自分の意味理論に執着してはならない。

「合理性」という用語を用いよう。ここで言われている寛容の原則とは、つまるところ「相手を合理的な人物と想定せよ」という要請にほかならない。なるほど、まちがうことも、奇妙な信念をもつこともあるだろう。しかし、それに対してはなんらかの合理的な説明が可能でなければならない。いかにも見まちがえそうな状況であったのだとか、確かに言いまちがえてしまいそうな言葉であるとか、あるいはもっと大がかりなものとしては、彼らの宗教的信念は、なるほど彼らの生活において重要な役割を果たしているのだ、等々。とすれば、解釈の成功とは、その共同体のメンバーを合理的な人々として立てうるような意味理論が作れたことを意味する。どうしても相手が不合理な存在になってしまうとき、それはわれわれの意味理論が失敗しているということなのである。

合理性の探求と言語の探求とは、かくして密接不可分なものとなる。不合理な者たちに言語を認めることはできず、逆に、言語なき者たちに合理性を認めることもできない。もちろん、以上の議論はまだ過度に単純であり、われわれが言語をもち、しかもときに不合理でもありうることを説明していない。それゆえ、われわれはいかにして不合理でありうるのかという問いがなお問われねばならない。しかし、説明されるべきものとして残されているのは、あくまでも局地的な不合理性にほかならない。おおむね理解可能な言語を使用していることと、おおむね合理的にふるまっていることとが切り離しえぬものとして結びついていることは、まちがいないだろう。

また、この点に自然科学と意味理論の探求との本質的な違いが現われる。これまで見てきたように、意味理論の探求に対するデイヴィドソンの描像は、データを集め、理論を形成し、そこから予想を立て、予想の当否でもって理論をチェックするというプロセスからなっていた。その点では意味理論もまた自然科学同様の経験的理論にほかならず、それは確かに経験的にチェックされうるのである。しかし、意味理論の成功・失敗は相手を合理的なものとして理解できるかどうかにかかっている。そしてこれは自然科学には見られない際立った特徴である。太陽系の惑星の軌道を理論化するのに惑星の合理性を問題にすることはない。だが、言語は人間を相手にするものであり、言語を理解することはそれを用いている人間を理解することと結びついている。それゆえにこそ、自然科学には見られない「合理性」という観点が決定的となるのである。

31 デイヴィドソンの「墓碑銘」

前章の議論は意味理論構築のための最初の一歩にすぎなかった。しかし、かりにその一歩がさらにゴールまで到達しえたとしても、意味理論そのものがわれわれのコミュニケーションにとって最初の一歩にすぎないのである。意味理論が完成したとして、そこからコミュニケーションに踏み出すにはさらに一歩を進めねばならない。デイヴィドソンはそのことを二つの観点から論じる。ひとつは、意味と使用のギャップであり、もうひとつは、そもそも言語など存在しないという驚くべき主張である。順に見ていくことにしよう。

(1) 意味の自立性(101)

もう一度前章を振り返ってみていただきたい。

そこにおいて意味理論はあくまでも「文」の意味を明らかにするようなものとして語られていた。他方、コミュニケーションにおいて聞き手は、話し手の「発話」の意味を理解しなければならない。そして、「文の意味」と「発話の意味」は必ずしも一致しないのである。

言語はコミュニケーション行為における道具にほかならない。これはデイヴィドソンが表立って言っていることではないが、私はこの考え方をデイヴィドソンに見てとりたい。言語は、フライパンが調理行為における道具であるのと同様に、道具である。われわれは言語的コミュニケーション行為において、言語が用意する道具立てを利用する。会話とは、道具を用いた行為の一種なのである。

そうであるとすれば、意味理論とはある行為においてその人が用いている道具のなんたるかを理解するための理論であることになる。そしてそのとき、道具の意味を理解することと行為の意味を理解することとは密接なつながりがありながらも同じものではないことが理解されるだろう。例えば、私の妻がフライパンを手にして居間に立っているとする。私の理解するところによれば、フライパンは調理のための道具であり、とくに加熱調理に使われるものである。だがいま彼女はそれを居間で、頭の上にかざし、私の前に仁王立ちになっている。これは、調理以外の何かを意味しているに違いない。

フライパンが加熱調理以外にも工夫しだいでさまざまな使われ方をするように、文もまた工夫しだいでさまざまな使われ方をする。二つの話題を検討してみることにしよう。

(a)叙法と発話の力

真偽が言われるのは一般に平叙文であるが、言うまでもなく文には平叙文だけでなく、命令文や疑問文等々もある。そして、命令文や疑問文に対して真理条件意味論をどのように拡張していくのかは、今後の課題として残された仕事である。しかし、いま問題にしたいのは真理条件意味論をどのようにして展開していくかということではない。そしてまたそれは、真理条件意味論やなんらかの体系的意味理論に固有の問題でもない。われわれはごくふつうのコミュニケーションにおいて、平叙文や疑問文で依頼をしたり、あるいは命令文や平叙文で質問したりすることができるということ、ここにいまの問題がある。

例えば「塩がない」という文を考えよう。意味理論はこれに対してあくまでも平叙文としての〈塩がない〉という意味を与えるだろう。真理条件意味論的に言うならば、聞き手はそこで「塩」という語がどういう対象に適用されるのかを理解し、「……がある」という言い方がどういう状況でどういう対象に適用されるのかも理解し、さらに否定という操作がどのようなものであるのかを理解することによって、この文が真とされるような状況がどのようなものであるのかを理解するのである。それゆえもちろんわれわれはこの文をそれが表わすような状況を報告するものとして発話することもできる。しかし、「塩がない」と言うことによって〈塩をとってもらいたい〉という依頼をすることもできるし、あるいは、〈塩はどこにあるのか〉という問いかけともなりうる。文が平叙文であるか疑問文であるか命令文であるかといったことは、その文の「叙法」と呼ばれるが、発話が報告であるのか質問であるのか依頼であるのかといったことは、「発話の力（force）」と呼ばれる。そこで問題は、文の叙法と発話の力の関係である。

意味理論がよほどうまくいったとしても、それが解明するのは文の叙法に関するところまでである。それゆえ、実際のコミュニケーションにおいては、意味理論の持ち分を越えた解釈作業をわれわれは行なわなければならない。まずここまでは明らかだろう。そこでさらに問いが限定される。文の意味が分かったとして、そこから発話の理解へ進む道は、それもまたなんらかの体系的意味理論の見込みがあるようなものなのだろうか。あるいは、同じことだが、こう問うてもよい。状況のパターン、ふるまいのパターン、そして文の意味、これらをデータとして、そこから発話の意味を引き出せるようななんらかの規則ないし規約は存在するのだろうか。

デイヴィドソンの答えは否定的であった。その理由は、一言で言ってしまえば、幾人かの論者たちの努力にもかかわらずそのような規則・規約は見出されない、というものである。[102] それゆえデイヴィドソンの議論は決定的なものではない。これまで見つかっていないだけで、まだ、何かうまい規則・規約が見出せるかもしれない。

実際、多くの哲学者はコミュニケーションを規則に従ったものとみなすだろう。例えば、素朴なコミュニケーション観によれば、話し手と聞き手が分かりあえるのは、話し手の発した音や文字を、聞き手が話し手と同じ解読コードで解読するからにほかならない。もしそこに共通の解読コードがないとすれば、コミュニケーションはたえずすれ違ってしまうことになる。もちろん、このコミュニケーション観は素朴にすぎるものではある。しかし、いずれにせよ、何か話し手と聞き手とが共通の規範に従っているからこそ、われわれのコミュニケーションがこのような一定の秩序を実現できていると考えることはごく自然な道であるだろう。その規則を明示的に述べることはなるほど難しい。しかし、それは日本語の熟達者といえども日本語の文法をうまく言えないのと同様である。何か発話を理解するための体系的な規則・規約があるに違いない。

だが、私はここでデイヴィドソンに加担し、しかもデイヴィドソンより強い否定的議論を提出したい。発話の意味を体系的に引き出してくるような規則は見出せないというだけでなく、そんな規則はありえないのである。

コミュニケーションはなんであれ規則に従った了解を利用し、つねにそこから逃げていくことができる。例えば、簡単のために、発話において手のひらを上にして見せるとそれが平叙文を質問に用いていることになるという変換規則があったとしよう。そして、何もしなければ文はその叙法どおりの力で用いられるものとする。さてそこで、私は手のひらを上にして「塩がない」と言う。かくして公式上の発話の力として質問が得られる。それは、「塩はないの？」という文を何もせずに発話した場合と同じものにほかならない。ところが私は、何もせずに「塩はないの？」と発話し、それゆえ公式上のその叙法どおりの発話として質問をすることによって、〈塩をとってほしい〉と依頼することができるのである。同様に、いささか入り組んでしまうのだが、手のひらを上にして「塩がない」と発話し、それによって質問という公式上の力を発動し、それによって塩をとってほしいと依頼することができるだろう。つまり、こうだ。「塩がない」という文は〈塩がない〉ことを意味する平叙文である。それを手のひらを上にしながら発話しているのだから、取り決めに従ってそれは〈塩はないのだろうか〉という質問を意味するものとなる。しかるにこの場面で、この私がかような質問を発するということは、塩をとってくれと言っているのだということが分からないのか、うつけ者めが、というわけである。（おそらく妻がフライパンをもって居間に立つのは私のこうした態度の成果であろう。）

いくら取り決めを重ねても構造上は同じである。幾重にも重なった規則の結果としてなんらかの一定の了解が得られる。しかし、コミュニケーションの実際において話し手はつねにそれを利用しつつ、その公式上の了解からずらされた理解を相手に求めることができるのである。それゆえ、発話がもつ最終的な意味は、もはや規則・規約によって全面的に縛られたものではありえない。

(b)隠喩

例えば、しばらく正座させられていた子どもが「脚が炭酸になっちゃった」と言ったとしよう。われわれはその子の言わんとするところをただちに理解する。だが、これもまた意味理論の持ち分ではない。

隠喩が意味理論の守備範囲にないことは、「隠喩」という概念からして明らかである。隠喩は字義どおりの意味からの逸脱を本質的に含んでいる。かりに先の子どもがそれを隠喩としてではなく、字義どおりに述べていたとしてみよう。そのとき、そこには二つの場合が考えられる。ひとつは、ふつうそうであるように、辞書に「炭酸」の字義どおりの意味として「二酸化炭素の水溶液中にのみ存在する弱酸」のようにしか書かれていない場合。その場合には、子どもは端的にまちがったことを言ったということになる。脚が炭酸になるはずがない。第二に、いまのわれわれの言語規約と異なり、「炭酸」ということの字義どおりの意味の内に「脚がしびれた状態」のような規定が含まれている場合。この場合には、先の子どもが伝えようとしていたことは字義どおりの意味として正確に言われていることになる。だがそのとき、まさにそのことによってそれはもはや隠喩ではなくなっているのである。「脚が炭酸になった」という文が隠喩として用いられるためには、その文はわれわれがそれに字義どおりの意味として与えるとおりの意味、すなわち、「脚がしかじかの弱酸になった」を意味しているのでなければならない。それゆえ、意味理論は文の字義どおりの意味のみを解明し、そこから先、隠喩の効果までは到達しえないのである。

隠喩においてどのような効果がめざされているかに関しては、デイヴィドソンは多くを語っていない。そしてまた、それはここでの主題でもない。だが、「隠喩において字義どおりの意味を越えた隠喩的意味なる何ものかが表現されていると考えるのは誤りである」というデイヴィドソンの主張[103]に関して、それを敷衍して少しコメントしておきたい。

おそらく一口に「隠喩」といっても多くのケースがあると思われる。しかし、その最も隠喩らしい使い方において、隠喩は確かにデイヴィドソンの言うような性格をもっているように思われる。例えば、ニーチェが「真理は女である」[104]と語るとき、それはむしろわれわれに謎をかけているのである。それはニーチェがわれわれに開陳してみせた「答え」ではない。隠喩に関してデイヴィドソンが見てとったように、ここにおいてニーチェもまたけっしてなんらかのメッセージを伝えようとしているのではない。あえて言えば、ニーチェが伝えようとしたメッセージは〈真理は女である〉ということ、それ以外の何ものでもない。その、あからさまに偽であるメッセージを伝えることによって、われわれを真理への問いへと、あるいは真理を問うことへの問いへと突き動かそうとしているのである。例えば、ニーチェのこの言葉を目にした人が、「そうか、真理を手にするにはむしろときに気のないそぶりをすることが必要なのだ」と考えるようになったとして、それはそれでひとつの反応の仕方である。隠喩には「正しい解釈」などは存在しない。隠喩が差し出す謎に突き動かされたさまざまな運動があるだけでしかない。すべての隠喩がこの性格をもっているとは思えないが、少なくともこうした場面において、「隠喩の意味内容」ないし「隠喩が伝えるメッセージ」を考えることは、根本的に的をはずしているのである。[105]

デイヴィドソンは、ここにおいてもまた文の意味と使用のギャップが示されていると考える。隠喩とは、ある意味をもった文をひじょうに独自の仕方で用いる、その用い方にほかならない。〈それはあるいは、「如何なるか是れ仏」と問われた禅坊主が黙ってフライパンを掲げてみせることになぞらえられるかもしれない。これはおそらく、フライパンの最も深遠な使用法である。）

字義どおりの意味を担わされた文、われわれはそれを道具としてコミュニケーション行為を行なう。それゆえ両者の間には使い易さや使用頻度におけるつながりはあるにしても、その道具をこう使わねばならぬという論理的連関はない。かくしてデイヴィドソンは次のように結論する。

ある発話が果たそうとしている目的とその字義どおりの意味とは独立である。すなわち、字義どおりの意味はそうした発話の目的から導かれうるようなものではない。このことは、言語がもつたまたまの特徴ではなく、言語が言語であるかぎり本質的にもつ特徴なのである。そして、言語のもつこの特徴を「意味の自律性の原理」と呼ぼう。(106)

この原理に従うならば、コミュニケーションはけっきょくのところ規則や規約ではなく、われわれの機知と工夫にゆだねられることになるだろう。

(2) コミュニケーションのアナーキズム

いまの議論をまとめるならばこうである。かりに意味理論が固定されたとしても、文の意味からその使用へと架橋する規則・規約が存在しない以上、コミュニケーションは規則に基づくものではありえない。そして、これに加えてデイヴィドソンはいっそう破壊的な議論を提出する。コミュニケーションとはそもそも固定された意味理論のもとでの文のやりとりではない、というのである。

根元的解釈の場面を思い出そう。それは、未知の言語のもとに赴き、ゼロから意味理論を作り上げていく過程であった。その意味では、それはけっしてわれわれの日常のあり方ではなく、かつての探検家たちの状況であるか、あくまでも思考実験的に設定された状況にほかならなかった。しかし、デイヴィドソンは、われわれのふだんのコミュニケーションもまた根元的解釈の場であると主張する。

目の前の他人が何ごとか日本語風の音を発し、私はそれをとりあえず手持ちの意味理論を用いて解釈する。だが、その人の発した音が本当に私の捉えている日本語と同じ言語であるのかどうかは、そうして行なった解釈の成否にかかっている。たいていはうまくいっているか微調整だけで済んでいるのが実情だろう。だが、やっていることの構図自体は未知の異文化に出会ったときと違いはない。目の前の他人に対して私が用いる意味理論はあくまでも暫定的であり、確定し固定されたものではない。異文化の場合は試みの理論を作ってみるまでにずいぶんもたつくが、見慣れた他人の場合にはほとんどもたつかずに用意できるというだけの違いである。

そこでコミュニケーションは、固定された意味理論のもとで為されるやりとりとしてではなく、むしろ、たえず意味理論を改訂していく運動として捉えられることになる。デイヴィドソンに即しても少し詳しく述べよう。[107]

日常のコミュニケーションの場合、話し手と聞き手はお互いにとりあえず手持ちの意味理論をもっている。これをデイヴィドソンは「先行理論（prior theory）」と呼ぶ。私は私の先行理論をもって、話し手に接する。そしてその人の発話で用いられている文の意味を、とりあえずはその先行理論で解釈しようとするだろう。多くの場合にはそれでうまくいくだろうが、うまくいかなかった場合には、先行理論を改訂すべく試みねばならない。そのとき私は、実際上は先行理論を参考にしつつそれを改訂しようとするが、原理的には根元的解釈と違いはない。相手の用いている文、その発話を取り巻く状況とふるまい、それらがデータとなって、それに対してなんらかの意味理論を作ってみる。そしてそのもとで相手が合理的なものとして（すなわち理にかなったものとして）理解できるならば、その理論は成功とされる。成功した意味理論はその場の解釈に適用されるが、しかし、次の場面でたとえ同じ相手であっても同じ意味理論が適用される保証はないのである。それゆえ、成功した意味理論は一応その場かぎりのものとして「当座理論（passing theory）」と呼ばれる。当座理論は次の場面で先行理論として利用され、またそこで同じことが繰り返される。かくして、コミュニケーションは原則として「一期一会」となる。[108] これが、デイヴィドソンの捉えるコミュニケーションのあり方にほかならない。

この議論にリアリティを感じるには、デイヴィドソンに従って、われわれが会話においてしばしば不完全な言い方、その場かぎりの言い方、あるいは言いまちがいや思いちがいによってまちがった言い方や混乱した言い方をしてしまうことに目を向けるべきだろう。デイヴィドソンの論文が「墓碑銘のすてきな乱れ」という奇妙な題名をもっていた理由はそこにある。シェリダンの戯曲に登場するマラプロップ夫人は、ふつうならば "A nice arrangement of epithets"（「形容する言葉をすてきに並べる」）と自慢していうところを、"A nice derangement of epitaphs" と「乱れて（マラプロップ）」しまったのである。（ちなみに、私の妻はマラプロップではないが、先日歳末大売出しのスーパーにおいて、「あっちでガラガラポンやってるよ」と言い放った。「ガラガラポン、か」。その初耳の言葉に私は小さく唸った。「あれ、何て言うのよ」。「いや、まさにガラガラポンだ。それでいいんじゃないの」。そして私はガラガラしてポンと出た赤い玉に従ってポケット・ティッシュをもらって帰ってきたのである。）

私は私の意味理論になかった言葉を瞬時に理解した。「ガラガラ」と「ポン」に対する先行理論を参考にして「ガラガラポン」に関する当座理論を作り上げたのである。あるいは私は「シメコのウサちゃん」という言葉を耳にしたことがある。「しめた」という意味である。あるいはまた、私は「トクホンどこにある?」と尋ね、手渡されたそれを見て「これはサロンパスじゃないか」と怒ったりはしない。私の意味理論ではサロンパスも「トクホン」と呼ばれるのである。学生が「だりー」と言えばだるいのであろうと忖度し、「むずい!」と言えば難しいのだろうと理解する。

確かに、こうした場面は日常いくらでも見出すことができる。そしてそれは、先に検討した発話の力や隠喩に関する場面とは異なっている。先の場面では文の字義どおりの意味は意味理論によって確定していた。その上で、それが融通無礙に使用されていた。他方、目下の場面ではそもそも文の字義どおりの意味が問題になっている。私は手持ちの意味理論では理解できない新たな文を、新たな意味理論をその場で作ることによって理解するに至るのである。そしてデイヴィドソンは、むしろこうした場面をこそコミュニケーションの典型的な場面とみなすよう、新たなパラダイム（マラプロップ・パラダイム）へとわれわれにパラダイム・シフトを促すのである。

そのとき、コミュニケーションを固定した規則に従った言葉のやりとりとして記述することはまったく正しくないものとなる。コミュニケーションとは、むしろ、たえず意味理論を改訂していく運動にほかならない。そして、理論変化の運動は、もはやなんらかの理論によって捉えられるようなものではありえないのである。

日常のコミュニケーションにとって、先行理論は実際上は不可欠と言ってもよいほどに有益ではあるが、原理的にはなければならないものではない。いずれにせよ行なうことは根元的解釈なのであるから、ゼロから出発してもかまわない。デイヴィドソンの描く状況においては、私にとって私の妻といえども、「ガラガラポン」なる未知の言葉を用いる未知の人、いわば根元的解釈状況にある「根元的他者」なのである。

また、実際上有益なものとして先行理論があったとしても、そこから当座理論へと進める手順はなんら規則に基づいたものではなく、その場の機知と工夫に基づいている。経験理論を発見する方法が「なんでもあり（anything goes）」なのと同様、意味理論を発見する方法もまた「なんでもあり」なのである。その意味で、デイヴィドソンのこうした議論を「コミュニケーションのアナーキズム」と呼ぶことが許されるだろう。

32　意味と使用

言語は言語行為における道具である。私は先にデイヴィドソンの議論の背後にこの主張を透かし見た。ここで私は、私自身のものとして積極的にそう主張してみたい。

言語を道具とみなすことは、何か言語に対する浅薄な見方であるようにも感じられる。なぜかはよく分からないが、少なくとも私にはそんな感じがする。道具はあればあったで便利であるが、なければないでもかまわない、そんな感じをもっているのかもしれない。だが、思いつくままに何か道具を考えてみても、身ひとつでやれることをたんに補助するにすぎないような道具はほとんど見当たらないだろう。箸はなくても手づかみで食べられるかもしれない。しかしそれでも鍋物を食べるときには熱いだろう。こうしたことが私のように無邪気に新鮮に感じられる人もいるかもしれないので、ぜひ自分の生活を道具という観点から眺めなおしてみていただきたい。そして、道具なしでも可能になることとして何が残されているのかを考えてみていただきたい。実に、生活は一変するのである。あたりまえと言えばあたりまえなのだろうが、すごいことである。

われわれは道具によって行為のレパートリーを変化させ、それによって世界のアスペクトを変えていく。それゆえ、私のアスペクト論の議論を引き継ぐならば、道具は自己のあり方をも変えるのである。実際、調理器具は私の食欲のあり方を変え、ワープロは私の論文のあり方を変えた。あるいは、あまり愉快な例ではないが、おそらく拳銃を手にしたとき、私は何か別の自分が首をもたげるのを感じるに違いない。それゆえ、（ハイデガーになじんでいる人ならばあたりまえだと言うのかもしれないが）道具をみくびってはならない。そこでもう一度言おう。言語は、言語行為における道具にほかならない。

――言い切ってはみたが、やはりどうもためらいは禁じえない。（なぜためらうのかはまだ自分でもよく分からない。）

だが、言語が道具としての側面をもつことは疑いえないだろう。そして、「道具としての言語」という観点をとることは、いま私が追っている議論に重要な光を投げかけてくれるように思われる。それゆえ、しばらくの間、言語を徹底的に言語行為における道具とみなし、その意味するところを吟味してみることにしよう。

最初に注意しておかねばならないが、言語行為において道具として用いられるのは、「意味」ということで連想されるような抽象的な何ものかではない。それは口から発した音であり、書きつけられた文字（インクの染み、等）である。あるいは場合によっては紙の凹凸（点字）であったり旗であったり煙であったりもするだろう。それら物理的実体をもったものたちが、言語行為における道具として働くのであり、その点において言葉はフライパンやノコギリとなんら異なるものではない。

もちろん、言葉で目玉焼きを作ったり、材木を切ったりすることはできない。そこには自ずと道具としての持ち分というものがある。それはおおむね聞き手になんらかの変化を引き起こすために用いられるだろう。例えば、「アメガフッテイル」という音で私は彼女に相応の信念の変化を引き起こそうと意図し、また、「シオガナイ」という音で塩をとってもらおうと意図している。あるいは、前期ウィトゲンシュタインのように、世界の像として、例えば交通事故現場を再現するための模型として用いられてもよいだろうし、後期ウィトゲンシュタインのように、サッカーボールやチェスの駒と同様の言語ゲームにおける道具であってもよい。言語が道具であるとして、それが何のための道具であるかということも、きわめて重要な問題に違いない。しかし、とりあえずいま踏み込みたいのはその問題ではない。

言語は道具であるという観点のもとに私がここで検討したいのは、デイヴィドソンの「意味の自律性の原理」である。

デイヴィドソンは、何箇所かで繰り返しこの原理を主張している。だが、その意味するところは完全に明確とは言いがたい。まず、ひとつの強い読みを検討しよう。

　　意味の自律性の強い原理――文の意味はその文を用いたあらゆる発話の意味から独立である。

もし、この強い原理が主張されているのであれば、その主張はまちがっている。文は言語行為における道具であり、道具は使われることによってのみ道具だからである。かりに道具一般に関して「道具の自律性の強い原理」とでも呼びうるものを主張したとしてみよう。曰く、「道具の意味はその道具を用いたあらゆる行為の意味から独立である」。ナンセンスである。道具の意味は、それを用いた行為の意味を離れてはありえない。それゆえ文が言語行為における道具であるならば、文もまた、言語行為の意味を離れて意味をもちえようはずがない。文は、発話者と発話状況を離れては意味をもたないのである。

一見すると、文は、発話者と発話状況を離れても意味をもちうるように思われるかもしれない。例えば、紙に「雨が降っている」と書いてあったとしよう。誰がどういう状況でそれを書いたのか分からない。しかし、その文の意味するところは明確に理解できるのではないか。

だが、これは机の上にノコギリが置かれていたのと同様の事態であると考えられる。誰が何のつもりでそれをそこに置いたのかは分からない。それにもかかわらず、われわれはそれがどのような道具であるかを理解する。だが、それも自分でそれを使って木を切ったことがあるが、そういう使用の現場を見たことがあるからにほかならない。私はそのノコギリをそれ自体として理解するのではなく、人間が木を切るのに用いるものとして、それを理解する。同様に、「雨が降っている」という文もまた、ある程度熟達した日本語の話者がしかるべき状況で用いるものとしてのみ、それを理解するだろう。われわれが文を理解するとき、そこには必ず、たとえかなり不定の形ではあっても、なんらかの発話者となんらかの発話状況がこめられているのである。可能的な発話者と可能的な発話状況に対する了解から完全に隔絶された形で文の意味だけを理解することは、不可能でしかない。

あるいは、こう反論されるかもしれない。「文の意味が分からなければ、発話の意図を知ることもできないだろう」、と。例えば、ある人が「アペポペー」と発話したとする。しかし、「アペポペー」という文の意味が分かっていないとすれば、いったいその人がどういう意図でそれを発話し、そしてそれによって聞き手にどういう信念が引き起こされたのか、分からない。それゆえ、言語行為の意図は、まさにそこで用いられている文の意味に依存しているのである。

もっともである。だが、誤解されてはならないのだが、私はその反論が反論しようとしているような主張を為したいのではない。

こうした反論は、しばしばグライスのような路線に対して典型的に為されてきたものである。確かにグライスは、彼が文の意味を言語行為の意図に還元しようとしているという印象をわれわれに与えてきた。すなわち、まず文の意味に訴えることなく言語行為の意図を知り、それをタイプ分けして、そこから文の意味を引き出してくる、というわけである。そしてもしその印象が正しいのであれば、いま述べたような反論がただちに為され、しかも私が行司ならば軍配は反論者の側に上げるだろう。文の意味を言語行為の意図に還元しようとするプログラムは不可能である。

だが、これがグライスに対する正当な反論であるかどうかについては即断を控えるとしても、少なくとも私が主張したいことはそのような還元のプログラムではない。私が言っているのはとりあえずまったく平凡な事実の指摘である。すなわち、言語行為の意図と文の意味とは相互に依存しあっている。ここで「意味の自律性」と言うことも、逆に「意図の自律性」を言うことも、ともに事実に反しているだろう。

そしてデイヴィドソンもまた、「意味と意図の相互浸透性」とでも呼ぶべきこの事実を否定する必要はないし、実際、否定しないと思われる。というのも、デイヴィドソンが最終的にめざしていたのは、言語と心と行為に関する統一理論であったからであり、しかも、その統一理論はけっして、基礎に言語哲学を置き、次に心の哲学へと進み、最後に行為論へと至るといった階層構造をなすものとして構想されていたわけではなく、あくまでも言語と心と行為が一体となってその関係を解明されていくような理論であったと思われるからである。（とはいえ、残念ながら、デイヴィドソンの個々の論文を読むかぎり、そうした統一理論の姿は明確には立ち現われてこない。それゆえ、もしかしたら、意味の自律性を主張した論文においては、彼はそれを強い意味で主張していたのかもしれない。だが私は、ここにおいてデイヴィドソンのある程度の全体を顧慮しながら、まさに「寛容の原則」に従っているのである。）

デイヴィドソンが主張すべきである、そして私にも正しいと思われる自律性の原理は、次のような弱い読みにほかならない。

意味の自律性の弱い原理——ある特定の発話において、そこで用いられている文の意味はその発話の意味からは独立である。

例えば、「雨が降っている」という文は、その字義どおりの意味を保ちながら、なおさまざまな発話において用いられうる。私はそれをごくふつうに天気の報告として用いてもよいし、〈窓を閉めてくれませんか〉という依頼として用いてもよい。あるいは、ある特定の脈絡では嫌味として用いられるかもしれないし、愛情表現として用いることさえできるかもしれない（どういう脈絡かは想像におまかせする）。ある文は、脈絡と創意工夫しだいできわめて多様な使われ方をされうるのである。

おそらくこれをなお「自律性（autonomy）」と呼ぶことはミスリーディングだろう。例えば「フライパンの自律性の弱い原理」を考えるならば、それはただ、フライパンは人を殴るのにも使える、といったことにすぎない。むしろ私としては「使用の創造性」のように呼んでおくことにしたい。

使用の創造性もまた平凡な事実にすぎないが、これが文の意味と発話の意図の相互浸透のあり方を複雑なものとする。使用の創造性は原理的に一回的なものである。それは、パターン化された使用法からはみ出ることによって「創造的」だからである。他方、文の意味は一回的なものではありえない。それは定型化され反復されることによってのみ、「意味」という秩序を獲得しうるのである。にもかかわらず、文の意味はなお発話の意味に依存している。この、いささか錯綜した事態を、どう捉えればよいのだろうか。


だが、実のところ、この点に関して私はあまり悲観的になってはいない。まず、一般に道具に関して根元的解釈状況を考えてみよう。未知の共同体のもとに赴くとする。そこの人々がある道具を用いて何ごとかを為している。そこでわれわれは、それがどのような道具なのかを調査する。そういう状況である。

われわれは、彼らがその道具を用いて何を為しているかをつぶさに見てとらなければならない。だが、ここで使用の創造性が事態をややこしくするだろう。道具はその場の機知と工夫しだいでさまざまに使われうる。ノコギリを楽器にしてもよいし、フライパンを武器として用いてもかまわない。さらに、釘抜きをまちがえてトンカチとして用いてしまい、しかもそれなりに使えてしまうように、道具の誤用（マラプロップ）も起こりうるだろう。そこで、その共同体が過剰に創造的であったとしてみよう。すべての道具はまったく融通無碍に用いられる。「このギザギザのついた金物は何に使われるのですか」と尋ねたとして、答えは「いろいろ」である。「その平べったい木は？」と聞くと、「それもまあ、いろいろ」と答えられる。（雑談だが、私は現代日本社会においていたずらに商品の機能が分化しているのを苦々しく思っている者である。いま、思い立って台所に行ってみたら、流しの脇にはなんと九種類もの洗剤が置かれてあるのである！　なぜ？　あるのはふつうの中性洗剤だけではない。「シンクまわりクリーナー」「キッチンどこでも除菌」「においもとるハンドウォッシュ」、で、この「あぶらサラサラ」というのは何なのだ。全体、こういうものをいちいち購入する妻も妻だと思うのだが、いや、それはまた別の話である。私だって宛名書き専用のペンなどを嬉々として買っているのである。閑話休題。）さて、現代の日本社会とは正反対に過剰に創造的であるような共同体だとどうなるか。そこではもはや道具をその機能によって分類することは不可能となる。「フライパン」という語がかりにあったとして、それはたんにその材質や形状に対する名前でしかない。それゆえ、解釈が困難となる以前に、そこではわれわれがもつような「道具」の概念が存在しないと言わねばならないだろう。そこでは、物としてのあり方とそれが果たす機能とが過剰な機知によって無秩序化している。それゆえ、物に対する名称と機能に対する名称がまったくバラバラになってしまうのである。

　他方、われわれがなじんでいる「道具」はそうではない。その金属性の、柄の先に縁が少し立ち上がった丸い板がついている物は、「フライパン」として、主として加熱調理の機能をもつものとしてのアスペクトをもっている。もちろんそれは楽器や武器としても用いられる。しかし、それでもなお、調理器具としての面目を保つ程度には調理器具なのである。いわば、物に機能が「受肉」しているのである。

換言すれば、われわれが道具とみなすものには標準的使用があるということである。それゆえ、道具に対する根元的解釈とは、その道具の標準的使用を探り当てることにほかならない。なるほど一つの道具はさまざまな使われ方をする。しかし、ある仕方で使ってみせたときには人はそれに驚くかもしれないし、あるいは使ってみせた人もどこか自慢げであるかもしれない。ともかく、膨大なデータの中で、それを標準的使用と変則的使用に弁別することは、なんとか可能だと私には思われる。あまり根拠はないが、それに関しては楽観的であることが許されるのではないだろうか。

同様に、文という道具に関しても私は楽観視したい。そして、根元的解釈において、文がもつその標準的使用と変則的使用を弁別することが可能だとすれば、「文の意味」は、その標準的使用における機能の観点から解明されうるだろう。「雨が降っている」という文はその標準的使用においてまさに〈雨が降っている〉という信念を聞き手に引き起こすだろうし、「窓を開けて」は〈窓を開ける〉という行為をするよう聞き手に促すのである。

ここであるいは、変則的使用も含めて、そうした使用のすべてが「文の意味」に相当するのではないか、と考えたくなるかもしれない。しかし、「字義どおりの意味」を利用して何ごとかを為すという二重構造が、言葉の働きには確かに見られるのである。つまり、意味の自律性の弱い原理を、ここでわれわれは押さえておかねばならない。「塩がない」という字義どおりの意味を利用して、私は塩をとってもらおうとする。あるいは「真理は女である」という文の字義どおりの意味を利用してニーチェはわれわれに謎をかける。それゆえ、文の意味を使用という観点から解明しようとするのであっても、なお、そこに標準的使用と変則的使用の二層が区別されねばならない。そして文の意味はあくまでも標準的使用における文の機能が明らかにするのであり、そこで明らかにされた文の意味を利用して、われわれは場面に応じ創意工夫によってさまざまな変則的使用を為す。

これは、言葉という道具がフライパンのような道具に対してもつ独自な特性であると言えるだろう。フライパンを楽器として用いるような工夫が可能であるとしても、それを楽器として用いる場面では調理器具としての標準的な使用はもはや影をひそめている。それに対して、文という道具の場合には、それが標準的にどのように使用されるかの了解を利用して、変則的な創造性が発揮されるのである。

より正確に言うならば、こうした二重性は言語のみに固有の可能性というよりも、もう少し広く、慣用化されたコミュニケーション行為一般の特性であると言えるだろう。たとえ非言語的コミュニケーションであっても、慣用化され定型をもつ場合には、その定型を利用し、定型に収まらないようなその場の機知を働かせることができる。例えば、片手をあげてみせることが挨拶の定型になっている場合、けんか別れした後の再会において、くったくなく片手をあげてみせることによって和解のメッセージを送ることができる。あるいはまた、空のポケットをズボンの外に引きずりだしてみせることが金がないことを伝える定型になっている場合には、馬券を当てたことを自慢している友人の前でそれをやってみせることによって少し金を貸してほしいという気持ちを伝えることもできる。こうした場合にフライパンを用いて演奏するのと異なる点は、その場の機知がこれまでの歴史的経緯を背景にして可能になっているという点にある。フライパンの場合にはその材質や形状のみが利用されうる資源であるが、コミュニケーション行為の場合にはこれまでの蓄積もまた、資源として利用されうるのである。（慣用化されたコミュニケーション行為はもはや「非言語的」ではなく、「言語的」と呼ばれるべきものだという意見もあるかもしれない。それに対して私は「お好きなように」と答えたい。）

道具としての言語という観点から、最後に、言語のもつ無限の産出可能性についてコメントしておこう。

われわれは新たな場面で新たな文を用いる。すなわち、新たな道具をその場で作り、使う。これは、ある場面で用いた道具を部品に分解し、他の道具の部品とともに新たな道具を組み立てることに対応している。部品は語であり、道具としての機能をもつのは文である。

ここで、語が部品にすぎないということは重要である。すなわち、語はそれ単独では機能しないのである。かつて、ロックなどに典型的に見られた言語観にあっては、語が意味の単位とみなされていた。大雑把に言えば、語はそれに結びつけられた観念によって意味を与えられ、観念連合としての判断が文によって表現される、というわけである。こうした伝統的言語観がフレーゲによって乗り越えられ、文が意味の単位とみなされるようになった経緯は、もはや教科書的ことがらと言えるだろう。私がここで述べようとしていることも、大きく言ってフレーゲ的枠組の内にある。言語使用において用いられる道具はあくまでも文である。そして、道具は部品から組み立てられている（合成原理）。だが、部品の役割は、道具全体の機能にどのように寄与するかによって定まっているのである（文脈原理）。

一般に、道具の分解－合成の手順はまったく大まかに言って次のようなものとなるだろう。まず道具が全体として与えられる。いくつもの道具を手にするうち、そこに共通の部品が使われているのが目にとまるようになる。そして、その部品がそうした道具においてどのような役割をもっているかが理解されるようにもなる。そうしたら、こんどはそれぞれの役割をもった諸部品を組み立てて、新しい道具を作れるようになる。言語の場合もまた、おおむねこのようなプロセスを経るに違いない。

ここにおいて、目下私が追求している立場（言語を道具とみなし、それゆえ意味の自律性の強い原理を拒否し、弱い原理を受け入れる立場）は真理条件意味論と、少なくとも整合的に合体可能なものとなる。平叙文の真偽を、その標準的使用である描写や報告の正誤として読み替えさえすればよい。そして実際、世界のあり方に応じて真偽が定まるような文に関しては、真理条件意味論はその分解と合成の仕方をかなりうまく与えるのではないかと私は考えている。「真理」という概念は、分解と合成の操作にきわめてよくなじむのである。

だが、さらに進んで真理条件意味論の妥当性を検討することは控えよう。いまの段階では、私にはまだそれが妥当であるともないともいずれの確信もない。さらに言えば、そもそも体系的意味論が可能であるのかどうかについても、私にはまだよく分からないのである。

33　常識という神話

大人が子どもに言葉を教える場面を考えてみよう。例えば、「犬」という語を教えようとしてみる。どうするだろうか。

前章で論じたように、語は部品にすぎない。そこで大人は、その部品（「犬」）を用いた道具＝文をさまざまに使ってみせるだろう。例えば、「犬がいるね」「ほら、犬が寝ている」「いま隣の犬が吠えた」「その犬はこわくないよ。なでてごらん」等々。ただし教育の初期の場面では、大人はあくまでも標準的使用を示さねばならない。ノコギリの使い方を教えるのに、いきなりそれを楽器として演奏してみせる大人はいないだろう。教育用の発話は、少なくとも最初のうちは嘘であってはならないし、あからさまに偽であってもならない。あるいは嫌味や比喩であってはならない。ごくすなおに、正直に、かつ適切に、描写し、命令し、問いかけるのでなければならない。

そうした教育上の制約のひとつとして、私は、一見さして重要とは思えないかもしれないことを指摘したい。それはこうである。

いかにも犬らしい犬を話題にせよ。

子どもに「犬」という語を教えるとき、あまり犬らしくない犬でもって教えようとはしない。例えば、夏に暑さ負けしないように頭の毛だけを残して胴体の毛を刈ってしまったチャウチャウ。その情けないライオンのような姿にもかかわらず、それは確かに「犬」であり、「犬」以外の何ものでもない。しかし、「犬」という語を教えるときにはもっと個性的でない犬を話題にした方がよい[109]。あるいは、何かのかげんで尻尾の先が二本に分かれているような犬。あるいはまた、ニャンと鳴く犬を話題にすることも避けた方がよい。さらには、警官を指差して「犬」という語を教えようなどはもってのほかである。

「犬」という語を外延的に規定するならば、「……は犬である」を真にするような対象を指定することによって規定されると考えられるだろう。いわば、犬の集合である。だが、日常語の「犬」はたんなるのっぺりした集合ではない。そこには、「犬らしさ」という構造が導入されねばならないのである[110]。

まず、順当に犬らしい犬、すなわち犬のプロトタイプ[11]から始め、しかるのちに、多少変わった犬についても「あれも犬なのだ」と教えていく。そこにおいて子どもは、たんに何が「犬」と呼ばれるのかを学ぶだけではなく、どういうのが「ふつうの犬」であり、どういうのが「変な犬」なのかも学ぶのでなければならない。ある概念の習得において、何がその概念のもとに落ちるのかを学ぶだけでなく、そこにおいて「ふつう」と「変」という評価軸を正しく設定することもまた要求されるのである。（したがって、ある対象がある概念に属することを表わす意味論用語である「充足」（satisfaction）は、「ふつうの充足」と「変な充足」という下位区分をもつことになる。）

「ふつう」というのは、たんに統計的な事実ではない。すなわち、犬の集合において多数派と少数派をただ数において区別するようなことではない。「ふつう‐変」という評価は、それが「何として」捉えられているのかに依存している。例えば、ある人物について「市民としては変な人だが、哲学者としてはふつうだ」のように言われるかもしれないように。つまり、「ふつう‐変」という評価は、アスペクト依存的なのであり、たんに外延的な数量の評価ではなく、内包的性格を有しているのである。

そこで、外延的にはまったく同じ了解をしながら、「ふつう‐変」の評価が異なるために、異なる概念を習得していると言わざるをえないようなケースも出てくることになる。実際、尻尾の先が二本に分かれている犬に対して、「どうだい、いかにも犬らしい犬じゃないか」と言う人がいたとしたら、その人は私と異なる「犬」概念をもっていると言うべきだろう。

あるとき私は、国語辞典で「クローバ」という語を引き、そこに、「まめ科の多年生植物。三枚の小葉が一つの柄につき、夏、白い花が球状に集まり、咲く」と出ていたのに対し、では「四つ葉のクローバ」というのは矛盾概念なのかと苦言を呈したことがある。確かに、「クローバは三枚の葉をもつ」というのは「独身者は結婚していない」のような分析命題ではない。すなわち、「クローバ」の意味の内に「三枚の葉をもつ」ということが含意されているわけではない。しかし、「ふつうのクローバは三枚の葉をもつ」であれば、それはたんに統計的事実を述べた事実命題ではなく、「クローバ」のプロトタイプに関する命題となる。それは、われわれの「クローバ」という概念のあり方を取り出してみせた命題なのである。そこで私は、「ふつうのクローバは三枚の葉をもつ」や「ふつうの犬は一本の尻尾をもつ」といった命題を「準分析的（quasi-analytical）」命題と呼ぶことにしたい。準分析的命題に同意しない人は、われわれと異なるプロトタイプ理解をもっているのであり、それゆえわれわれと異なる概念把握をしているのである。

おそらく、概念変化というのは、外延の変化によるよりも、このような「ふつう-変」の評価軸の変化によるところが大きいと思われる。例えば、「女性」という概念。「ふつうの女性」、「女性らしさ」、こうしたプロトタイプは時代とともに変化してきた。それはすなわち、そのようにして「女性」概念が変化してきたということである。あるいは、現代において「ふつうの女性」や「女性らしさ」を言うことが難しくなってきているのだとすれば、それはそういう形で「女性」概念が変化してきているということにほかならない。ニーチェが「真理は女だ」と言ったとき、それは明らかにそこにおける「女性」のプロトタイプに依拠した発言であった。それゆえ彼がもし現代に生きていたならば、あるいは、「真理は男だ」と言ったかもしれない。

もちろん、プロトタイプをもたぬ概念というものも存在する。物理学言語などはその典型だろう。例えば、「いかにも素粒子らしい素粒子」というのはどういう素粒子のことなのか、私には分からない。「素粒子」はプロトタイプによってではなく、厳格に外延的に規定された用語なのである。そしてこれまでの言語哲学の主たる流れを支配してきた外延的言語観は、「言語」のパラダイムを物理学言語のようなものに置いていたことに根ざしていると思われる。だが、そのパラダイムは変更されるべきである。日常言語は外延によってではなく、プロトタイプによって規定されている。

このことは、言語学習が「常識」の学習を含まざるをえないことを意味している。「犬」という語の意味を学ぶことは、「ふつうの犬」がどのようなものであるかという、犬に関する常識を身につけることを含む。「犬は尻尾をもつ」「犬は吠える」「犬はリスより大きい」等々はそれ自体としては分析的ではない。だが、「犬」という語の意味を学ぶことにおいて、子どもは犬に関するさまざまな準分析的な諸命題をも学ばねばならない。いわば、犬に関する準分析的な「物語」――「ふつうの犬」がどのような生活をするかという「ふつうの物語」――を学ぶのである。同様に、

「家」という語の意味を学ぶことは「ふつうの家」に関する常識を学ぶことであり、「愛」という語を学ぶことは準分析的な愛の物語を学ぶことであるだろう。あるいは、「歩く」のような語も同様に考えられる。その語の意味を学ぶことにおいて、子どもは「ふつうの歩き方」と「変な歩き方」との区別もまた学ぶのである。（固有名にもプロトタイプはあるのだろうか。あるようにも思われる。われわれはある人物に関して、「塩谷君らしくない」とか「門脇さんらしいね」といった言い方をする。だが、これはさらに検討を要する話題であり、ここでは立ち入らない。）

そこで、ふつうのものたちのみが登場するふつうの世界という非現実的な虚構が重要な物語となる。そこで私はそうした物語を「常識的世界像」と呼ぶことにしたい。「常識的世界像」という考え方は、ウィトゲンシュタインの「世界像」という概念の自然な延長上にある。世界のあり方を探求するとき、その探求はすでに世界のあり方に関するなんらかの基本了解を枠組としてもっている——ウィトゲンシュタインはそれを「世界像」と呼んだ。例えば、縄文時代にも大地は存在したこと、慎重に数えれば箱の中のリンゴの数は一定の値をもつこと、あるいは、これが私の手であること、こうしたことを鵜呑みにして初めて、われわれは世界の探求に踏み出すことができる。これが「世界像」であり、ウィトゲンシュタインはそれをまた「神話」とも呼んだのである。[112] ウィトゲンシュタインは探求が神話を必要とすることを示した。そして私は、言語習得にも神話（常識という名の神話）が要求されることを指摘したいのである。

しばしば大人は子どもには子ども向けの「神話」を語る。そこでは証券取引に関する常識はもちろん、恋愛についての常識も、ルネサンス美術に関する常識も語られない。あるいは、車輪をもって走るものをすべて「ブーブー」としてくるような語彙を子どもに向けて大人自身も発するだろう。そこにお子様向けの常識的世界像が形成される。そして子どもは、いったんはそこの住人になることを強いられる。つまり、「子どもらしい子ども」になることを強いられるのである。そこでは語部たる大人もまた、神話の神々として、すなわち能うかぎりの「凡人」として、その世界に住むだろう。そうして、子ども向けの常識的世界像の中で対等のパートナーシップをつかむことによって、子どもに言葉を教えていこうとする。言語教育はそのまま「凡人たれ」という人物教育ともなっているのである。

もし言葉を学ぶことがこの凡人教育の段階にとどまるものであるとすれば、それはやりきれないものであるだろう。だが、ここで意味の自律性の弱い原理、すなわち使用の創造性が重要なものとなる。われわれは標準的言語使用にとどまっているわけではない。標準的言語使用の理解を利用し、そこから逸脱することによって、字義どおりでない発話の力を生み出し、比喩を用い、また皮肉を言ったり、冗談をとばすのである。それゆえ子どもはやがて神話から踏み出し、神話を逆手にとることを覚えねばならない。

ときに、子どもは卓抜な比喩を用いる者であるかのように語られることがある。例えば、脚のしびれに対して「脚が炭酸になっちゃった」と言うように。私には子育ての経験がないので実感をもって語ることはできないのだが、私の偏見ではこれは実は比喩ではない。子どもはまだ大人の押しつける標準的言語使用をきちんと学びとっていないというだけのことにすぎない。その子はただ字義どおりの意味で「脚が炭酸になった」と言ったのである。そこには使用の創造性はない。それゆえ機知も芸も言葉の美しさもない。大人たちはこの誤解された凡庸さをうかつに讃えてしまうのではなく、それをいまの大人たちが共有している伝統的な凡庸さへといったんは押し込めねばならない。子どもが自覚的にはばたけるようになるために、無自覚にもっているその翼をまずはもぎとらねばならないのである。

狭い意味での言語教育はここまでである。それは標準的言語使用を常識的世界観とともにたたき込む過程にほかならない。だが、大人の教育者としての真価が問われるのはむしろここからだろう。大人はそこにおいてもはや教えてはならない。ノコギリを楽器として用いることを教えてしまったならば、それはたんにノコギリという楽器が神話の内に取り込まれるだけでしかない。お父さんが「塩がない」と言ったときには塩を手渡さなくちゃいけないんだと教えることは、ただ「シオガナイ」という音の標準的使用のひとつとして命令の言語行為を教えることでしかないのである。大人はただ、子どもが紋切型でない言語行為を為し、紋切型でない比喩を作り出し、また紋切型でない皮肉や冗談を言ったときに、その「子どもらしくなさ」を愛でる観客であるしかないだろう。

ある人たちには、いまのわれわれの周囲には「変」なものが満ちあふれているように見えるかもしれない。だが、私の目にはたんに多様化したさまざまな「ふつう」が満ちているように見える。

多様化されつつもなお、それぞれにそれぞれの「らしさ」を演じようとしているように見える。それは細分化され、自閉しつつ、最後には「自分らしさ」というなんだかわけの分からないものに行き着くのである。

伝統的な神話は確かに弱体化した。だが、神話への呪縛は圧倒的にわれわれを縛り続けている。そうして伝統的な神話からはみ出した者たちは、自分を「ふつう」の者として位置づけてくれるような新たな神話を作ろうとする。それはそれで別にかまわない。神話は不可欠なのだから。だが、自ら選びとった神話というものは押しつけられた神話よりもはるかにタチが悪いことを忘れてはならない。押しつけられた神話であれば、それへの反発からそれを逆手にとる力も生まれてくるだろう。それに対して自ら選びとった神話を逆手にとることは難しい。自分らしさへの偏愛は、態度をかたくなにし、足取りを重くする。

ここで私は「諧謔（かいぎゃく）の精神」について思わずにはおれない。諧謔は常識のもとでのみ可能となる。だが、常識の中でいは不可能である。私には、諧謔こそ、神話との戯れにおける最大の武器であるように思われる。

34　解釈かゲームか

デイヴィドソンは、日常のコミュニケーションも根元的解釈にほかならないと考え、「コミュニケーションのアナーキズム」と私が呼んだ議論を展開した。確かに、コミュニケーションを固定された規則のもとでのやりとりとしてしか捉えないあまりにも素朴な見方を排し、むしろ意味理論改訂の運動として捉えようとする彼の議論は、コミュニケーションのひとつの側面をきわめて鋭く描き出したものとなっている。そこには疑いもなく重要な洞察が含まれている。だが、それにもかかわらず、なおそれは実際のコミュニケーションのあり方を描写したものとしては維持しえないものであるように私には思われる。コミュニケーションはすぐれて規範的実践であるだろう。しかし、「解釈」という観点からコミュニケーションを捉えるとき、その規範的側面がまったく抜け落ちてしまうのである。

デイヴィドソンの筋書きはこうであった。

私の前に、日本人の外見をした「根元的他者」が現われる。彼女は日本語風の言葉で話す。例えば「カエリワオソクナルノ?」、等々。だが、私にはその日本語風の文が本当に私の理解する日本語と同じであるかどうか分からない。とはいえ、彼女はふつうの日本人の外見をしているわけであるし、私はとりあえず手持ちの日本語の知識（先行理論）でもってその発言を解釈してみるわけである。そして、たいがいの場合には先行理論はそのまま通用し、とくに解釈は破綻を見せることもない。だが、相手が「マラプロップ夫人」の場合にはそううまくはいかない。私には変則的に思われる彼女の発言を理解するために、私は自分の先行理論をもとに、それを修正し、とくに彼女に合わせたその場の意味理論を当座理論として作らねばならない。

しかもデイヴィドソンは、むしろマラプロップ夫人のような場合へとコミュニケーションのパラダイムを転換する。けっきょくのところコミュニケーションとは、たとえなめらかに進行している場合であっても、手持ちの理論を参考にしてその場その場で解釈をうまく導くような意味理論を作っていく作業、そうした意味理論改訂の運動にほかならない。それは基本的に手探りの作業であり、固定した解釈マニュアルなど存在しえないのである。

ここに、「われわれが一枚岩に従う共通言語」という想定は拒否されることになる。マラプロップ夫人はいわば「マラプロップ語」を話している。そしてあちらにもこちらにも、その人なりのさまざまな言語が氾濫する。みんなが話している日本語などありはしない。一口に日本語のコミュニケーションといっても、そこには無数の「日本語風言語」が溢れているのである。いや、それだけではない。デイヴィドソンは、いわゆる「個人言語」の想定よりもさらに破壊的に突き進んだ。マラプロップ語といえども、いつ「新マラプロップ語」に変化するか分からない。ある個人が一貫して同じ言語を話しているのかどうかさえ、その場その場で解釈されねばならない。かくして、こう結論される。「哲学者や言語学者が言うような意味では、言語なるものなど存在しない」。

だが、そのとき、「まちがった日本語」も存在しないことになるだろう。あるのはただ「私のとは違う日本語風言語」でしかない。たとえマラプロップ夫人のそのときの言語が彼女独特のものであり、私のそのときの言語が多くの人たちと共通する言語であったとしても、この多数決はマラプロップ夫人の方がまちがいであることを意味しはしない。彼女はただ、少数派の独特な言語を話しているというにすぎない。

例えばある人が「これじゃうさぎごっこだ！」と言ったとする。よく聞いてみると、その人は「うさぎごっこ」でいたちごっこのことを意味しているらしい。(113) だが、デイヴィドソンの筋書きでは、その言葉遣いを訂正することはできないのである。その人の意味理論では「うさぎごっこ」は互いが同じようなことをやりあって埒(らち)があかないことを意味する。それだけのことでしかない。私はここにおいて異文化の言語を理解するようにして相手の言葉を理解する。それは正しいとかまちがいとかではなく、そういう言語なのである。

このような捉え方がもっともらしい場面も確かに存在する。例えば、「流れに棹さす」という表現を考えてみよう。かつてこの表現は「大勢に従ってそれを進めるように行動する」ことを意味していた。だが、いまではどのくらいかは分からないが確実にある割合の人たちが「大勢に逆行して行動する」ことを意味している。おそらくそれはもはや誤った使い方ではないと言うべきだろう。いわゆる「誤用の慣用」と呼ばれる現象である。そこで、相手が「流れに棹さす」という言い方をしたとき、大仰な言い方をすれば、私はその人が日本語A（順行派）と日本語B（逆行派）のどちらの言語を用いているのかを忖度しなければならない。そして、相手の言うことが理解できたならば、とくにそれを訂正することもしないのである。まちがっているのではない。それはそういう言語なのだ。そして、デイヴィドソンに従えば、まさにすべてがこのような場面となる。要は解釈できることである。それが正しいか誤っているかはどうでもよい。分かるか分からないか。そして分かるならば、それ以上相手に何を要求することがあるだろう。

ひとつ注意をしておこう。デイヴィドソンはここでアリスに対するハンプティ・ダンプティの言い方を擁護しているわけではない。つまり——

「わがはいが言葉を使うときにはだね」、ハンプティ・ダンプティは人を小馬鹿にした調子で答えました。「それはわがはいが言おうと思ったことを意味するのさ。それ以上でも以下でもない」[114]

マラプロップ夫人とハンプティ・ダンプティは区別されねばならない。違いは、ハンプティ・ダンプティが聞き手の理解を無視して、自分の心づもりひとつで言葉に意味を与えようとするところにある。他方、すでに述べたようにデイヴィドソンは理解されない言語の存在を否定する。解釈されえないならばそれはいささかも「言語」ではない。デイヴィドソンの考える「言語」は、聞き手が当座理論を共有することによって初めて成立しうるものにほかならない。それゆえ、まったく好き勝手なことを意味できるというわけではないし、ウィトゲンシュタインが批判したような私的言語に陥っているわけでもない。

言語は理解されなければならない。それゆえそれはハンプティ・ダンプティ的ではありえない。だが、逆に言えば、理解されればそれでいいのである。「私が言葉を使うときにはね」、マラプロップ夫人は言うだろう、「私が理解してもらえたことを意味しているの。それ以上でも以下でもないわ」。

ここにおいて解釈者に許された選択肢は、ある言葉遣いを「理解不能」とするか「それなりに正しい」ものとするかいずれかでしかない。ある発話者の言葉の使い方に対して、「理解できるがまちがっている」という評価を下すことは不可能なのである。さらに言えば、「誤り」ということがありえないのであるから、「それなりに正しい」ということも意味をもたない。デイヴィドソンの図式のもとでは、発話は、そしてまた発話に用いられた文は、理解できるかできないか、それだけであり、正しい使い方も誤った使い方もありはしないのである。

だがわれわれは、日常のコミュニケーションにおいて相手の言葉遣いを「理解できるがまちがっている」ものとみなすことがある。子どもが「カラスが二個木に止まってるよ」と言ったならば、「鳥は一羽二羽って数えるんだ」と訂正し、ある人は目の前のエスカレーターを指差して、「あのエレベーターで行こう」と言ったならば、「エスカレーターだろ」と直したくなる。あるいは、学生が「他山の石とする」をどうも「不要だから捨ててくる」という意味で使っているようだと分かったならば、「君、そりゃ違う」と言いたくなるのである。

だが、なぜだろう。なぜ、まちがいとされねばならないのだろうか。言葉は分かるか分からないかのいずれかであり、分かるならば「マラプロップ語」でもなんでもよいではないか。いや、やはりそうはならない。――だが、どうしてそうはならないのだろう。

デイヴィドソンはこの問いに対して何も答えてはいないが、彼の立場から為されうるひとつの解答はこうである。「いたちごっこ」を「うさぎごっこ」と言うような言語であっても、適当な手がかりさえあれば解釈不可能ではない。しかし、解釈に要する手間ということを考えるならば、そのような言語は解釈に手間がかかる。いわば、コミュニケーションのコストが高くつく。そこで、そういう言語を用いている人に対して、「それはそれでまちがいではないが、分かりにくいからもっと別の言語を使った方がよい」とアドバイスせずにはおれない。これが、「君、そりゃ違う」ということの内実にほかならない、と。

こうして、コミュニケーションにおける正誤評価は、すべてコスト削減の要求として捉えられることになる。だがコスト削減の要求は、言うまでもなく、正誤評価ではない。それゆえこの答えはなお言語実践の重要な側面を捉えそこねていると私には思われるのである。実際、私は「カラスが二個いる」の言わんとするところをただちに理解する。この文はきわめて低コストである。だが、やはり「カラスが二個いる」という文はまちがっている。そう言いたい。「分かればいいじゃないか」、解釈という観点に立つ人たちはそう主張する。だが、「そういうものじゃないだろう」、どうしてもそう言いたくなるのである。では、どういうものなのか。

私はここにおいて、コミュニケーションを、ウィトゲンシュタインがそうしたようにむしろゲームとのアナロジーのもとに捉えたくなる。コミュニケーションは、ある規範的力のもとに言葉をやりとりするゲームである。次章で論じるように、私はこの見解にも満足してはいない。私自身はむしろコミュニケーションを言語ゲーム間のものとして捉えたいと考えている。しかし、その論点に進む前段階としても、そしてまたなによりもコミュニケーションがもつ規範性を正当に捉えるためにも、デイヴィドソンの提唱する観点——解釈モデル——の限界を見定め、後期ウィトゲンシュタインの採っていた観点——ゲーム・モデル——へと移行しなければならない。

例えばチェスのようなゲームに対して、デイヴィドソン的な観点を採ることは明らかに不可能である。マラプロップ夫人とチェスをしてみよう。彼女は私には変則的と思われる手を指す。定石はずれというのではない。例えば、前にしか進めないはずのポーンをあるとき後ろに戻してニコニコしている。デイヴィドソンといえどもそれに対して寛容ではいられないだろう。——ふむ、彼女の規則は私のとは違うようだ。どうもしかじかの状況ではポーンを戻してよいという規則であるらしい。なるほど、分かったぞ——とはならないのである。それではゲームにならない。ひとつの盤で私が碁を打ち、相手が五目並べをするようなことは端的に不可能である。

では逆に、デイヴィドソンの構図ではどうして寛容が発揮できるのだろう。それは、デイヴィドソンがコミュニケーションをなによりも「発話を理解すること」と捉えていたからにほかならない。解釈者は自らプレイヤーであるわけではなく、あくまでも傍観者として、プレイヤーたちが行なっていることを探り当てようとしている理論家として、そこにいる。それゆえ、彼自身がゲームの規則を共有する必要はない。端から見ていて「そういう規則もあるだろうな」と言っていればよいのである。

ここには、振り捨てられるべき意味への幻想がなおへばりついているように思われる。デイヴィドソンはなるほど内包的意味を拒否し、外延的意味に訴えようとしていた。しかし、それでも、文は何かを意味するものであった。言葉は何のための道具かと言えば、意味を伝える道具なのである。それゆえ、意味さえ伝わるのであれば、日本語であろうと英語であろうと、あるいは「マラプロップ語」であろうと何でもかまわない。極端な場合には、私が私の言葉で話し、それを理解してもらい、相手が今度はまた別の言葉で話して私がそれを理解する、といったことでもよいだろう。

だが、伝えられるべき「意味」などありはしないのである。言語使用においては、あくまでもその音や文字模様といった物理的実体が道具として働く。それは文という形をとるが、「文の意味」という自律した体系など存在せず、たんにそれら音やインクの染みに対する標準的使用と変則的使用があるだけでしかない。「冷蔵庫に煮物があります」という文字模様が私にしかるべき信念を引き起こし、「シオガナイ」という音が、その標準的使用を背景として、彼女にしかるべき行為を促すのである。

言葉は何も表現していない。そう言ってもよい。

「窓を開けて」と言われ、窓を開けるという場面を考えてみよう。ひとつの理論的誘惑は、命令に従う前に私は命令を理解している。それゆえまず理解のレベルを解明しよう、というものである。だが、ウィトゲンシュタインならばそう言うだろうように、起こっていることはほとんどの場合、ただその声を聞いて窓を開けたというだけでしかない。例えば『哲学探究』第二節で提示されている言語ゲーム、すなわち、「ブロック」と言われてブロックをもっていく言語ゲームを習得することの内に、いささかも解釈は入りこまない。それはむしろ身体的訓練の過程なのである。

ここにおいて私は、言語を道具として捉えようとした前章までの考察を多少修正・補足しなければならない。言語は道具である。その点は確保しよう。しかし、もし言語がフライパンやトンカチのような道具であるならば、そこには成功／失敗はあっても正誤はない。なるほど、フライパンはふつう加熱調理に使われる。しかし、楽器や武器として用いて悪いことはない。そしてそれが「誤り」とされるいわれもない。あるいはフライパンで地面を掘ろうとしてもあまりうまくはいかないだろうし、大根をおろそうとしてもだめだろう。だが、それも別に「誤り」ではない。そこにあるのはただ、「成功／失敗」という実用的観点のみであり、「正誤」という規範的観点ではない。他方、コミュニケーションにおいてわれわれはそこで用いられた文について「正誤」評価を行なうのである。とすれば、言語はたんにフライパンのような実用的道具にとどまるものではないということになるだろう。

実際、道具とはけっして実用的道具ばかりではない。ゲーム・モデルのもとで言語を「言語ゲーム」として捉える場合には、むしろチェスの駒やボールといった道具の方が「道具」ということで直截にイメージされるものとなる。そして当然のことながら、同じゲームをプレイするには共通の遊具がしかるべきルールのもとにやりとりされねばならない。あるいは、貨幣もまた道具である。いくらマラプロップ夫人でも、自前の貨幣で買物をするわけにはいかない。デイヴィドソンに従えば、コミュニケーションにおいては無数の日本語風言語が飛びかうことになるが、買物において日本銀行券風の紙切れが飛びかうことはありえない。さらに言えば、物差しのような道具もある。それが役に立つためには、それは正しい物差しであらねばならない。われわれは、コミュニケーションにおいて文が道具として果たしうるきわめて多様な役割を理解しなければならないだろう。そしてその中には、共有されることによってのみその役割を果たしうるような道具としてのあり方も、確かに見られるのである。私には、言語もまたそのような性格をもつ道具――遊具や貨幣や物差しのような道具――の一種であるように思われる。

言葉遣いの正誤が最も主題的に扱われる場面は、言語習得の場面である。親は子どもの言葉遣いを評価しつつ、子どもに正しい言葉遣いを教える。そこで、親が天才的な根元的解釈者であったとしてみよう。どうなるだろうか。その天才的な根元的解釈者たる親は、子どもの勝手な発話を難なく解釈する。飛行機のことを「ブーブー」と言えば、それは乗り物を意味しているのだろうと理解し、猫を「ワンワン」と言えば、それは動物を意味しているのだろうと理解する。そしてすべてがことごとくその調子なのである。その親は子どもの発話を理解し、そして理解できるかぎりにおいてその正誤評価をいっさい行なわない。そのとき、その子どもが日本語を学べないのは言うまでもないが、そもそもなんらかの言語を学んだということになるのだろうか。

我が家で飼っている猫は、かなり多様な鳴き方をする。甘えたいときには「クルル」と鳴き、ご飯を要求するときには「ニャワン」と鳴き、不満があるときには「フミャアアン」と鳴く。私はそれを理解しているつもりであり、そしてそのかぎりにおいて「その鳴き方はまちがいだろう」とは言わない（言ったところで無駄なのだが）。天才的解釈者を親にもつ子どももまた、かなり多様な鳴き方をする。それはおそらく、我が家の猫よりもはるかに多彩であるだろう。しかし、私にはどうも大差ないように思われる。その意思表示の仕方を「言語」と呼ぶかどうかは「言語」の概念によることである。しかし、少なくともそれはわれわれの言語のあり方ではない。つまり、そこには規範性が欠けているのである。

　この点において、ゲーム・モデルの方に明らかに利点がある。親は子どもの言語行動を訓練し、そして言語行為を評価する。子どもはそれをとおして、言語行為に関連してやってよいこと、やってはいけないこと、やらねばならないことを学び、親が開いている言語ゲームに参加していくのである。文は親が容認する仕方で形成されていなければならない。そこにおいて語もまた親が容認する仕方で用いられていなければならない。あるいは、報告は真であらねばならず、約束は実行されねばならず、意図の表明は実現への努力と結びついていなければならない。あるいはまた、発言は全体として整合的であらねばならない。子どもは実際にゲームを見よう見まねでこなしながら、そうした規範的力への感受性を育てていくのである。

　言語学習において子どもは、たんに言葉を使用するものとしてではなく、言語使用を評価する者としても成長していくことになる。意思表示の仕方を学ぶだけではなく、その評価のシステムをも学ぶのである。ここに、猫と人間の最大の違いが現われる。学習した猫はそれなりに多彩な意思表示の仕方を覚えるだろうが、自らそれを評価する観点をもつことはない。それは、投げられたボールをもってくることを学んだ犬が、まだ学んでいない他の犬をたしなめるようなことがないのと同様である。他方、人間の子どもはゲームに参加することにおいて評価の体系をも学びとり、自ら規制し、ある場合には他の子どもを訂正し、いつか「お父さん、そりゃ違う」と生意気なことを言うようにもなるだろう。

こうした評価の場面においてこそ、言語共同体、規約、慣習といった側面が姿を現わすのである。言語使用そのものはウィトゲンシュタインが指摘したように「盲目的」なものにほかならない。そしてまたデイヴィドソンが主張するように場当たり的でもあるに違いない。だが、評価は場当たり的ではありえない。それは一定の秩序と、その秩序に対する一定の観点のもとにのみ、規範的力を行使することができる。

他者と同じ言語ゲームに参加すること。他者をこちらのゲームに引き込むこと。あるいは他者のゲームに引き込まれること。こうした場面において、個人対個人の解釈関係ではすまないような力関係——権力といってもよい——が生じる。コミュニケーションにおいて共同体や規範といった観念をお払い箱にしてしまうデイヴィドソンの議論は、なるほど潔いものでもあるだろう。だがそれはまったく実情ではない。われわれはデイヴィドソンが論じるよりもはるかに深く、言語が張る規範の網に浸蝕されているのである。コミュニケーションにおいてその正誤を評価するということは、親が子に対して典型的にそうであるように、「われわれと同じ言語を用いよ」という言語統制の圧力をかけることにほかならない。そしてそれはまた、「凡人たれ」という人格への統制にもつながる。解釈モデルは、けっきょくのところ個人と共同体のこの緊張関係をただ無視するだけでしかない。だが、こうした圧力を逆手にとるためにも、われわれはそこから目をそらしてはならないのである。

35 言語ゲーム間コミュニケーション

ゲーム・モデルの観点からコミュニケーションを捉えるということは、必ずしも日常のコミュニケーションを安定した言語ゲームの遂行として捉えることを意味してはいない。実際、デイヴィドソンが明らかにしようとしたように、みんなが共通に話している一枚岩の公共言語たる日本語など、幻想にすぎないだろう。とくに、ある概念の把握がそのプロトタイプの把握を本質的に含むのであれば、何がふつうで何が変なのかという評価が人によって微妙に異なっている以上、概念把握も個人によってズレを見せていると言わざるをえない。

さらに、言語ゲームはその内側から異なるゲームへの分岐の芽をたえず用意しているのである。そのことを明瞭に示していたのが、規則のパラドクスであった。「2を足せ」という命令に対して、クワス的に応じていく者の可能性はつねに開かれている。クワスほど極端でなくとも、適用ごとのわずかずつのズレが、やがてはっきりとしたズレとなって姿を現わすこともあるだろう。そしてたとえ小さなズレであっても、それは規則のズレである以上、言語ゲームそのもののズレにほかならない。たとえ相手がよく知っている人であったとしても、私がその人と同じ言語ゲームを共有しているという保証はない。

それゆえ、日常のコミュニケーションはしばしばアスペクト理解を求めて為されることになる。コミュニケーションが流通不全を起こし、よどんだ場面において、私は相手の発話のアスペクトを捉えようと努力する。私の用語を用いるならば、コミュニケーションが一枚岩のゲームとして成立している場面はコミュニケーションにおける「単相状態」であり、他方、私が他者のゲームに出会う場面は「複相状態」であると言えるだろう。[115] そうして、私の言語ゲームと他者の言語ゲームとの間にコミュニケーションが開かれる。すなわち、日常のコミュニケーションはしばしば「言語ゲーム間コミュニケーション」となるのである。

デイヴィドソンならば、これを根元的解釈の状況として描写するだろう。実際、一見するとミセス・マラプロップとミスター・クワスは同類の者たちであるようにも思われる。(私は、デイヴィドソンの「墓碑銘」論文に対して「何をいまさら」という反応をした若いウィトゲンシュタイニアンを知っている。) 確かに、相手の発話がいかなる言語ゲームの手として為されたものなのかを忖度しなければならない場面は、デイヴィドソンが根元的解釈の状況として示したものと同じだろう。だが、規則のパラドクスを巡るウィトゲンシュタインの議論と根元的解釈を巡るデイヴィドソンの議論は、ある決定的な点において正反対を向いているのである。

他者の規則を把握することは、それを解釈することではない。規則のパラドクスが示していたのはまさにそのことであった。もちろん、デイヴィドソンが言う「解釈」とウィトゲンシュタインが言う「解釈」は同じものではないだろう。しかし、デイヴィドソンの「解釈」にはウィトゲンシュタインが「解釈」に対して批判するさいの本質的な部分が含まれている。

命令され、それに応じた行為をするとき、デイヴィドソンならばまずその命令を解釈しようとする。解釈はここで命令と応答を媒介するものとなる。しかし、そのような媒介項こそ、ウィトゲンシュタインが批判したものにほかならない。命令がもつ規範的力は、観察者の立場から理論的に把握されうるものではない。理論的にそれを把握しようとしたとたん、理論家は無数に開けるクワス的可能性の内に、ビュリダンのロバよろしく身動きとれなくなるだろう。規範性はただそのゲームに参加する実践者の観点に立つことによってのみ、示されうる。言語ゲームの外からデータを集め、理論化するという作業によって明らかになるのは、相手の行動の規則性でしかない。そして規則性と規則に従うこととは異なっている。規則は、その規則に関与している者にのみ、示されうるのである。

規則のパラドクスが示していたことは、デイヴィドソンも認めるであろうようなたんなる解釈の不確定性にとどまるものではない。解釈に訴えるのでは、捉えたと思った規則がなお次の一歩を定める力をまったくもたないという、解釈のもとでの規範の無化をそれは示している。それゆえ、「解釈によらない規則把握」がどこかに定位されねばならない。

未知の文化との接触において私は未知の言語ゲームを予感し、また、日常的な隣人たる他者との出会いにおいて言語ゲームのズレを予感する。その予感のもとに、私はそのゲームに参加しようとするだろう。

しかも、われわれが日常的に為している言語ゲーム間コミュニケーションは、大人が子どもに言葉を教えるときのような、言語ゲーム内部の者が未熟な者を導き入れる場面でもない。もしそうした教育の場面であるならば、関係は一方的であり、子どもは大人の示す規則に同調することを要求されることになる。もちろん、そうした場面も重要な言語ゲーム間コミュニケーションであろう。しかし、ふつうに為される言語ゲーム間コミュニケーションは、けっしてそのような一方的な関係ではない。それは、たんに自分の土俵に引きずり込むことでも、相手の土俵に乗り込んでいくことでもなく、かといって、データを集めて理論化し、解釈を行なうことによって傍観者の立場を決め込むことでもない。そこでは、私が相手のゲームに参加しようとすると同時に、相手もまた自分と異なる私のゲームに参加しようとするだろう。この相互の歩み寄りは、ゲームそのものを変えずにはおれない。私とあなたは、そこにおいて同じゲームをもう一度プレイできるように、むしろ新たなゲームを共同制作するのである。

私はここで根元的規約主義の立場を再確認したい。規則は本質的にたえざるズレを許容する。そこで、ズレがあらわになるたびごとに取り決めていく。その不断の取り決めと合意形成の可能性がなければ、いっさいの規範的な力も失効する。このズレと収束の運動こそが、言語ゲーム間コミュニケーションのあり方にほかならない。

それゆえ、われわれにとって言語ゲーム間コミュニケーションは不可欠なのである。解釈モデルでも、また、固定した規則のもとでの言語ゲームという捉え方でも、いずれにせよ規範性は無化される。われわれが生きているこの規範的力のあり方を示しうるのは、ただ言語ゲーム間コミュニケーションにおいてのみでしかない。

さらに、個人と共同体の緊張が示されうるのも、言語ゲーム間コミュニケーションにおけるズレと収束の運動においてであるだろう。共同体から切断された個人言語という想定も、そしてまた個人がそこからけっして逃れることのできない共同体の言語という想定も、ともに幻想である。他者は私から逃れ、私もまた他者の他者としてそこから逃れる。逃れつつ出会い、再び合流する。この運動こそが、共同体によって形作られる個人と、個人によって形作られる共同体の姿なのではないだろうか。

36　その後の航海

第35章までが、『哲学・航海日誌』を最初に刊行した一九九九年までの私の哲学的航海の記録である。最後に、それから私がどのように進んでいったのかを記しておきたい。

36-1　思考と言語

第32章において、私は言語を言語行為の道具として捉えた。しかしそう述べたすぐ後にこう書きもした。「言い切ってはみたが、やはりどうもためらいは禁じえない。（なぜためらうのかは自分でもよく分からない。）」（三四六ページ）言語を道具として見ることが言語の力を十全に捉えていないという、このためらいの理由が、いまではもう少しうまく言えるのではないかと思う。言語は思考を可能にする。言語は、言語以前に胸の内にある思考を伝える道具ではないし、思考のための道具でもない。そもそも言語が思考を可能にしているのである。私はこのテーゼを『論理哲学論考』から受け取った。(116)関連する箇所を『論理哲学論考』から抜き出してみよう。

二・一二　像は現実に対する模型（Modell）である。
二・一三一　像の要素は像において対象の代わりとなる。
二・一四　像は、その要素が特定の仕方で互いに関係するところに成り立つ。
四　思考とは有意味な命題である。
四・〇一　命題は現実の像である。
　命題は現実に対する模型であり、そのようにしてわれわれは現実を想像する。

手短に説明しよう。（詳しい説明は『論理哲学論考を読む』（野矢茂樹（2002／2006））第二章を参照していただきたい。）世界のあり方について何ごとかを述べたものは、世界のあり方を写しとっているという意味で「像」と呼ばれる。「言語」ということでふつうに考えられる文字言語、音声言語、手話で表現された像は「命題」と呼ばれる。例えば「東京タワーは赤い」や「金閣は金色だ」は事実を述べた真な命題である。ここで、「東京タワー」という語は東京都港区にあるあのテレビ塔を指し、「金閣」という語は京都市にあるあの寺の舎利殿を指している。そして「赤い」「金色だ」はその色を表わしている。そこで、これらの要素を組み替えることで、「東京タワーは金色だ」という命題を作ることができる。このように要素となる文字列（音列、身振り）を組み立てたものが「模型」と言われる。こうして模型を組み立てることで、東京タワーが金色だという非現実の想像が可能になるというわけである。

「東京タワー」という文字列はあのテレビ塔の代理物であり、「金色だ」という文字列は金色という性質の代理物である。もしこうした代理物がなかったらどうか。実物を使うしかないだろう。だが、それはもはや金色の東京タワーの想像ではない。そこに現われるのは、現実に金色に塗られた東京タワーである。代理物を用い、「模型」を作ることによってはじめて、世界のあり方を写しとった像が可能になる。思考は像においてはじめて成立しうるのである。

像は命題よりも広い概念であり、例えば地図なども像であるが、命題とそれ以外の像との間に像としての本質的な違いがあるわけではない。それゆえ、多少広い意味で像一般を「言語」と呼ぶことが許されるだろう。かくして、「言語が思考を可能にする」と結論できる。[117] 言語のこの働きは、コミュニケーションのための道具という役どころをはるかに超えている。

36－2　語りえぬもの

言語が思考を可能にするのであれば、有意味な言語の全体が思考可能性の全体を形成することになる。『論理哲学論考』はそうして思考可能性の全体を「論理空間」として捉えた。いまは論理空間の詳細に踏み込む必要はない。問題にしたいことはシンプルである。思考可能性の全体を論理空間として捉えるのであれば、論理空間の変化や論理空間の外部は定義上思考不可能になる。それゆえ論理空間を共有しない他者は私にとって思考不可能でしかない。論理空間は思考可能な世界の全体であるから、これはすなわち他者は世界に存在しないことを意味する。『論理哲学論考』はこうして独我論を受け入れたのである。

だが、私はこれに対してなんとか抵抗したいと考えた。論理空間を共有しない他者など、ごくふつうにいる。というか、論理空間を全面的に私と共有している人物など、皆無だと言うべきだろう。これも単純な話である。例えば私は大学の近所にある天富という天ぷら屋を知っている。そして「今日の昼は天富に行くか」などと考えたりもする。私にとって天富は論理空間を構成する要素の一つである。だが、多くの人は天富を知らないだろう。逆に、他の人が知っているが私が知らないものもたくさんあるに違いない。だとすればその分、その人の論理空間は私の論理空間とは異なっているはずだ。

しかし、「他の人が知っているが私が知らないもの」が何であるのかについて、私は考えることができない。だから、『論理哲学論考』の言うとおり、私は他者の論理空間を思考することはできない。だが、私の論理空間と異なる他者の論理空間があることは明らかではないだろうか。あるいは、私自身のいまの論理空間が将来変化するであろうことは明らかではないだろうか。新しい概念を学べば論理空間は変化する。初対面の人と知り合いになるだけでも、論理空間は変化する。いままでその人について考えることができなかったが、いまはその人について考えることができる。思考可能性が拡大したのである。しかし、思考可能性の拡大は思考不可能でしかない。

『論理哲学論考』はその最後を「語りえぬものについては、沈黙せねばならない」と結んだ。語りえぬものは、語りえない。だが、沈黙を守ればよいというものでもない。

実際、私の論理空間はこれまで変化し続けてきた。それは他者と出会うことによってでもあっただろう。例えば私にとって『論理哲学論考』を読むという体験はウィトゲンシュタインという他者と出会う体験でもあった。そしてその体験を通して私の論理空間は確かに変化したのである。あるいは、天富という天ぷら屋の存在を知ったことも、私の論理空間を変化させた。世界には私の知らないことがまだいくらもある。こうして世界が私にとって未知のものごとを見せるたびに、私の論理空間は変化する。認識を超えた世界のあり方を信じる態度を「実在論的」と呼ぶならば（その意味では『論考』は「観念論的」であった）、ここで私の論理空間を変化させる力をこそ、私は「実在性（リアリティ）」と呼びたい。

他者と実在とは、私の論理空間を変化させる力として、存在する。

36-3　行為空間の他者

規則のパラドクスを論じたときに、クリプキの考案した「クワス」という演算を取り上げた。では、「クワス」は私の論理空間に含まれているのだろうか。私はクワスを「考える」ことができるのだろうか。

できると思われる。実際、クリプキはそれを考案したわけであるし、クリプキの議論を読んだわれわれもそれを理解した。では、クリプキの議論を読み、はじめて「クワス」を理解したとき、私の論理空間は拡大したのだろうか？

クワスとは、「$x+y$ の x と y がともに57より小さいときには足し算と同じ結果を出し、いずれか一方でも57以上であるときには答えは5となる」という演算である。この定義は、すべて私がクワスを知る以前からもっていた概念を用いて書かれている。とすれば、クワスは私がすでにもっている手持ちの概念だけで理解可能であり、それゆえ、論理空間を拡大するような新しさをもっていないと言うべきだろう。

実は、クワスが論理空間に含まれているということに気づいたとき、それは私にとって驚きだった。だが、考えてみれば、論理空間における思考可能性はまさに論理的な思考可能性であるから、論理的に可能であると思われるクワスが論理空間に含まれるのは不思議なことではない。とすれば、クワスを平然と受け入れてしまうような論理空間という道具立ては、われわれの生のあり方を捉えるものとしては、なお不十分と言わざるをえないだろう。

そこで私は、論理空間の部分空間として「行為空間」という道具立てを導入した。例えば、隕石が落下して勤務先が破壊されるということは、論理的には可能だが、私はそんな可能性を見越して行動したりはしない。それは私が行為するときに意識にさえのぼらない「死んだ可能性」でしかない。それに対して、車で目的地に向かうときに渋滞でふだんより時間がかかってしまうかもしれないというのは、私の行為に反映されうる「生きた可能性」である。論理空間から死んだ可能性を取り除き、生きた可能性で作られる部分を、私は『語りえぬものを語る』（野矢茂樹（2011／2020））において行為空間と呼んだ。

生きた可能性と死んだ可能性は明確な境界で区別されるわけではない。少なくとも私は、搭乗した飛行機が墜落する可能性を見込んで行動することはないので、それは死んだ可能性と言えるが、隕石が落ちるよりは可能性が高いと考えている。そのように、論理空間の中で生きた可能性を取り出すとき、それはその可能性の「活力」が減少するにつれて徐々に死んだ可能性となる。つまり、行為空間は論理空間の中で裾野を引いているのである。

しかし、いくら裾野を引いているといっても、名古屋を富士山だと言う人はいないように、クワス算こそが為されるべきだとする可能性が行為空間に属していると言う人もいないだろう。クワス算の可能性は、われわれの生活の中で完全に死んだ可能性でしかない。

もしクワス算で生活している人たちがいたとすると、その共同体はわれわれには完璧に他者であるだろう。しかしそれは論理空間の外部にいる他者ではない。「クワス」という概念がわれわれの論理空間に含まれる以上、彼らもまた論理空間の内部にはいる。それゆえ、われわれは彼らを頭では――クワス算の定義を見て理解する程度には――理解する。しかし、われわれは計算が関わる生活の局面において、彼らとともに生きることはできない。

行為の可能性――論理的な可能性ではなく実践的な可能性――が、生活の中でごくふつうに考えられる生きた可能性からクワスのような完全に死んだ可能性まで裾野を引いているということは、他者性にも程度差があることを意味している。私がほとんど考慮しない可能性（例えば飛行機が墜落する可能性）を、真剣に考慮する人もいる。また、その逆のケースもあり、そこに見てとっている可能性の大きさの違いも、わずかな違いである場合もあれば大きな違いである場合もある。そこには人それぞれの知識、能力、性格、価値観等が関わってくるだろう。他者性を巡る哲学的考察は、論理空間という大振りな道具立てを用いるよりも、もっとずっときめ細かなまなざしを必要としている。

36-4 眺望論

他我問題は、他人の意識のありようを巡って論じられてきた。それは、ひとことで言えば、他人に関して私が知りうるのは外面的なことだけであるから、他人の内面についてはまったく知りえない——さらに言えば、「他人の意識」ということに意味を与えることもできない——とする懐疑である。そこで、従来の他我問題は他人の知覚と感覚を中心に論じられていた。それに対して私は、そのようにして立てられた他我問題を克服し、他者の問題を新たな場面で立て直すことを試みてきたのである。

他我問題を克服する仕掛けの核心は、本書においてすでに論じられている。知覚も感覚も、心の中の——すなわち意識における——何ごとかではなく、世界の眺望としてある。この眺望点に立

てば誰でも
この眺望に出会える。それゆえ、他人が経験している知覚的ないし感覚的眺望を想像することに論理的な困難はない。この、世界の眺望構造のあり方を明らかにする議論が、「眺望論」である。本書以降、眺望論がどのように仕上げられていったのか、そのポイントを述べよう。

世界のあり方を把握する仕方として、「有視点把握」と「無視点把握」が区別できる。例えば、ある風景を撮影した写真からは、それを撮影したカメラの位置を特定することができる。そのように、世界把握の内に主体のあり方が示されている把握の仕方を有視点把握と呼ぶ。視覚風景はそれを見ている主体の位置がそこに示されているため、有視点把握である。それに対して、例えば地図にはどこから見られたのかという情報は含まれていない。そのような、主体のあり方が示されていない世界把握の仕方は、無視点把握である。

第8章で論じたように、一つの眺望点からの知覚的眺望は複眼的構造をもっている。いま見えている建物に近づけばどのような眺望が得られるか、右手に回り込めば眺望はどう変化するか、漠然としか分からない場合も多いだろうが、しかし、一つの眺望点からの知覚的眺望の成立には、他の眺望点からの可能的な眺望の了解が要求されるのである。眺望点と眺望の関係の了解は、ちょうどストリートビューを埋め込んだグーグルマップのようなものと言えるだろう。地図のある地点と方向を定めれば、そこからの景色が現われる。私はそれを「眺望地図」と呼ぶ。眺望地図は、無視点的な地図に有視点的な眺望を埋め込んだものである。一つの眺望点からの知覚的眺望は眺望地図の了解を必要とする。ということは、有視点把握は無視点把握を必要とするということである。逆に、有視点的な経験なくして無視点的な地図を描くこともできない。したがって、有視点把握と無視点把握はどちらがより基本的ということなく、その両方が同時に成り立つことによってわれわれの世界把握は成立していると言うべきなのである。

われわれの世界把握は、眺望地図の把握に基づいている。このことは、二つの重要な帰結をもたらす。一つは、すでに述べた他我問題の解決である。眺望地図における眺望点sと眺望Pの関係は、「眺望点sからは誰であれ眺望Pが得られる」というものであるから、眺望点sに立つ他人の眺望を想像することには、他我の懐疑が言うような論理的な困難は存していない。

第二の帰結は、眺望の実在論である。眺望は眺望点の関数である。それゆえ、誰が経験していなくとも、眺望点が存在するかぎり、眺望も存在する。眺望は、それを経験する人の心の中ではなく、世界そのものとしてそこにある。

眺望の実在論は、知覚されている眺望がそのまま実在であることを認めるものであるから、「素朴実在論」と称されてよい。だが、素朴実在論には錯覚論法という伝統的な反論がある。また、脳科学の成果に依拠して、知覚は脳が生み出しているとする考えも強力である。だが、ここでそうした議論に向かっていくことは控えよう。（眺望論の詳細、およびそれに対する反論と私がどう戦ったのかは、『心という難問』（野矢茂樹（2016））を参照していただきたい。）

36－5　心の在りか

眺望論は、知覚的眺望と感覚的眺望を世界のあり方として捉える議論だった。それゆえ、それは「心」と呼びうるものの正体に迫ってはいない。むしろ「心」とは何かという哲学問題の発生する現場を、知覚および感覚から他の局面へと移行させようとする議論にほかならない。では、どこに移行させるべきなのか。心は、どこにあるのか。第18章でもその問題を提起し、アスペクト概念と心とを結びつける議論を行なっている。『心という難問』において私は、それを「相貌論」として発展させた。

私たちは意味に満ちた世界に住んでいる。私の目の前のこれは「机」という意味をもち、窓の外に目をやれば「わた雲」という意味をもったものが「空」という意味をもった空間に浮かんでいる。

こうした、意味をもった事象の現われが「相貌」である。机を「机」という意味で見ることは少なくとも現代のわれわれには共有されている相貌であろうから、そのような場合には、相貌は公共的世界に属し、「心」と呼ぶべきものではない。だが、相貌はときに発散する。私が手首にしているそれは「腕時計」という相貌をもち、その相貌はわれわれに共有されるものだが、しかし、それが「父親の形見」であるという相貌は私だけが見るものである。私の身近な人はそれが私の父の形見であることを知っているとしても、しかし、私の父親に対するさまざまな思いや記憶まで共有しているわけではないから、その人たちも私と同じ相貌でその時計を見ることはないだろう。ここに、「心」と呼びうるものがある。

ある対象がどのような相貌のもとに現われるかは、さまざまな要因に左右される。どういう概念をもっているか、知識の有無、関心、技術や能力、価値観、目的や意図、等々。私はそれらをすべて「物語」という言葉で捉えようと試みた。それがいささか強引な試みであることは自覚しているが、「物語」として捉えることで私は、心と相貌の関係を明確にしようとしたのである。

ポイントは、物語は共有されうるものであり、かつ、発散しうるものであるという点にある。人生という単位で考えれば、私の人生という物語を生きるのはただ私だけでしかない。だが、より短期的なエピソードで、かつ、粗筋のレベルであれば、一つの物語に複数の登場人物がいるように、同じ物語を共有するということも言えるだろう。例えば、二人で駅に向かうとする。駅に向かう目的は別々かもしれないし、駅まで歩きながら感じることも違っているだろう。しかし、それでも

「駅まで同じ道を二人で歩いていく」というエピソードは共有している。とりわけ複数のメンバーで共同作業をするような場合には、物語の共有が見られる。人は、他者と同じ物語に合流し、別れていくことを繰り返す。

私の生きる物語と他者の生きる物語は、ときに共有され、ときに別々になり、長期的には一致することはなく、また粗筋では一致していても細部では異なっている。物語は相貌を定める要因であるから、物語の一致と発散は相貌の一致と発散となり、そして相貌とは世界そのものがもっているものであるから、この一致と発散は世界そのものの一致と発散となる。私の生きている世界は、部分的に他者と一致し、部分的に他者とは異なっている。こうして発散した世界こそが、「心」と呼ばれるものにほかならない。他者の心を理解するとは、他者の生きている物語を理解することなのである。

航海はまだ続いている。

本書で口火を切った行為論は、その後それ以上ほとんど展開されていない。私としては行為論の議論と自由の問題とを合わせて論じたいと考えている。自由の問題は、時間の問題と自己の問題に結びついている。いずれも息苦しくなるほどに先が見えない難問である。さらに哲学の深奥に進んでいかねばならない。

注

I　他我問題

（1）Wittgenstein（2009）§ 302. 以下、邦訳がある場合にはそのページ数も記すが、本書における引用は断りのないかぎりすべて拙訳。

（2）「他我」という語は“other mind”の訳である。「自我」に対して、「他人の心」あるいは「心をもった他人」を「他我」と称する。

（3）他我問題は他人の心一般を問題にするものであり、それゆえ、問題領域は感覚や知覚だけでなく、感情、意図、思考などにまで広がらねばならない。だが、私がここで取り上げる大森荘蔵やウィトゲンシュタインは、感覚や知覚、とりわけ痛みを集中的に考察の対象とした。問題は、私以外にも意識をもっている主体がいるという、この一点にかかっている。私だけではなく、他人もまた意識をもっている、このことをどう理解すればよいのか、この問いを、そしてこの問いだけを問うため、最もシンプルな意識状態と考えられる「痛み」に焦点を当てるのである。

（4）大森荘蔵（1976）二〇六ページ（『大森荘蔵著作集』第四巻、二二四―二二五ページ。以下、「著作集4」のように略記しページ数を示す）

（5）大森荘蔵（1992）一六三ページ（著作集8、一一八ページ）

（6）Wittgenstein（2009）§ 307

（7）大森荘蔵（1996）所収（著作集9）

（8）大森荘蔵（1996）一一五―一一六ページ（著作集9、七六ページ）

（9）大森荘蔵（1996）一一七ページ（著作集9、七九ページ）

（10）大森荘蔵（1996）一一六ページ（著作集9、七六ページ）

（11）例えば、指先にトゲが刺さり（状況）、痛みを感じ、顔をしかめる（ふるまい）としよう。まずそれらは経験的に連関するものとして捉えられる。トゲが刺さるという経験に痛みという経験が伴い、また、顔をしかめるという経験が伴うのである。その経験的連関を意味連関として読み換えると大森は言う。そのとき、それらの連関性は定義上のものとなる。つまり、過度に単純化して言えば、痛みを感じるということは、私の指先にトゲが刺さったときに生じ、そして私が顔をしかめる反応をするような、そういう感覚として定義されるのである。より正確に言えば、痛みを生じさせる状況はトゲが刺さったときだけでなく、柱に足をぶつけたとき、あるいは胃潰瘍や胆石、実にさまざまな状況があり、またそれぞれ異なった反応がある。それゆえ、「痛み」とはそうした連関性全体のタイプとして定義されることになる。それが経験的連関ではなく意味的連関であるとは、そうした連関性のタイプと異なる連関性をもったものはもはや「痛み」とはみなさないと取り決めるということである

（12）大森荘蔵（1996）一五八ページ（著作集9、一〇二ページ）

（13）大森荘蔵（1996）一六五ページ（著作集9、一〇七ページ）

（14）Husserl（1950）その第5省察

（15）Husserl（1950）p. 149. 船橋訳、三一〇ページ／浜渦訳、二一四―二一五ページ。なるべく難解にならないように私自身が訳してみた。

（16）廣松渉（1994）一四二ページ

（17）Husserl（1950）p. 148. 船橋訳、三〇九ページ／浜渦訳、二一三ページ。訳は船橋訳に従う。

（18）大森荘蔵（1996）一六二ページ（著作集9、一〇五ページ）

（19）Husserl（1950）p. 152. 船橋訳、三一五ページ／浜渦訳、二二一―二二二ページ。訳は船橋訳に従う。

（20）もう一点、大森の意味制作論に潜む問題点を指摘しておきたい。他人の痛みが他人の置かれた状況や他人のふるまいと合わせて全体論的に意味づけられるとき、当然、他人の置かれた状況や他人のふるまいもまた全体論的に意味づけられることになるだろう。他方、私の場合は経験的ネットワークであるから、私の痛みはなんらかの感覚として全体論的ではなく（すなわち、原子論的に）定義され、同様に私の置かれた状況や私のふるまいもまた、原子論的に定義される。そうだとすると、状況記述やふるまい記述もまた、痛みの記述と同様に自他の非対称性をもつことになる。だが、状況記述やふるまい記述が、自分の置かれた状況と他人の置かれた状況、また自分のふるまいと他人のふるまいで、一方は原子論的に意味づけられ、他方は全体論的に意味づけられるというのは、少なくとも私には、とても維持可能な考え方であるとは思われない。

（21）他我問題が大森荘蔵にとって最初から最後ま

で問題であり続けたことに関しては、もっと大森に即した叙述をすべきだろう。そのひとつの試みとして、野矢茂樹（2007）を参照していただきたい。

(22) 私的言語に対するこうした批判はウィトゲンシュタインに由来するものである。ただし、ウィトゲンシュタインの議論の忠実な紹介ではない。

(23) Wittgenstein（2009）§300

(24) 野家啓一（1984）一九一—一九二ページ

(25) 野家啓一（1984）一九四ページ

(26) これは、大森他我論批判として書かれた野家論文に対する大森からの再批判のポイントでもあった。大森荘蔵（1984a）二〇一—二〇三ページ

(27) 野家啓一（1984）一九三—一九四ページ

(28) 大森荘蔵（1996）一四八ページ（著作集9、九六ページ）

(29) 「他人の身体状態が想像できたなら、それと身体状態と感覚の関係の了解とから、他人の感覚も想像できる」というのは類推説（二六ページ参照）とどこが違うのか、と問われるかもしれない。この点について補足しておこう。類推説は身体状態と感覚の関係を経験的な連関として捉える。それはすなわち、「痛み」の意味をなんらかの感覚として捉えているということでもある。他方私は、「痛み」を感覚だけと向き合うことによって意味づけることを拒否する。あるいは行動ないし行動傾向に還元してしまう行動主義（二七ページ参照）も拒否する。そうではなく、あくまでも身体状態と関係づけられたものとしての感覚を捉えたいのである。痛みという生々しい感覚と切り離されてしまったならば、「痛み」という概念はその実質を失うだろうが、同時に、身体とのリンクを失ったとしても、「痛み」という概念は成立しないのである。感覚と身体との間に成り立つこの概念的なリンクは、正確に述べれば次のようなものになるだろう。「もし私と他人で感覚的眺望が異なるならば、それを説明する身体状態の異なりが必ず存在する。」

(30) 少し議論を補足したい。眺望点と眺望の相関の秩序を「眺望構造」と呼ぶことにする。窓際に立つとしかるべき外の景色が見える。高い所に上がると遠くまでが見晴らせる。こうした秩序をわれわれの世界と経験はもっている。これが、われわれの眺望構造である。ここで例えば奇妙な想像だが、何気ない住宅街の家の窓の外を見ると、なぜか広がる月面が見えたとする。もしそんなことがあったとしたら、それはわれわれの眺望構造とは異なる眺望構造と言わねばならな

い。ここで、同じ眺望構造のもとで異なる眺望点からの眺望を想像すること（あそこに登れば海が見えるだろう）と、そもそも異なる眺望構造を想像すること（我が家の窓から月面が見える）を区別しなければならない。そしてこの区別を用いて言うならば、他人が腹痛に苦しんでいるのを想像することは、前者、すなわちあくまでもわれわれの眺望構造のもとで異なる眺望点からの眺望を想像することであるが、他人の腹になぜか私が腹痛を感じる想像は、後者、すなわちわれわれの眺望構造とは異なる不思議な眺望構造を想像することにほかならない。

(31)　「寒い」などはこの点で興味深い。玄関を出て「寒い」と口にするとき、それは状況のあり方を記述したものでもあり、同時に自分の感覚を記述したものでもある。関心が対象把握に向かう場合には、それは知覚であり、寒い状況であることを報告している。他方、関心が自分の身体状態に向かうときには、それは感覚であり、その寒さの原因がむしろ自分の身体の状態にあることを示唆している。「寒気がする」などは明らかに身体状態に原因があることを示唆しており、状況描写ではない。それゆえそれは感覚であり、知覚ではない。だが、ふつうに「寒い」と言うとき、そこでは感覚的側面と知覚的側面が混ざっていると言うべきだろう。

(32)　これは大森の論点でもあった（大森荘蔵（1982）、第二章）。

II　規範の他者

(33)　Wittgenstein（2009）§ 185

(34)　Wittgenstein（2009）§ 201

(35)　Kripke（1982）

(36)　Kripke（1982）p. 21. 邦訳、四〇ページ

(37)　Kripke（1982）p. 10. 邦訳、一八ページ

(38)　Kripke（1982）p. 21. 邦訳、三九ページ

(39)　われわれの言語が従う論理は、われわれが論理に従った言語を用いて何ごとかを語るとき、そこにおいて「示される」のであり、論理そのものを「語る」ことはできない。これは『論理哲学論考』（Wittgenstein（1921））における基本的主張のひとつであった。

(40)　Caroll（1895）

(41)　大森荘蔵（1984b）三四四―三四六ページ

(42)　Dummett（1959）p. 177. 邦訳、一四七―一四八ページ

(43) Wittgenstein (1978) Part I, p. 113. 邦訳、八〇ページ

(44) Wittgenstein (1978) Part IV, § 3. 邦訳、二二六ページ

(45) Wittgenstein (1978) Part V, § 16. 邦訳、二八三ページ

(46) Wittgenstein (1978) Part III, § 15. 邦訳、一一一ページ

(47) Wittgenstein (1958) p. 143. 邦訳、二二九—二三〇ページ

(48) Wittgenstein (1978) Part IV, § 23. 邦訳、二四〇ページ

(49) Wittgenstein (1978) Part I, § 24.（この箇所は邦訳に含まれてはいない）

(50) Wittgenstein (2009) § 219

(51) 『哲学探究』第二節においてウィトゲンシュタインは次のような「原初的な言語」を考えている。それはAとBの二人のコミュニケーションに用いられる。Aは石大工であり、Bはその助手である。Aが「ブロック」「円柱」「プレート」「角柱」のいずれかの語を発すると、Bはそれに対応する石材をAのところにもっていく。ただそれだけであり、それですべてであるような、きわめて単純な「言語」である。

(52) Wittgenstein (1980b) § 203

(53) Wittgenstein (2009) Part II, § 113

(54) Hanson (1958) p. 10. 邦訳、一五ページ

(55) Hanson (1958) p. 197. 邦訳、三九ページ

(56) Wittgenstein (2009) Part II, § 137

(57) あとで述べるように、正確に言えばウィトゲンシュタインが明言しているのは「意味盲はたいしたものを失わない」という主張である。しかし、「意味盲」はアスペクト盲とパラレルな概念であるから、ここから「アスペクト盲もまたたいしたものを失わない」という主張を引き出すことは自然だろう。

(58) Wittgenstein (2009) Part II, § 120

(59) Wittgenstein (2009) Part II, § 247

(60) Wittgenstein (1980a) § 1025

(61) Wittgenstein (2009) Part II, § 261

(62) Wittgenstein (2009) § 219

(63) Wittgenstein (1980a) § 202

(64) こうした点は大森の強く主張するところでもあった（例えば、大森荘蔵（1981）二二九—二三九ページ（著作集5、一六七—一七三ページ））。

(65) 「単相」「複相」という区別は先に出した

「単眼的」「複眼的」という区別と混同されてはならない。「単眼的」「複眼的」という区別はパースペクティブ的構造における分類である。それゆえそれは、「単相状態」に対する下位区分とみなすことができる。

単相的（眺望）─┬─単眼的（感覚）
　　　　　　　└─複眼的（知覚）
複相的（相貌）

(66)　この話題に関して、次の論文が興味深い。新宮一成（1996）。新宮はこの論文において、ウィトゲンシュタインの規則のパラドクスに依拠しつつ、規範の病としての統合失調症（分裂病）の姿を、精神病理学の専門家の立場から浮き彫りにしている。
(67)　宮本忠雄（1994）七二―七三ページ
(68)　宮本忠雄（1994）七二ページ

III　行為の意味

(69)　こうした議論の原型が示されている古典的文献は次である。Ryle（1949）p. 63. 邦訳、八七ページ。
(70)　この段階で細かい議論をするつもりはないが、私はさらに、「達成点」という用語と対になるものとして「帰結」という概念も導入したい。例えば、窓を開け、それによって風が入り、書類が飛んでしまったとしよう。ここにおいて「書類が飛んだ」ことは「窓を開けた」ことの「帰結」である。それに対して「窓が開いた」ことは「窓を開けた」ことの帰結ではなく、「達成点」である。両者の違いは、前者の場合には「書類が飛ぶことなく窓を開ける」ことが可能であるのに対して、後者の場合には「窓が開くことなく窓を開ける」ことは論理的に不可能、という点にある。そして、両者の場合を含む包括的な言い方として、「結果」という用語を用いることにする。
(71)　Danto（1965）
(72)　次にそのようなタイプの議論が見られる。柏端達也（1997）九四―九五ページ
(73)　このタイプの議論は次に見られる。Davidson（1971）pp. 50–52. 邦訳、七五―七七ページ
(74)　ここで取り出した「基礎行為論」は、ダントーの提唱した議論とは異なっている。身体動作において基礎行為を認める点は同じだが、それ以外はむしろデイヴィドソン的にアレンジしたものになっている。こうしたことが気になる人のためにこの点についても

う一言述べておこう。ダントーは「腕をのばす」ことと「扉を開ける」ことを別のできごとと捉え、両者の間に因果関係を考えた。しかし、デイヴィドソンは両者を同一のできごとに対する異なる記述であると考える。ここには重要な問題があり、しかも私自身はそのどちらとも異なる見解をもっている。しかし、ここでその議論に踏み込むことは控えよう。

なお、黒田亘もまたデイヴィドソン型の基礎行為論を採っているが、黒田は「行為の因果連関」と「できごとの因果連鎖」を区別することによって独自の道を探ろうとしている（黒田亘（1992）、第七章）。

(75) 飯田隆（1993）

(76) 意図を計画という観点から先駆的にかつ徹底的に論じたものとしては次がある。Bratman（1987）

(77) こうした規範的枠組としての意図に課される要請は Bratman（1987）においていっそう詳細に論じられ展開されている。

(78) Goldman（1970）p. 22.

ただし、借りたのは用語だけである。ゴールドマンの議論自身はアンスコム - デイヴィドソン的見解ではなく（ある点でまったくその正反対のものとなっている）、しかも、私の見解とも異なっている。

(79) Goldman（1970）p. 25.

(80) ちなみに、私がすでに表明した見解に従うならば、ゴールドマンともデイヴィドソンとも異なる存在論的帰結が引かれることになる。だが、ここでその議論に立ち入ることは控えよう（関心のある方は、野矢茂樹（1999）を参照されたい）。

(81) ただし、手段が完全に目的に従属している場合には、こうした意図の重層性はむしろ消失する。手段となる行為がそれ自体意図的であるためには、たとえ目的が達成されなかったとしても、手段となる行為が遂行されたことにおいて部分的に「成功」が見てとられねばならない。例えば、いくつかのルートの中から見晴らしのよい尾根をとおって山頂をめざす場合、たとえ最後に天候が急変して山頂に辿り着かなかったとしても、その尾根を一応歩いたことで部分的にせよ満足が得られる。他方、ただひたすら金を儲けようとして例えば勝馬投票券を購入した場合、それがはずれたならば、「まあ、馬券は買えたのだから」と部分的成功を言うのは虚しいだろう。目的のためには手段を選ばない人は、まさにそこにおいて選択をしないことで、手段が意図的行為としての身分を失うのである。手段 - 目的関係において手段もまた意図的行為である

ために は、手段となる行為それ自体がある程度自己目的化されねばならない。

（82）アキレスと亀のパラドクスについてのより詳細な議論は、野矢茂樹（2005）を参照していただきたい。

（83）Anscombe（1957）p. 13. 邦訳、四四ページ

（84）Anscombe（1957）p. 14. 邦訳、四六ページ

（85）これは門脇竣介（1996）一八四ページの事例をアレンジしたものである。

（86）事例は柏端達也（1997）による。柏端は、標準的見解の立場に立ち、その観点から現代の行為論におけるいくつかの代表的な応答を批判的に検討している（柏端（1997）、第七章）。

（87）この議論は、柏端達也（1997）一三一ページによる。

（88）これもまた、柏端達也（1997）一三一ページの議論である。

（89）第23章における「いくつの行為が為されたのか」という問題を思い出していただきたい。腕をのばし、それによって扉を開け、それによって部屋に風を入れたとき、ゴールドマンの見解に従えば、三つの行為が為されたことになる。それに対して標準的見解は、腕をのばしたという一つの動作が「扉を開けた」および「部屋に風を入れた」と再記述されると論じる。お湯が沸くのを待っている間に野菜を切っているという事例では、複数のことを遂行していると考えられるが、私の動作は火にかけた鍋の横で包丁を動かしていることだけであるから、標準的見解に従えば、行為の数は一つであり、複数と数えられるのはあくまでも行為の記述だということになるだろう。

（90）Anscombe（1957）p. 52. 邦訳、一一五ページ

（91）この主張だけを取り出すならば、これはディヴィドソンの主張と同じものである（Davidson（1971）p. 45. 邦訳、六八ページ）。ただし、身体動作および意図的行為に関する見解が異なっているため、実質的内容は違うものとなっている。

Ⅳ　他者の言葉

（92）Grice（1989）とくにCh. 5,6,14,18. 邦訳、第五、六、八、一〇章

（93）Grice（1989）pp.114–115. 邦訳、一七四—一七五ページ

（94）Grice（1989）pp.97–100, 299–301. 邦訳、一四七—一五二ページ、二八五—二九〇ページ

(95) Grice (1989) pp.98–100. 邦訳、一四九―一五二ページ。私はシッファーのこの事例を理解しようとして二時間以上格闘した。かなり分かったつもりではあるが、正直に言ってまだ完全に理解したとは言いがたい。

(96) Grice (1989) pp. 300–301. 邦訳、二八七―二九〇ページ

(97) Davidson (1986) p. 446. 邦訳、一七〇ページ

(98) Davidson (1967) また、真理条件意味論と根元的解釈に関して、Evnine (1991) がよい解説を与えてくれる。

(99) Davidson (1973)

(100) Davidson (1984a) Introduction, p.xvii. 邦訳、ix―xページ。デイヴィドソンによるこの原理の規定は、Davidson (1973) p. 137. 邦訳、一三七―一三八ページにある。

(101) Davidson (1978), Davidson (1979), Davidson (1984b) を参照。

(102) Davidson (1979) p. 113. 邦訳、一〇三―一〇四ページ

(103) Davidson (1978) p. 246. 邦訳、二六三ページ

(104) この『善悪の彼岸』の冒頭の事例は、田島正樹 (1996) 第三章第一節による。比喩に対するここでの私の見解は田島の議論と共通する方向をもっている。

(105) いまでは私は必ずしもそう考えていない。むしろデイヴィドソン[補注6]の隠喩論には反対したいと考えている (二〇一〇年二月)。

(106) Davidson (1984b) p. 274. 邦訳、三一一ページ

(107) 以下の説明は、Davidson (1986) に基づく。

(108) この刹那的性格は解釈に付与されるものであり、必ずしも言語に付与される性格ではない。解釈はなるほど一期一会的に為されねばならない。しかし同時にそれは全体論的であり、しかも、理解不可能なものは言語ではない。それゆえ、もし発話ごとに意味理論を劇的に変転させる人がいたならば、その人の言語は理解されえず、したがってそれは言語とはみなされえないものとなるだろう。このことは、解釈の刹那性にもかかわらず、言語が言語であるためには一定の安定性を保っていなければならないことを意味している。ただ、その安定性はいつ崩れるか分からず、その意味で解釈はたえず新鮮な緊張に晒されるのである。

(109) ただし、一説によると、九州のある都市ではこれは夏にふつうに見られる犬の姿であるらしい

（佐々木倫子（1990）一〇八―一二二ページ。なお、同書によると、それは「石垣の美しさで有名な城のあるK市」とのことである。熊本市だろうか）。

（110）「典型的な犬」あるいは「ふつうの犬」ということと「犬らしさ」は異なる概念であるかもしれない。例えば、「典型的な男」とか「ふつうの男」と言われる人は、必ずしも「男らしい男」ではないように思われる。「男らしさ」に関して言えば、それは「典型・標準」というよりも「理想」に近いような意味あいが含まれているのではないだろうか。そしておそらくは、何が典型であるかだけでなく、何が理想であるかもまた、概念を規定する要素であるに違いない。

（111） ここで用いている「プロトタイプ」という用語は認知意味論におけるものと同じ意味であると考えていただいてよい。

（112） Wittgenstein（1969）§ 95, 97.

（113） 糸井重里（2005）三五ページ

（114） Carrol（1871）Ch. 6.

（115）「単相状態」とは私と相手とで意味を共有している場合であり、「複相状態」とは私と相手とで異なる意味を与えている場合である。第19章を参照されたい。

（116） ここで「思考」とは、なんらかの内容をもった思考のことを意味している。英語で言えば“think that”の形で、思考内容がthat節で書かれうるような思考である。

（117）『論理哲学論考』を離れ、より詳細に論じたものとしては、私の「思考と言語」（野矢茂樹（2021））を参照していただきたい。

補注

（補注1）　私は『心という難問』において眺望論を完成させたが、そこでは「視点位置」という用語は用いなかった。知覚の場合も感覚の場合も一律に「眺望点」と呼び、知覚の眺望点は主体と対象との位置関係であり、感覚の眺望点は身体状態であるとした。（『心という難問』、第6、7章を参照されたい。）

（補注2）　この点に関して、私は考えを改めた。暗闇の中ではその赤さは失われるといまでは考えている。音の場合、真空中では音は失われる。空気は音を構成する要件の一つである。同様に、光は色を構成する要件の一つだと考えられる。それゆえ、光の下では赤いバラも、光のないところでは赤くはない。赤いトマトは冷蔵庫に入れたら赤くなくなるのである。ただし、誰かがそれを知覚することは音や色の成立要件ではないから、誰が知覚していなくとも、雷鳴はとどろき、赤いバラは赤い。（この点については『心という難問』（野矢茂樹（2016））、8-5を参照されたい。）

（補注3）　ここにおける「知覚は複眼的であり、感覚は単眼的である」という主張は単純すぎる。というのも、時間的な複眼的構造も考えられるからである。痛みに関しても、痛みが増すとか鋭い痛みから鈍い痛みに変わるといった時間的な変化がありうる。こうした変化を捉えるには、現在の眺望点からの痛みの現われと過去の眺望点からの痛みの現われをともに把握している必要がある。それゆえ、痛みにも複眼的構造は認められるのである。そこで私は、きっぱり「単眼的／複眼的」と区分することをやめ、単眼的と複眼的は程度差を許す概念であると考えるようになった。つまり、「より単眼的／より複眼的」とし、感覚は「より単眼的である」と特徴づけることになる。（こうした点については『心という難問』、第8章を参照されたい。）

（補注4）　「アスペクト」と「相貌」の違いが分かりにくいかもしれないので、説明を補っておきたい。「相貌」とは意味をもった世界のあり方である。例えば、いま私の前には机があり、その上にパソコンが載っている。少なくとも現代日本のわれわれであれば、その光景は「机」や「パソコン」という意味をもったものとして現われる。

しかし、パソコンなるものが作られる前の人にとっては、それは「パソコン」という相貌では知覚されないだろう。そこで私は「世界は反転図形」であると書いた（第18章）。あひる‐うさぎの反転図形において、私はそれをうさぎだと見ている。しかしあるときそれをあひるだと見る人に出会い、私はその図形に対する自分の見方を自覚する。これがアスペクト的体験である。つまり、アスペクト的体験とは、相貌がもっている意味を自覚することにほかならない。それゆえ、「相貌」とは「意味をもった対象のあり方」であり、「アスペクト」とは「対象における意味のあり方」であると言える。

第17章で私は「……を見る」と「……として見る」を対比したが、相貌は「……を見る」の対象であり、アスペクトは「……として見る」の対象である。われわれは「パソコンを見る」。そこにおいて見られているものは「パソコン」という意味をもった対象（相貌）である。他方、それを別の相貌のもとに見る他者と出会うようなことがあれば、私はそれを「パソコンとして見ている」自分の見方を自覚する。そこにおいて把握されているのはその対象における「パソコン」という意味（アスペクト）である。

（補注5） ここで、鏡を見ながら髭を剃るという事例や目玉焼きを作る事例を挙げてアンスコムに反論したことは不適切であった。また、「観察に基づかずに知られるのは、意図的行為ではなく意図である」という言い方も不用意であり、誤解を招くものだった。この主張だけを取り出すならば、私がアンスコムの議論の核心をまったく理解していないと思われても仕方ないだろう。実際、アンスコム自身、『インテンション』第二九節において、私の主張と符合するような考えを想定される反論として取り上げている。「この問題の難しさに直面すると、こんなふうに言いたくなる人たちも出てくるだろう。ひとが意図的行為として知っていることはただ意図だけなのだ。あるいはそれに身体運動も加わるかもしれない。その他の部分は行為の結果――それもまた意図において意志されていたものである――を観察して知るのだ、と。」そしてそれに続けて、“But that is a mad account” と激烈な言葉で切り捨てるのである。

しかし、ここでアンスコムが断罪しているのは、心的状態ないしできごととしての意図や意志にほかならない。アンスコムは一貫して、「まず心の中で意図や意志が生じ、それによって身体の動きが引き起こされるとき、それが行為となる」という描像を拒否する。そしてその点では私もまったくアンスコムに同意するのである。私はこの箇所に先立ってそのことを論じておいた。「意図を探して心の中を詮索することはやめにしよう。うさぎに「うさぎ」という意味を与えるものが、むしろそれが位置づけられる草原であり、食べる餌であり、他の動物たちとの関連であるように、意図の在りかもまた、行為を取り巻く一連の脈絡と物語の内に求められねばならない。」（二三三―二三四ページ）それゆえ、「観察に基づかずに知られるのは自分が為していることの意味である」と主張しておいた方が、アンスコムにめちゃくちゃ（mad account）だと言われることはなかっただろう。

私自身の主張をそのように述べ直すとするならば、アンスコムの議論と私の主張は（同じと言えるかどうかは定かではないが）親和性のあるものとなるように思われる。それゆえ、アンスコム批判の形で書いたことを撤回し、むしろアンスコム解釈として、私は自分の主張を再提示したい。

では、髭を剃るという事例をどう考えればよいのか。私は鏡を見ながら髭を剃る。だが、かりに目をつぶって髭を剃ったとしても私は自分の動きの「意味」は把握している。私は今何をしているのか。髭を剃っているのだ。そしてその動きをしているのか。なぜそんな動きをしているのか。髭を剃っているのだ。そしてそのことは確かに観察によらずに分かっている。ただし、鏡で確認することがなければ、剃り残しがあったり、顔を切ってしまったりすることもあるだろう。だがそれは意図的行為の意味に関わることではなく、成功・失敗に関わることである。意図的行為を成功させるためには多くの場合に観察は不可欠なものとなる。だが、失敗した髭剃りや目玉焼き作りも髭剃りや目玉焼き作りという意味はもっているのである。

観察によらない知識に関しては、竹内聖一（2022）が詳しく論じている。そこにおいて竹内はまさに私のいまの箇所を問題にして、それに異を唱える形で議論を進める。だが、竹内とアンスコムの真の標的は、意図を心の中の状態ないしできごととみなす考え方であり、私ではない。ここで述べ直した私の議論であれば、竹内も同意してくれるのではないかと期待する。

（補注6）　その後私が展開した反ディヴィドソン的な隠喩論に関しては、『語りえぬものを語る』（野矢茂樹（2011／2020））第二四章を参照されたい。

文献

飯田　隆（1993）「「がる」と主観形容詞」（平成四年度科学研究費補助金［一般研究（B）］研究成果報告書所収）

糸井重里監修（2005）『言いまつがい』新潮文庫

大森荘蔵（1976）『物と心』東京大学出版会（『大森荘蔵著作集』第四巻、岩波書店、一九九九年）

大森荘蔵（1981）『流れとよどみ』産業図書（『大森荘蔵著作集』第五巻、岩波書店、一九九九年）

大森荘蔵（1982）『新視覚新論』東京大学出版会（『大森荘蔵著作集』第六巻、岩波書店、一九九九年）

大森荘蔵（1984 a）「野家氏に答えて」（野家啓一編『哲学の迷路』産業図書所収）

大森荘蔵（1984 b）「飯田氏に答えて」（野家啓一編『哲学の迷路』産業図書所収）

大森荘蔵（1996）『時は流れず』青土社（『大森荘蔵著作集』第九巻、岩波書店、一九九九年）

柏端達也（1997）『行為と出来事の存在論』勁草書房

門脇竣介（1996）『現代哲学』産業図書

黒田　亘（1992）『行為と規範』勁草書房
佐々木倫子（1990）『動物のお医者さん』第四巻、白泉社
新宮一成（1996）「精神分裂病者における規範と規則」（花村誠一、加藤敏編『分裂病論の現在』弘文堂所収）
竹内聖一（2022）「インテンションを読む」（『思想』、二〇二二年九月号、岩波書店）
田島正樹（1996）『ニーチェの遠近法』青弓社
野家啓一（1984）「「対話的相互性」の地平」（野家啓一編『哲学の迷路』産業図書所収）
野矢茂樹（1999）「行為とできごとに関するいくつかの所見」（『哲学・科学史論叢』第一号、東京大学教養学部哲学・科学史部会所収）
野矢茂樹（2002／2006）『論理哲学論考を読む』（哲学書房／ちくま学芸文庫）
野矢茂樹（2005）『他者の声　実在の声』産業図書
野矢茂樹（2007）『大森荘蔵――哲学の見本』講談社
野矢茂樹（2011／2020）『語りえぬものを語る』（講談社／講談社学術文庫）
野矢茂樹（2016）『心という難問』（講談社）
野矢茂樹（2021）「思考と言語」（『立正大学哲学会紀要』第16号、二〇二一年、所収）
廣松　渉（1994）『フッサール現象学の視覚』青土社
宮本忠雄（1994）「言語と妄想」平凡社ライブラリー

Anscombe, G. E. M.（1957）*Intention*, Basil Blackwell.（『インテンション』柏端達也訳、岩波書店）

Bratman, M.（1987）*Intention, Plans, and Practical Reason*, Harvard University Press.（『意図と行為』門脇竣介、高橋久一郎訳、産業図書）

Carrol. L（1871）*Through the Looking-glass, and What Alice Found There*.（『鏡の国のアリス』）

Carrol. L（1895）"Whatn the tortpise said to Achilles", *Mind* 4.（『不思議の国の論理学』柳瀬尚紀編訳、朝日出版社所収）

Danto, A. C.（1965）"Basic Actions", *American Philosophical Quarterly*.

Davidson, D.（1967）"Truth and Meaning", in Davidson（1984 a).（「真理と意味」）

Davidson, D.（1971）"Agency", in his *Essays on Actions and Events*, Clarendon Press, 1980.（「行為者性」『行為と出来事』服部裕幸、柴田正良訳、勁草書房所収）

Davidson, D.（1973）"Radical Interpretation", in Davidson（1984 a).（「根元的解釈」）

Davidson, D.（1978）"What Metaphors Mean", in Davidson（1984 a).（「隠喩の意味するもの」）

Davidson, D.（1979）"Moods and Performances", in Davidson（1984 a).（「叙法と行為遂行」）

Davidson, D.（1984 a）*Inquiries into Truth and Interpretation*, Oxford University Press.（『真理と解釈』野本和幸他訳、勁草書房）

Davidson, D.（1984 b）"Communication and Convention", in Davidson（1984 a).（「コミュニケーショ

ンと規約」）

Davidson, D.（1986）“A Nice Derangement of Epitaphs”, in Lepore, E. ed., *Truth and Interpretation—Perspectives on the Philosophy of Donald Davidson*, Basil Blackwell, 1986.（Davidson, D., *Truth, Language and History,* Oxford University Press,2005（『真理・言語・歴史』柏端達也他訳、春秋社）に収録。）

Dummett, M.（1959）“Wittgenstein's Philosophy of Mathematics”, in his *Truth and Other Enigmas*, Duckworth, 1978.（『真理という謎』藤田晋吾訳、勁草書房）

Evnine, S.（1991）, *Donald Davidson*, Basil Blackwell.（『デイヴィドソン』宮島昭二訳、勁草書房）

Hanson, N. R.（1958）*Patterns of Discovery*, Cambridge University Press.（『化学理論はいかにして生まれるか』村上陽一郎訳、講談社）

Goldman, A. I.（1970）*A Theory of Human Action*, Princeton University Press.

Grice, P.（1989）*Studies in the Way of Words*, Harvard University press.（『論理と会話』清塚邦彦訳、勁草書房）

Husserl, E.（1950）*Cartesianische Meditationen*, *Husserliana* Bd. I.（「デカルト的省察」船橋弘訳、『ブレンターノ　フッサール』世界の名著第62巻、中公バックス／浜渦辰二訳、岩波文庫）

Kripke, S. A.（1982）*Wittgenstein on Rules and Private Language*, Harvard University Press.（『ウィトゲンシュタインのパラドックス』黒崎宏訳、産業図書）

Ryle, G.（1949）*The Concept of Mind*, Hutchinson.（『心の概念』坂本百大、井上治子、服部裕幸訳、みすず書房）

Wittgenstein, L.（1921）*Tractatus Logico-Philosophicus*, Routledge & Kegan Paul.（『ウィトゲンシュタイン全集1　論理哲学論考』奥雅博訳、大修館書店／野矢茂樹訳、岩波文庫）

Wittgenstein, L.（1958）*The Brown Book*（in The Blue and brown Books, Basil Blackwell）.（『ウィトゲンシュタイン全集6　茶色本』大森荘蔵訳、大修館書店）

Wittgenstein, L.（1969）*Über Gewißheit*, Basil Blackwell.（『ウィトゲンシュタイン全集9　確実性の問題』黒田亘訳、大修館書店）

Wittgenstein, L.（1978）*Remarks on the Foundations of Mathematics*, Third Ed., translated by Anscombe G. E. M., Basil Blackwell.（ウィトゲンシュタイン全集7　第一版の翻訳として、『数学の基礎』中村秀吉、藤田晋吾訳、大修館書店）

Wittgenstein, L.（1980a）*Bemerkungen über die Philosophie der Psychologie I*, Basil Blackwell.（『ウィトゲンシュタイン全集補巻1　心理学の哲学1』佐藤徹郎訳、大修館書店）

Wittgenstein, L.（1980b）*Bemerkungen über die Philosophie der Psychologie II*, Basil Blackwell.（ウィトゲンシュタイン全集補巻2　心理学の哲学2』野家啓一訳、大修館書店）

Wittgenstein, L.（2009）*Philosophical Investigations*, Fourth Ed., Wiley Blackwell.（『哲学探究』鬼界彰夫訳、講談社）なお、第四版ではこれまで「第II部」とされていたパートは"Philosophie der

Psychologie—Ein Fragment"とされ、リマークのまとまりごとに新たに番号が付されている。本書では旧来の「第Ⅰ部」「第Ⅱ部」という呼称を用い、リマークの番号は第四版に従った。

ま行

や行

ら行

わ行

た行

な行

は行

さ行

索引

それぞれの項目について、理解に資すると思われるページをあげる

野矢茂樹　Shigeki Noya

1954 年、東京都生まれ。1985 年、東京大学大学院博士課程単位取得退学。東京大学大学院総合文化研究科教授を長く務め、現在、立正大学文学部哲学科教授、東京大学名誉教授。専攻は、哲学。主な著書に、『論理学』(東京大学出版会)、『心と他者』(勁草書房/中公文庫)、『論理トレーニング』(産業図書)、『哲学の謎』(講談社現代新書)、『無限論の教室』(講談社現代新書)、『ウィトゲンシュタイン「論理哲学論考」を読む』(哲学書房/ちくま学芸文庫)、『大森荘蔵――哲学の見本』(講談社/講談社学術文庫)、『語りえぬものを語る』(講談社/講談社学術文庫)、『心という難問』(講談社)、『ウィトゲンシュタイン『哲学探究』という戦い』(岩波書店)、『言語哲学がはじまる』(岩波新書)、『増補版 大人のための国語ゼミ』(筑摩書房) など多数。訳書に、ウィトゲンシュタイン『論理哲学論考』(岩波文庫) など。

増補改訂版
哲学・航海日誌

1999 年 4 月 20 日　初版第 1 刷発行
2024 年 1 月 20 日　増補改訂版第 1 刷発行

著　者　　野矢茂樹

発行者　　小林公二
発行所　　株式会社　春秋社
〒101-0021 東京都千代田区外神田 2-18-6
電話 03-3255-9611
振替 00180-6-24861
https://www.shunjusha.co.jp/

印　刷　　信毎書籍印刷　株式会社
製　本　　ナショナル製本　協同組合

装　丁　　芦澤泰偉

Printed in Japan, Shunjusha.
ISBN 978-4-393-32413-4

定価はカバー等に表示してあります